motto

JULES WAKE

Trable
S LÁSKOU

motto

Přeložila Klára Krasula

Originál v anglickém jazyce vydalo poprvé pod názvem *THE SPARK* jako e-book nakladatelství HarperCollins*Publishers* Ltd. ve Velké Británii v roce 2020.

ISBN 978-80-267-2637-1

Pro Sarah Wrightovou, rozenou Sparkovou.

Zdá se, že tato kniha je pro Tebe jako stvořená.

Děkuji Ti za dlouholeté přátelství.

1

Když mi za deset dvanáct zavibroval telefon, pět minut před tím, než jsem musela odejít z domova, přísahala bych, že to bude Shelley. Nečekala jsem však, že její dnešní nepřítomnost změní celý můj život.

Promiň, zlato, dneska to nedám.

Překvapilo mě to vůbec? Shelley byla ztělesněním bezprostřednosti, což z ní ale taky dělalo nejvíc nezodpovědného člověka, kterého znám. Ale na druhou stranu taky nejzábavnějšího. A pokud jste měli takové dětství jako já, důležitost druhé vlastnosti významně převyšovala tu první.

Měla jsem veškeré právo být naštvaná. Vždyť to ona mě přemluvila, abych ji doprovodila na každoroční grilovačku u jejích rodičů, kde věkový průměr neklesal pod padesátku. Mrkla jsem na zápěstí, abych zkontrolovala čas. Ne. To jim přece nemůžu udělat. Shelley může svoji mámu zklamat úplně bez výčitek, ale já ne. Navíc bylo nádherné nedělní poledne a já jsem neměla žádný záložní plán. A měla jsem prázdnou ledničku. Teta Lynn uměla úžasně vařit, a protože vždycky očekávala zhruba pět tisíc návštěvníků, dalo se počítat s tím, že mi s sebou nabalí jídlo na celý týden. Její saláty, úžasné jednohubky a čokoládové dorty uměli ocenit v mojí práci, a to především malé děti. Lynn byla více než štědrá – tak štědrá, až se zdálo, že si všechnu štědrost světa urvala pro sebe a na moji matku tím pádem žádná nezbyla.

Rychle jsem se naposledy zkontrolovala v zrcadle a ujistila se, že modré šortky a světle růžové tílko, které bohužel pamatovaly lepší časy, snad nemůžou tetu Lynn ani strejdu Richarda urazit. Ti dva byli zadobře s každým, především s tím, kdo s sebou přinesl něco k pití. Nasoukala jsem se do tenisek, protože jsem měla v plánu dát si nějaký ten drink a zpáteční procházka bude v pohodlné obuvi určitě rychlejší, popadla jsem plechovky piva a vyšla ze dveří.

Dnešek byl přesně tím veselým letním dnem, kdy máte pocit, že už nikdy nepřestane svítit slunce. Na nebi se líně převalovalo pár bílých nadýchaných chomáčků a modř na jejich pozadí byla tak jasná, že si člověk mohl jednoduše představit celý vesmír schovaný za jeho okrajem. Předpokládala jsem, že tam někde opravdu všechny poklady vesmíru jsou, a tak trochu jsem si přála, abych dávala kdysi v hodinách fyziky větší pozor. Ale vždycky jsem fyziku nesnášela. Nakonec jsem to vzdala. Musím ale přiznat, že jsem se cítila důležitě, když jsem při chůzi přemítala o tom, co se nachází za oblohou. V práci jsem takhle fungovat nemohla, vyžadovalo se ode mě emocionální nasazení, což někdy člověka unavilo mnohem víc než bádání o podstatě života. Měla jsem tu práci moc ráda, ale bylo mi jasné, že kdybych jen trochu polevila, strhla by mě jako hurikán a vymrštila kilometry daleko.

Během tohoto veledůležitého hloubání jsem se dostala přes celé město, podél High Street, přes park s oplocenou částí, kde na houpačkách a skluzavkách vesele pokřikovaly děti v barevném oblečení. Takhle na dálku připomínaly plastové postavičky ze stavebnice Fisher Price. A pak lehce do kopce podél Pettyfeather

Lane ke skromnému sídlu strejdy a tety. Tedy skromnému, jak se to vezme, protože úzký vchod a temná chodba za ním dobře skrývaly prostornou kuchyň přecházející v jídelnu a obývací pokoj s francouzskými okny vedoucími na zahradu jako stvořenou k pořádání podobných akcí.

Vstupní dveře byly pootevřené, což mě okamžitě přimělo k úsměvu. Znamenalo to, že všichni už jsou na zahradě, odkud ke mně doléhaly známé zvuky dobře naladěných hostů. Vstoupila jsem, obešla hromadu rozházených bot, kabelek a svršků a znovu si uvědomila, jak v tomhle malém městě, zhruba čtyřicet minut vzdáleném od Londýna, život funguje úplně jinak, než na co jsem byla zvyklá z práce. Tetini a strejdovi vrstevníci a sousedi, poklidně žijící v bublině nízké kriminality a obyčejné lidské slušnosti, očividně brali podobný způsob života za samozřejmost. Dávalo mi to naději, že i na ty, kteří podobné štěstí nikdy neměli, někde čeká lepší zítřek.

„Jess, Jess!" zavolal mým směrem zpoza baru strejda Richard, který právě sváděl boj s lahví prosecca. Naneštěstí se mu podařilo korek uvolnit tak nešikovně, že s hlasitým bouchnutím odletěl někam do dálky a šumivým nápojem pokropil několik poblíž se nacházejících osob. „Rychle, zlato, podej skleničku. Tímhle šumivým pokladem nesmíme mrhat. Tohle je kvalita za osm liber z Tesca," zamával na mě lahví, přičemž se mu podařilo další obsah rozlít okolo.

Moji příbuzní byli naštěstí na rozdíl od jejich nespolehlivé dcery Shelley naprosto předpisově (někdy skoro až nudně) spolehliví, takže jsem skleničky pohotově našla tam, kde se nacházely pokaždé, když teta se strejdou pořádali podobnou sešlost, stejně jako plastová nádoba plná ledu a pivní půllitry, které se mi naštěstí podařilo elegantně obejít. Popadla jsem sklenici na šumivé víno a rychle se vrátila ke strejdovi.

„Jako na zavolanou, děvče," naplnil ji až po okraj. „Jak se máš? Pamatuješ si na Fionu? Fiono, už ses potkala s Jess, naší neteří, že? Promiň, tvoje sestřenice nám dneska dala košem. Její škoda." Pak se otočil k Fioně, která bydlela v sousedním domě a potkala mě už asi tak milionkrát. „Samozřejmě že znáš Jess. Je to naše nejoblíbenější dcera. Teda dcera, kterou bychom mnohem radši měli místo té vlastní."

Fiona se hlasitě zasmála. „Nejsem si jistá, že bys měl takové věci říkat nahlas."

„Tak si zkus se Shelley chvilku bydlet," odpověděl Richard bez úsměvu.

„Ahoj, strejdo Richi," odpověděla jsem konečně a objala ho. Jedním okem jsem přitom dávala pozor na skleničku prosecca, která stejně přišla o polovinu obsahu ve chvíli, kdy mě objal tak silně, jako by mě rok neviděl. „Máš pravdu, měla bych být vaše oblíbená dcera, protože Shelley mě dneska vážně namíchla." Usmála jsem se na něj, když se vedle něj objevila teta Lynn. „Vykašlala se na nás kvůli nějakému klukovi, kterého zná sotva pět minut."

Shelley prostě nebyla schopná vydržet chvilku bez chlapa. To já, ruku na srdce, jsem byla mnohem vybíravější. Určitě to mělo co do činění s mým zaměstnáním.

„Jess." Teta mě přitiskla na svoji mocnou hruď a pak o dva kroky ustoupila, aby si mě s tím známým mateřským výrazem ve tváři pořádně prohlédla. „Jíš ty vůbec? Vždyť ti úplně lezou žebra."

Zasmála jsem se. „To jsi říkala minule taky. To bylo o Vánocích. A pak jsi mi při odchodu vnutila půlku krocana a skoro celý dort."

„To je možné. Vidíš, jaké máš štěstí." Pak sama sebe dloubla do pneumatik kolem svého pasu. „Nebylo by vůbec špatné se tohohle zbavit. Možná se k tobě někdy připojím, až půjdeš zase běhat." Zatvářila se tak žalostně, že jsme se obě s Fionou mohly potrhat smíchy.

Richard ji rychle objal kolem ramen. „Ať tě to ani nenapadne. Mám tě rád přesně takovou, jaká jsi."

Tetě se rozzářil obličej a pohladila svého manžela po strništi. „Máš výborný výcvik. A trvalo to jenom třicet let." Pak se napřímila, jako by si na něco vzpomněla. „Jess, utíkej na zahradu, dneska je moc krásně na to, abychom se tady schovávali."

Vzhledem k tomu, že krásné počasí bylo jedním z hlavních důvodů, proč jsem se sem vydala, ráda jsem ji poslechla. Stejně jako hosté, které dnes teta Lynn přivítala.

Všimla jsem si ho hned, jak jsem vykročila na zahradu. Něčeho takového by si všiml snad i slepý. Minimálně to byl jediný člověk v okolí ve stejné věkové kategorii jako já. A pak byl taky vysoký, opálený... prostě nádherný! Jednou nohou se opíral o betonovou zídku a nakláněl se dopředu, zapřený dlaněmi o koleno. Pak zvedl lahev s pivem ke rtům a sluneční paprsky ozářily jemné zlaté chloupky na jeho svalnaté paži. Blond vlasy, skoro až sněhově bílé, měl sčesané dozadu. Obočí stejné barvy z něj na první pohled vytvářelo Kena, což určitě v životě neslyšel poprvé. Na sobě měl volné kraťasy ke kolenům – tak pomačkané, že vedle nich ty moje vypadaly, jako by mi je na míru ušil Alexander McQueen – a podivné kožené sandály, které byly tak sešlapané a onošené, že vypadaly skoro trendy. Největšího obdivu by se však mělo dostat bílému nátělníku, který nejenže byl překvapivě čistý, ale taky odhaloval značnou část jeho vypracovaného těla. Hmm, tady někdo netrpěl nedostatkem sebevědomí.

Nenápadně jsem si ho znovu (no dobře, a pak znovu) prohlédla, nebyl to vůbec můj typ, ale z nějakého nepochopitelného důvodu se moje hormony rozhodly, že je jim to jedno. Začaly řádit, což hned odnesly moje třesoucí se nohy a srdeční tep pádící jako o závod. To všechno byl jeden velký nesmysl, protože jsem se rozhodně nerozplývala při pohledu na pohodové surfaře, kteří se právě vrátili z pláže, kde zapomněli dobře navoskovaný surf a obdivovatelku v titěrných bikinách. A co ty sluneční brýle s páskem kolem hlavy?

Myslím, že jsem to trochu přehnala. Obvykle jsem takhle přísně nesoudila člověka, se kterým jsem ještě ani nemluvila. A hormony se mi obvykle neplašily jen při pohledu na očividně pohledného chlapa. Neříkám, že jsem nikdy nebyla zamilovaná do někoho opravdu úžasného, naprosto nedosažitelného, někoho, koho bych za žádnou cenu v běžném životě nepotkala, ale nikdy dřív jsem nepocítila takové omámení někým z masa (ano, libového masa) a kostí.

Tohle všechno mi problesklo hlavou. Asi jsem se musela celá rozzářit, protože ten poloůh najednou zvedl oči, skoro jako elegantní jelen s obrovským parožím, který něco zavětřil mým směrem, podíval se na mě, usmál se, a asi aby si mě pořádně prohlédl, zvedl si sluneční brýle nad oči.

Projela mnou vlna potěšení, v žaludku mě zalechtalo, jako když člověk jede na horské dráze, a horkost, kterou jsem ucítila, určitě spálila každého motýla, který tam před chvílí poletoval.

„Zdravím," prohodil přátelsky a kolem blankytných očí se mu objevily vějířky jemných vrásek. Přesně, přede mnou stálo zosobnění Adonise. A něco v jeho pohledu naznačovalo, že cokoliv teď prožívám (a sama sobě jsem se snažila namluvit, že je to jen prachobyčejný chtíč), nebyla jsem v tom tak úplně sama.

„Ahoj," odpověděla jsem a s potěšením jsem se ujistila, že můj hlas nezní jako žabí kuňkání.

„Fajn, že je tady taky někdo v mým věku." Jeho úsměv obalil moje srdce jako teplá šála. Něco nečekaného mezi námi probleskovalo. A lhala bych, kdybych tvrdila, že z jeho strany jsem žádný zájem necítila.

„Právě jsem měl zajímavý rozhovor o sekání trávníku s pánem, který mohl chodit na základku s mým dědou. A před tím, nesuď mě, byla to vážně milá paní, po mně chtěli doporučení na elektrikáře a zedníka. Co se to tu děje?"

Musela jsem se jeho udivenému pohledu zasmát. „Za to může to tílko."

„Cože?" Odtáhl okraj svého svršku a odhalil tak vypracované břicho včetně chloupků směřujících za okraj šortek.

Polkla jsem a přikývla.

„To bylo jediné čisté tričko, co jsem doma našel," odpověděl. „Všechno ostatní visí na šňůře… Teda aspoň doufám, protože jestli ne, tak musím jít zítra do práce jen tak. A to asi nebude ten nejlepší nápad." Mrknul na mě a dal se do smíchu.

„To asi ne." Oplatila jsem mu úsměv a zakázala svému mozku snahu vybavit si ho bez oblečení. „Kde pracuješ?" zeptala jsem se radši. „Proboha, vážně jsem to řekla nahlas? Myslím, že se ze mě pomalu stává teta Lynn." Hodila jsem hlavou k proskleným dveřím, za kterými se nacházel zbytek dospělých.

„To je jejich akce?"

„Ano. Sestřenka mě poprosila, abych přišla jako morální podpora… A pak mě v tom nechala samotnou."

„Au."

„Není to taková hrůza. Už jsi viděl to jídlo?"

„Neviděl, ale začíná se mi tu líbit. Vlastně jsem moc rád, že jsem nakonec přišel." Obdařil mě dalším ze svých oslnivých úsměvů a znovu se napil piva. „Moji rodiče se sem přistěhovali asi před půl rokem." Kývnul bradou na druhou stranu zahrady. „Tamhle vzadu je jejich dům. Hlídám jim ho, když jsou pryč, starám se o psa. Lynn trvala na tom, že se tu mám dneska ukázat."

Pokrčil rameny a zajiskřilo mu v očích. „Neměl jsem zrovna žádné plány. A hlavně jsem měl prázdný žaludek."

Zasmála jsem se. „Tak to jsi tady správně. Ale upozorňuju tě, že na zbytky jídla už je pořadník."

„Vzala sis s sebou plastové krabičky?" zeptal se tiše a zadržoval smích.

„Ne," odpověděla jsem naoko zklamaně a cukaly mi při tom koutky.

„Tak to bych si nebyl tak jistý." Mrknul na mě a cinknul pivem o moji skleničku.

„Nemáš šanci, jsem jejich oblíbená neteř."

„Kolik dalších neteří mají?" Vyprsknul smíchy a já bych se nejradši přidala k němu. Ten člověk ve mně vyvolával zvláštní pocit bezstarostnosti.

„Jen mě."

„Tak to se nepočítá. A oblíbený soused by tě stejně přebil."

„Oblíbený soused?" zopakovala jsem šokovaně.

„Samozřejmě. Jsem tichý, unesu těžké předměty a umím výborně zalívat zahradu."

„Co přesně vlastně děláš, když zrovna nehlídáš rodičům dům?" Předpokládala jsem, že vyrukuje se zahradníkem nebo jinou manuální prací. Vypadal, že tráví většinu času venku. Nebo bydlel se svými rodiči a do práce vůbec nechodil.

„Učitele na záklaadce. Tady v Redlandu."

„Cože? Na St. Bernard?" Určitě bych ho netipovala na učitele a už vůbec ne působícího na škole s rozšířenou výukou pro děti se speciálními potřebami.

Přikývl. „Znáš to tam?"

„Slyšela jsem o ní. V práci jsem ve spojení se spoustou místních škol. To musí být... zajímavá práce. Jak staré děti učíš?"

„Tak *zajímavou* moji práci už dlouho nikdo nenazval," odpověděl a znovu se rozzářil. „Mám to rád. Starám se o devět dětí mezi devíti a jedenácti lety. Skoro všechny trpí nějakou formou autismu."

„To musí být náročné."

Překvapeně se na mě podíval. „Spousta lidí si myslí, že je to jednoduchá práce." Jiskry v jeho očích na chvíli zmizely. „Předpokládají, že děti s nějakou poruchou vlastně vzdělání nepotřebují. Nebo je tak složité jim ho zprostředkovat, že se ani nemusíme snažit." Ten jeho zápal se mi hrozně líbil. Kdybych v tom už nebyla až po uši, tahle věta by mi určitě zamotala hlavu.

Usmála jsem se na něho. Nemohla jsem si pomoct. Najednou jsem si uvědomila, že k tomuhle klukovi můžu být naprosto upřímná.

„Ale ty se snažíš. Více než je nutné."

„To jo. Rád s těma dětma trávím čas. Je to přehlídka všech možných vlastností, ale každé z nich si zaslouží tu nejlepší šanci v životě. A mým posláním je jim tu šanci zprostředkovat. Některé z těch dětí jsou neuvěřitelně bystré, talentované, jen prostě neumějí fungovat v běžném životě tak jako třeba já nebo ty."

„Páni, jsem ohromená."

„To vůbec nemusíš být. Vlastně mám velké štěstí. Dělám to, co mám rád. A co ty?"

„Vsadím se, že se většina lidí, kterých se takhle zeptáš, cítí dost mizerně po tom, co jim řekneš, čím se živíš."

Jen pokrčil rameny. „Nejsem žádný samaritán. Taky mám svoje slabší dny, nemysli si. Někdy dokonce," odmlčel se a trochu se ke mně naklonil, „ty děti trochu napomenu."

„Styď se! Takoví andílci," dodala jsem přehnaně.

„Andílci, samozřejmě. Třeba když se ti ďáblíci rozhodnou přilepit mi ponožky k botám vteřinovým lepidlem, když je mám zrovna na sobě."

„Dobře, už se neptám," prohodila jsem a zahihňala se. Ve skutečnosti jsem začínala být trochu přiopilá. Venku bylo pořádné teplo a já jsem se utápěla v těch hlubokých modrých očích. Přesto jsem měla naprosto bystrou mysl, bystřejší než kdy jindy.

„No, kdybych ty ponožky mohl prát dohromady s botama, ušetřil bych si ráno při oblíkání spoustu času." Oba jsme se té představě od srdce zasmáli a pak na vteřinu nebo dvě strnuli v překvapeném okamžiku naprostého souznění.

„Já jsem Sam," řekl a natáhl ke mně ruku s očima stále utopenýma v těch mých. Ty jeho byly modré, příliš modré a plné radosti, slunečních paprsků a života.

„Jess. Těší mě, Same."

„Takže, čím že se to živíš, Jess?"

„Pracuju v azylovém domě pro ženy," řekla jsem a vyjmenovala pár lokalit, kde se s týmem pohybujeme.

„No teda," teď vypadal ohromeně zase on. „To asi taky není procházka růžovým sadem."

Pokývala jsem hlavou. „Samozřejmě že někdy to jsou strašné chvíle. Snažíme se hlavně pomoct ženám, často i jejich dětem postavit se znovu na nohy. Většinou utíkají s prázdnýma rukama, nemají vůbec nic. Často jednáme se školami, sociálními pracovnicemi, nemocnicemi a někdy," koutky úst mě zradily a stočily se dolů, „i s policií." Jen hrstka žen, se kterými jsem pracovala, se nakonec rozhodla podat žalobu, jejich sebevědomí bylo tak poznamenané, že většina nakonec couvla."

„To musí být náročné. Moje práce teď vypadá jako úplná pohoda." Ohromení v jeho očích mě zahřálo, ale taky mi připomnělo, proč to všechno dělám.

„Pokaždé si uvědomím, co vlastně mám," řekla jsem na vysvětlenou. „A jak dobře si většina lidí žije, aniž by si to uvědomovali."

„To je pravda," usmál se a znovu ťuknul lahví o moji skleničku.

Nemám ponětí, kam se následující hodina ztratila. Sam byl zábavný a pohotový. Měli jsme toho tolik společného. Oba jsme nesnášeli seriál *Hotýlek* (a shodli jsme se na tom, že všechny seriály ze 70. let byly příšerné), líbila se nám *Teorie velkého třesku*, oba jsme preferovali Davida Tennanta jako toho nejlepšího *Pána času*, ujížděli jsme na *Stopařově průvodci po Galaxii* a jednoznačně jsme se shodli, že Imagine Dragons jsou nejlepší hudební skupina na světě. I když Sam chvilku zvažoval Coldplay.

Můj žaludek už nějakou dobu protestoval a snažil se mi naznačit, že je čas jíst, přesto jsem pocítila zklamání, když teta Lynn vyšla na terasu a zvolala: „Jídlo je hotové." Když jsem se rozhlédla po terase, uvědomila jsem si, kolik je tu vlastně lidí. A já jsem se celou dobu soustředila jen na něho.

„Konečně. Umírám hlady." Rychle si mě prohlédl, viděla jsem jeho pohled klouzající po mých nohou. „Dáš si něco?"

„No jasně," odpověděla jsem rychle. „Proč myslíš, že jsem tady?"

„Na chvilku jsem si myslel, že s touhle luxusní postavou patříš do skupiny těch, co jen čichají k listům zeleného salátu." Mrknul na mě.

Vehementně jsem vrtěla hlavou, že to tak není, i když tu *luxusní postavu* jsem si uložila na seznam výrazů, nad kterými budu hloubat později. „Hrozně ráda jím." Snažila jsem se ho přesvědčit.

Uvnitř jsme se zařadili do fronty a postupně si nabrali talíře, ubrousky a příbory.

Teta Lynn připravila několik salátů a různé pečivo, zatímco strejda Richard doslova zářil u stolu s tácy pokrytými nakrájenými klobáskami, kuřecími a zeleninovými špízy a domácími jehněčími burgery.

„To bych teda nevěřil," odpověděl a znovu mě sjel pohledem od hlavy až k patě.

„Děkuju. Takže ten včerejší běh v parku stál za to."

„Cože? Běháš tady v parku v Tringu?"

„Jo."

„Taky jsem tam včera byl. Škoda. Ten kopec je zabijácký. Většinou chodím běhat do Rushmere Country Parku v Leighton Buzzardu."

„Tam bydlíš, když zrovna nehlídáš rodičům dům?"

„Hmm, i když bych se měl asi přestěhovat sem. Trávím v téhle čtvrti spoustu času, o víkendech hraju v kriketovém klubu Meadows Way a několikrát týdně přespávám kousek odsud."

„Já sice o kriketu nic nevím, ale párkrát jsem měla tu čest strávit odpoledne v jejich zázemí, je to tam moc krásné." Kriketový klub se nacházel na okraji města, skládal se ze dvou velkých hřišť ohraničených nízkým živým plotem a dvoupatrové budovy s balkony nabízejícími úchvatný výhled na kopce Chiltern.

„Někdy se můžeš zastavit, provedu tě tam." Odmlčel se a pohledem klouzal po naaranžovaném jídle. „Bože, to vypadá fakt úžasně!"

Nakonec jsme se spolu posadili na lavičku, opřeli se zády o zeď domu a v téměř posvátném tichu si vychutnávali Lynniny kuchařské výtvory. Něco však naši předchozí bezstarostnou konverzaci narušilo. Cítila jsem to na Samově fixaci na jídlo na talíři.

Nedbala jsem toho a dál se věnovala jídlu, občas jsem si jen uvědomila teplo jeho stehna jemně se otírajícího o to moje a lehký dotek jeho paže, když pohyboval příborem po talíři.

Pak se ozvalo cinknutí vidličky a on se na mě konečně podíval.

„Jess, musím ti něco říct."

Nakrabatil ustaraně čelo. „Tohle bude znít jako totální kliché, fakt se mi líbíš, ale…"

To ALE si s sebou klidně mohl přinést naškrábané velkými bílými písmeny na černé tabuli.

„Nedělej si starosti. Ráda jsem tě poznala." Chtěla jsem se postavit, ale on mě chytil za paži.

„Ne, myslím to vážně. Vážně se mi líbíš. A rád bych v tomhle všem pokračoval, ale… mám přítelkyni."

„To je v pořádku," řekla jsem vesele, protože to bylo nakonec skoro k smíchu. Byl to moc milý člověk a strávili jsme spolu příjemné (Jess, vážně? Příjemné?), no dobře, *úžasné* odpoledne, ale to je asi tak všechno. „Vážně jsem tě ráda poznala." Ignorovala jsem knedlík, který se mi usadil v krku, a snažila se hrdě opustit bojiště.

„Jess, počkej! Neodcházej!"

Stoupnul si těsně přede mě, takže jsem mohla vidět pulzující tepny na jeho krku a prudce se zvedající hrudník. Vidět ho tak rozrušeného byl zřejmě jediný důvod, proč jsem se nechala za ruku odvést na opuštěný konec zahrady. Byl prostě k nakousnutí a ano, něco mezi námi rozhodně bylo, ale fakt, že měl přítelkyni, byl pro mě dostatečnou výstrahou. Doteď si pamatuju zlomený výraz v matčiných očích, když ji otec opustil kvůli jiné. Ukradl jí duši, zničil její naděje. Už nikdy nebyla stejná. Jejich rozchod spustil řetězec katastrofálních změn, které otočily můj život vzhůru nohama. Ukrást jiné ženě muže, to bych si nikdy neodpustila.

„Jess," řekl napjatě. „Omlouvám se. Nechtěl jsem ti dávat naděje. Asi jsem to podělal."

„Žádné naděje jsi mi nedával," odpověděla jsem tiše a usmála se.

„Znovu to bude znít jako klišé, ale nikdy jsem nepoznal nikoho, s kým bych si tak…," napřímil se a vypadal překvapeně,

„sednul." Zadíval se mi do očí, v těch jeho se zračila upřímná bolest. „Chtěl bych, abychom zůstali přáteli," pak zvedl koutek, „ale to by trvalo asi tak pět minut."

„Nedělej si starosti."

„Chodím s Vic už čtyři roky a nikdy jsem se na nikoho jiného ani nepodíval, vážně."

„To je obdivuhodné," pronesla jsem a hrozně jsem té holce záviděla.

„Zůstaneme v kontaktu?"

Všechny moje instinkty mi napovídaly, že toho budu litovat, ale představa, že ho už nikdy v životě neuvidím, mi připadala nesnesitelná. A tak jsem řekla ano.

2

„Dneska nějak záříš," pronesla Holly a míchala lžičkou svoji ranní kávu tak urputně, jako by z ní snad mohla vymíchat ještě trochu energie pro následující náročný den. „Jaký byl víkend?"

„V pohodě. Přinesla jsem jídlo." Zvedla jsem plnou igelitovou tašku.

„Teta Lynn?"

„Přesně tak."

„Prosím, řekni, že je v té tašce její výborný bylinkový salát s bulgurem. Nebo aspoň ten salát s fetou a granátovým jablkem. Ten byl taky úžasný."

„Dost možná," poznamenala jsem lákavě a snažila se vyhnout jejím nenechavým prstům. Místo toho jsem si to namířila ke společné lednici a začala opatrně vytahovat jednu krabičku za druhou.

„Jak bylo tady?"

Jeden víkend v měsíci jsme měli takzvanou službu. Pro případ, že by někdo potřeboval akutní pomoc. Víkendy byly z našeho pohledu nejvytíženější.

„Docela klid. Město snad konečně našlo nové místo pro Thorntonovy."

„Fakt? To je paráda. Kdy myslíš, že se budou moct přestěhovat?"

Náš azylový dům mohl ubytovat maximálně šest rodin, možná sedm. Thorntonovi u nás bydleli nejdéle. Máma, tři kluci a miminko. Nutně už potřebovali vlastní prostor. Většině žen, které sem přišly – s hromádkou oblečení a jednou hračkou –, byl nabídnut jediný pokoj, který z praktických důvodů sdílely se svými dětmi. Všech pět Thorntonových bydlelo pohromadě už čtyři týdny.

Naše zázemí disponovalo jedinou společenskou místností s televizí – což pochopitelně především mezi dětmi vedlo k četným hádkám – a společnou kuchyní, kde měli všichni ubytovaní přístup k základním potravinám. Mohli tu vařit pro sebe i pro ostatní. Každá rodina byla úplně jiná. Někteří vařili rádi a s chutí hostili ostatní, jiní neměli energii ani na to, posadit se ke stolu. Mít k dispozici hotové jídlo bylo odměnou pro všechny. Pokrmy od tety Lynn se vždy těšily velké oblibě.

„Přestěhují se hned, jak se mi podaří přemluvit město, aby dalo do toho starého bytu aspoň nový koberec. Taky jsem mluvila s místní charitou a slíbili mi, že seženou závěsy a povlečení."

„Počkej, tetina sousedka se nabídla, že přinese nějaké povlečení, co už nepoužívá, to by mělo stačit."

Byly jsme naprostými mistryněmi v přemlouvání, půjčování a nenápadném odcizování různých domácích potřeb a prádla, abychom udržely naše rezidenty na alespoň nějaké solidní životní úrovni.

S šálky kávy jsme pomalu došly z kuchyně do kanceláře. Nazývat tenhle titěrný prostor, velký tak akorát pro dva proti sobě obrácené stoly, kanceláří bylo až nevhodné, ale nějak jsme mu říkat musely. Měly jsme velké štěstí, že jsme se tak dobře snesly, jinak bychom spolu určitě nevydržely. Každá jsme byla úplně jiná. Hollyin zjev tak trochu připomínal vyznavačku gotického rocku. Černé vlasy měla spletené do obřího drdolu, ze kterého po stranách padaly různě propletené prameny, a vyžívala se ve výrazném líčení, které zpestřovala zářivými barvami. Její pracovní plocha odrážela její osobnost. Někdy jsem měla pocit, že pod hromadou dokumentů nemůže mít ani ponětí, kde co najít. Opak byl ovšem pravdou. Holly si pamatovala každý detail a nikdy na nic nezapomněla. A to se vždycky hodilo. Taky dálkově studovala psychologii, takže na mně i na ostatních ráda zkoušela teorie, které právě probírali ve škole.

Můj stůl vypadal úplně jinak. Nikdy na něm neležely zbytečné papíry. Naprosto přesně jsem věděla, kde se co nachází.

Mým prvním úkolem dnes bylo přesvědčit ředitele jedné základní školy, aby do své třídy přijal obě děti rodiny, která se k nám nedávno přistěhovala, i když místo měl jen pro jedno. Stálo mě to několik nekonečných hovorů a e-mailů se zástupci města, školy i sociálního úřadu, než jsem se mohla konečně se zadostiučiněním vyčerpaně opřít do židle a upít z téměř studené kávy. V tom se ozvalo pípnutí příchozí zprávy a při pohledu na displej mi zamrznul úsměv na tváři.

Ahoj Jess. Doufám, že jsi ještě nesnědla všechno jídlo, co sis v sobotu odnesla. Rád jsem tě poznal. Sam

Přiblížila jsem mobil ke svým zorničkám a zblízka hleděla na písmenka. V hlavě mi poletovaly protichůdné emoce jako komety. Potěšení, lítost, naděje, vina, mrzutost. Ta především. Neměl mi vůbec psát.

„No teda. To je ale komplikovaný výraz," zhodnotila můj výstup Holly. „Špatné zprávy? Dobré zprávy? Žádné zprávy?"

„Dobře, povím ti to," vydechla jsem a chytila telefon do obou dlaní. Proč mi vůbec psal? Znamenalo to, že vůbec nebyl tím, za koho jsem ho považovala. Měla bych mít vlastně radost.

Další zpropadený chlap v řadě. „Někoho jsem potkala. Jmenuje se Sam."

„A ten ti teď píše. Neříkej mi, že chce být jen kamarád."

„Tak nějak."

Holly protočila černě orámované oči. „Vidíš, mohla bych napsat knihu."

„Nekoulej těma očima, nebo ti vypadnou z hlavy."

„Ale prosím tě," odpověděla pohrdavě. „Tak odpovíš mu už konečně, že jsi stejně neměla zájem, nebo budeš na ten telefon hledět, jako kdybys tam viděla odpovědi na všechny otázky vesmíru?"

„Dvaačtyřicet," prohodila jsem automaticky a ihned jsem si vzpomněla na rozhovor se Samem (pokud jste nečetli Adamsova *Stopařova průvodce po Galaxii*, což jsme my dva rozhodně četli, odpověď je dvaačtyřicet). Povzdechla jsem si a odložila telefon na stůl. Měla bych ho ignorovat. Jasné zakázané ovoce. Dvě vteřiny nato jsem už měla telefon zase v ruce. Jeho zpráva zněla naprosto neškodně. Neudělal nic špatného. Tím pádem ani já.

„Chceš, abych mu odepsala: Odprejskni a neopovažuj se mě ještě někdy otravovat?" Holly na mě mávla svými modře nalakovanými nehty, abych jí telefon podala.

„Tak to není."

„Ach bože, máš pohled jako bígl." Holly se otřásla. „Nestojí za to. Je to chlap."

Promnula jsem si obličej. „Nevím, co mám dělat. Je fajn." Měla jsem strach, že když už jednou odpovím, naše konverzace se plynule rozběhne směrem, kde budou vyřčeny věci, které by vyřčeny být neměly. Proboha, vždyť má přece přítelkyni! Přes to nejede vlak. Nikdo by si neměl zahrávat s chlapem, který už někomu patří. To je přece jasně dané pravidlo, které by mělo být

24

vytesané do skály. Na vlastní oči jsem viděla, co porušení takového pravidla provedlo s mojí matkou. Rozhodně nebylo fér způsobit tolik bolesti člověku, který vůbec za nic nemohl. A to nemluvím o dětech, které to odnesou nejvíc.

„Kdo, co a kde?" zeptala se jednoduše Holly.

Jak bych mohla tak rychle popsat to dokonalé porozumění, které mezi mnou a Samem proběhlo? Pokaždé, když jsem si na to odpoledne vzpomněla, nemohla jsem najít vhodná slova. Říct, že mezi námi prostě něco kliklo, znělo, jako kdyby někdo zacvaknul bezpečnostní pás v autě. Přitom šlo o naprosté uchvácení někým, komu nemusíte nic vysvětlovat, protože jeho úsměv prostě mluví za vše.

Holly by se něčemu takovému vysmála.

Přitom tohle vůbec nejsem já. Vážně. Jsem praktická, rozumná, problémy potřebuju řešit, ne vytvářet. Tohle nebyl můj styl. Nezamilovávala jsem se na počkání. Popravdě jsem si nebyla jistá, jestli jsem vůbec někdy byla zamilovaná.

Vlastně mám pocit, že v osamocených chvílích, kdy jsem byla sama k sobě naprosto upřímná, jsem si uměla přiznat, že se lásky tak trochu bojím. Že se bojím toho, co láska dokáže provést s člověkem, když všechno nejde tak, jak má. Můj otec nás opustil, když mi bylo osm. Matka se s tím nikdy nesmířila. Možná je to moje vina, že se takhle snažím samu sebe ochránit před totálním ponížením a krvácejícími ranami, které může neopětovaná láska způsobit. Viděla jsem to na vlastní oči a není to nic hezkého. Takže jsem se před možným zamilováním tak nějak uzavřela. Měla jsem několik partnerů, některé i dlouhodobé, s nikým jsem se ale ještě nikdy necítila tak, jako se Samem.

Rozhodně jsem nevěřila na pohádky a už vůbec ne na lásku na první pohled, ale něco v jeho gestech a pohledech na mě udělalo dojem, že takové souznění nenastává každý den. Znovu jsem se podívala na telefon. Vrozená slušnost mi nedovolila jeho zprávu jen tak ignorovat. To přesně jsem však měla udělat. Ale ego potěšené skutečností, že se mu taky líbím, přebilo můj většinou dobrý úsudek.

Prsty se mi rozběhly po displeji a chtěly napsat mnohem víc než jen nezávaznou odpověď. Samozřejmě že jsem chtěla napsat víc. Víc než že se mi líbí. Ale patřil někomu jinému. Neměla jsem právo na něj ani myslet. Ani mu odepisovat na zbytečné zprávy. Přesto jsem to udělala.

O tři hodiny později, bez jakékoliv odpovědi, jsem si smutně uvědomila, že na něj myslím čím dál víc. Dodržoval pravidla. Je to dobrý chlap, který nezneužije příležitost, i když mu leží přímo pod nosem. Sakra. Fakt se mi líbil. Naše konverzace byla u konce a já jsem věděla, že je to tak dobře. Už mu psát nebudu. Takhle to mělo skončit.

3

„Neznáme se odněkud?" ozvalo se po mém boku, když jsem si to rázovala podél vyšlapané cestičky aleje vedoucí k obelisku Nell Gwynnové.

Otočila jsem se na levou stranu, kde právě s grácií sobě vlastní a neodolatelným úsměvem na tváři zakotvil Sam.

„Ahoj," prohodila jsem nečekaně pisklavým hlasem. Popravdě, není moc jednoduché skrývat překvapení, snažit se normálně dýchat a přemýšlet, jaký odstín přezrálého rajčete zrovna máte. „To je ale překvapení. Pořád hlídáš vašim dům?" zeptala jsem se, což ale znělo spíš jako stará rezavá vrata.

Ušklíbnul se na mě. „Ne, bylo mi odebráno venčení psa a místo toho mi svěřili recyklaci odpadu a zalívání zahrady. Otec se se mnou vsadil, že si nezvládnu zapamatovat, kterou popelnici mám vyvézt před bránu ve který den." Zasmál se. „Nikdy se nedozví, že mi máma každé ráno posílá zprávu s návodem."

„Co když to na tebe povím?" poškádlila jsem ho. Dokonce se mi podařilo větu ze sebe vydat na jeden výdech. Paměť mě naprosto zklamala, jako bych si už vůbec nevybavovala tu zlatavou zář vznášející se kolem jeho postavy, tu povznášející auru a obyčejnou radost ze života, jež ho obklopovala. Já vím, je to normální chlap, žádný řecký bůh, ale bylo těžké od něj odtrhnout pohled. A to už vůbec nemluvím, jaká radost byla si s ním povídat.

„To bys přece neudělala," zatvářil se vyděšeně a dramaticky si přitiskl dlaň na hrudník, což mě rozesmálo.

„Můžeš mi připomenout, o čem jsem teď vlastně mluvil?" zeptal se se smíchem a vyloženě si užíval radost z našeho setkání. Několikrát jsem si na něj během týdne vzpomněla. Pomazlila jsem se s tou vzpomínkou jako malé dítě s dečkou na usínání a zase jsem ji založila někam dozadu. Věděla jsem moc dobře, že z toho nikdy nic nebude, ale potkat se za slunečného dne s milým mužem bylo příjemnou připomínkou toho, že ještě nějací na světě existují.

Smích během několika vteřin odezněl a my jsme poklidně zapluli do společného rytmu tichých našlápnutí na štěrkovém povrchu a krátkých výdechů. Nikdy by mě nenapadlo, že běžet s někým bok po boku může být tak intimní zážitek.

Běželi jsme v tichosti, dokud jsem nemotorně nenašlápla a neuklouzla na vyšlapané lesní stezce. Samova paže mě bleskurychle zachytila, jinak už bych se svalila do blízkého houští. Díky němu se mi podařilo pád ustát.

„Jsi v pořádku?" zeptal se a zpomalil.

„Jo," vydechla jsem. Adrenalin mi koloval žilami jako zběsilý. Sam poskakoval na místě a skenoval mě tím svým modrým pohledem, až jsem zase měla pocit, že na světě neexistuje nikdo jiný a nic jiného než my dva.

Rozrušeně jsem na něj hleděla a naprosto neúmyslně si olízla rty, což ho asi odradilo, takže se posunul o kousíček dál. Proboha, vždyť běžím, mám žízeň, tím pádem taky suché rty. Nic jiného za tím nebylo.

Moc dobře jsem si ale všimla napětí a výstražného pohledu v jeho očích. Pak se dal znovu do běhu, ale už zůstal krok přede mnou, jako by měl strach běžet těsně vedle mě. Nedivila jsem se mu. Ještě jeden takový nepodařený pád a stáhla bych ho dolů s sebou.

Po nějaké době jsem začala zpomalovat, on přidal a začal se ode mě vzdalovat. Jeho sprintu do kopce bych prostě nestačila, a tak mi cestou zpátky jen vesele zamával a do cíle jsme se vrátili každý sám.

Když jsem si v přístřešku v parku vyzvedávala klíče a mikinu, viděla jsem ho na opačné straně odcházet bez jediného ohlédnutí. Unaveně jsem odpověděla na pozdrav dvojici procházející okolo a pomalu jsem se vydala domů přes nadchod nad dvouproudou dálnicí, kde jsem se uprostřed zastavila, abych sledovala svištící vozidla pod sebou. Připomínaly mi mě a toho zvláštního člověka jménem Sam. Jezdila těsně vedle sebe, ale každé mířilo na jinou stranu. Vlastně jsem byla ráda, že jsem ho znovu potkala. Možná až moc ráda. Jako když člověk někde uvidí nádherné šaty, hrozně moc po nich zatouží, ale pak si je stejně nekoupí, protože je zkrátka vůbec nepotřebuje nebo si je nemůže dovolit. A tak je vlastně spokojený i bez nich. Jenomže na ně nemůže přestat myslet. Navíc si je jistý, že kdyby se pro ně vrátil, už by se mu nejspíš až tak moc nelíbily. Prostě to byly šaty pro úplně jinou příležitost. Sam bohužel do té fáze ještě nedospěl. Stále jsem si ho pamatovala tak úžasného, jaký ve skutečnosti byl. A stejně nedostupného.

Později odpoledne mě na Facebooku požádal o přátelství.

„Musela jsem ho pustit k vodě, to je snad jasný. To jako vážně? Po druhém rande po mně chce, abych mu voskem depilovala záda? Dokonce si ty navoskované pásky přinesl s sebou!" Ztichlým nádvořím King's Arms se neslo Shelleyino oprávněné rozhořčení. Zatímco jsme s kamarádkou Annabel, zkráceně Bel, upíjely gin s tonikem, pobaveně jsme naslouchaly a zúčastněně přikyvovaly.

„Já bych do toho šla a každý ten proužek odtrhla hrozně pomalu," řekla Bel a škodolibě se usmála.

„Kam na ty chlapy chodíš?" zeptala jsem se a dala se do smíchu. Shelley rozčíleně míchala brčkem ledové kostky ve sklenici s drinkem.

„V jednom speciálním obchodě, jmenuje se *Nejhorší chlapi na světě* a nakupuju tam jen já."

„Ale prosím tě, zlato." Pohladila jsem ji po rameni a povzbudivě ji poplácala. „To přece není pravda."

„Jednoho krásného dne potkáš někoho fajn, neboj se," řekla jí Bel s jistotou někoho, kdo randil s panem Úžasným přesně osmnáct měsíců, tři týdny a pět dní.

Shelley na mě rychle mrkla a usmála se. „Nikdo neříkal, že hledám někoho fajn. Mám prostě slabost pro darebáky, no."

Bel jen zavrtěla hlavou. Její přítel Dan byl totiž zosobněním fajn partnera.

„Navíc," dodala Shelley s pobaveným úsměvem, „jsem prý velmi nenáročná. To si myslí máma."

Nesouhlasně jsem zatřásla hlavou, rozhodnutá dát najevo víc loajality než upřímnosti.

Shelley se však zasmála. „No tak, víš, že má pravdu. Ty jsi takové problémy nikdy neměla."

„Taky jsem nikdy nerandila tak jako ty," dodala jsem.

„Protože každému na potkání říkáš ne." Bel mě šťouchla do žeber.

„Jsi prostě náročná," řekla Shelley, nadšená vlastními pozorovacími schopnostmi. „Vrabci na střeše si štěbetali, že sis víc než rozuměla s jistým sexy sousedem na zahradní párty mých rodičů."

Nasadila jsem kamenný výraz a netečně pokrčila rameny.

„Takhle se na mě vůbec nedívej." Shelley protáhla obličej. „Máma říkala, že ten týpek vypadal více než zainteresovaně. Promiň, že jsem tě tam nechala. Kdybych věděla, v jakého magora se Sean promění, šla bych radši s tebou."

„To by stejně nemělo žádný význam. Tenhle pan Božský už je totiž šťastně zadaný. Bohužel." Zatvářila jsem se pobaveně, ale ve skutečnosti jsem jen skrývala zklamání „Včera jsem ho náhodou potkala." Shelley i Bel najednou vyskočily ze židlí, přesně jako komiksové postavičky padouchů, kteří zahlédli své oběti.

„Když jsem byla běhat v parku."

„Škoda." Shelley se otřásla. Aktivní pohyb by podle ní měli zakázat. „Vsadím se, že jsi byla celá červená a zpocená. Špatné načasování. To je moje noční můra."

Trochu nuceně jsem se zasmála. „To ani ne, když má holku a vůbec ho nezajímám." I když jsem se opravdu snažila, nemohla jsem zabránit náznaku zklamání, který se prodral do mého výrazu. A které moje všímavá sestřenice samozřejmě zachytila.

„Líbí se ti?"

Znovu jsem pokrčila rameny. „Je prostě…" Je k sežrání, řekni to. „Je moc milý, ale jak jsem už řekla, taky zadaný."

„Dvakrát škoda." Shelley mávla rukou se skleničkou ginu. „Myslíš, že je to vážné? Jakože napořád? To nemůžeš vědět. Bydlí spolu?"

„Shelley, přestaň!" varovala jsem ji.

„Co? V lásce je všechno povoleno." Vystrčila bradu a protočila oči v sloup. „No tak."

Bel se na mě podívala. Věděla jsem, že mi rozumí. „Právě že není," pronesla jsem tiše.

„Nejsou to manželé," zaprotestovala Shelley. „Nemají děti. Nebo jo?"

„Ani jedno, pokud vím, ale to na situaci stejně nic nemění, protože je to pro mě zakázané území."

„Přece se ti líbí."

„Je jedno, jestli se mi líbí, nebo ne. Prostě to nejde."

Shelley si mě zaujatě prohlížela. „Ještě nikdy jsem od tebe neslyšela, že by se ti někdo líbil."

Snažila jsem se, abych zněla naprosto netečně. „Je to milý kluk. A má dlouhodobý vztah. Takže je to vážné." Tohle jsem věděla naprosto přesně, protože jsem si udělala malinký průzkum. „Chodí spolu už roky."

„To asi vážně nemá cenu," pronesla konejšivým hlasem Bel, „s někým takovým se ani nechceš zaplést, to zavání malérem."

Belina slova mě uklidnila, i když bych jim za žádnou cenu nepřiznala, co jsem od soboty řešila. Kousla jsem se do rtu. Nikomu jsem přece neubližovala, možná jen sama sobě. Přesto jsem se cítila, jako kdybych dělala něco nelegálního.

Facebook byl prostě stvořený k tomu, aby otevíral cizí Pandořiny skříňky, to mi nikdo nevymluví. Možná trochu lituju, že jsem jeho žádost o přátelství vůbec přijala. Prostě jsem neodolala a dostala jsem za to pořádnou nálož informací, o které jsem možná ani nestála. Strávila jsem dost času procházením Samových příspěvků, fotek a sdílených odkazů. Jako pátrací pes jsem čmuchala po všem, co by mi ho přiblížilo, co by mi odkrylo ještě víc o něm… A bohužel i o ní.

Každá fotka mi podlamovala kolena, zároveň mi na záda přidávala větší náklad viny, když jsem teď znala nejen jméno jeho přítelkyně, ale i to, jak přesně vypadá. A pak jsem udělala další velkou chybu, přesunula jsem se na Instagram a prolustrovala její profil. Velká chyba, velká, převelká. Victoria Langley-Jonesová se živila jako influencerka, měla vlastní videoblog a půl milionu sledujících. Bože! Tak trochu jsem doufala, že bude úplně obyčejná. Ne že bych já sama byla nějaké terno, ale tahle holka byla prostě k nakousnutí. Měla černé dlouhé vlasy, zdálo se, že přirozeně vlnité, a postavu, která se zaoblila přesně tam, kde měla. A k tomu dlouhé nohy, které vypadaly naprosto fantasticky v sandálech s vysokým šněrováním, což nejspíš byla její oblíbená obuv.

Vždy perfektně upravená, s lehce našpuleným výrazem a výraznými lícními kostmi připomínala Victorii Beckhamovou. Taky jsem zjistila – ze spousty jejích příspěvků a pár zvědavých kouknutí na její videa –, že pochází z dobře situované rodiny. Řídila kabriolet, nakupovala u Harvey Nichols a Selfridges, milovala ústřice a šampaňské a taky… Sama. Skutečně ho milovala. Na svém blogu komentovala nákupy, večeře a trávení volného času, zvědavý návštěvník si mohl například poslechnout, jak vybrat nejlepší večerní garderobu včetně přesně padnoucího obleku pro pány (ano, tím pánem byl samozřejmě Sam a neskutečně mu to v černém saku a kravatě někde u soukromého krejčího na Jermyn Street slušelo), proč kupovat spodní prádlo u Rigby & Peller, a ne v Marks & Spencer, k jakým módním faux pas došlo na dostizích v Ascotu a kdo byl nejlépe oblečenou celebritou na posledním kriketovém zápase.

„Proč musí být ti nejlepší chlapi zadaní?" zvolala Shelley naoko nešťastně, čímž mě vrátila zpátky na terasu restaurace. Věděla jsem, že na ni Bel nenápadně dělala oči, aby ji upozornila, že se chová přes čáru, zatímco moje mysl byla mimo.

Všechno to špehování odkrylo jen to, že já a Victoria bychom nikdy, za žádných okolností nebyly kamarádky. Proč mě to vlastně vůbec napadalo? Victoria byla přesně Samův typ, ne já.

„Myslela jsem tím, že…," koktala Shelley, přitom nám všem bylo jasné, že ty nejlepší chlapy vyzobaly všechny její kamarádky, takže na nás už nikdo nezbyl.

Když ji konečně všechny ty lamentace přestaly bavit a odešla na záchod, kam s sebou stáhla i Bel, sáhla jsem po telefonu a znovu prošla Facebook, i když jsem moc dobře věděla, že bych neměla. Sam tam mezitím zveřejnil fotku, kde v kriketovém dresu vypadal neuvěřitelně dobře. Dokonce i s těmi vtipnými chrániči, opřený o pálku dokázal poslat hejno splašených motýlů na rej mými vnitřnostmi. K fotce přidal popisek: *Dneska dalších sto bodů, vypadá to, že večer platím rundu.*

Pod ním se hromadily komentáře a já jsem neodolala touze ponořit se na chvíli do Samova světa, do světa jeho kamarádů.

„Tak aspoň dvě stě, ne?" přidal si Mike, vysoký tmavý hezounek, který na profilové fotce objímal vnadnou blondýnu.

„Už bylo načase," komentoval Drew.

„Brzdi, stovka ti snad musí stačit."

„Ten cover drive už začíná být trochu nudný, chlape."

„Parádní odpal, Same."

Neměla jsem vůbec ponětí, co ta slova znamenají, ale na tom stejně nezáleželo. Ztěžka jsem vydechla.

A potom, aniž bych si mohla pomoct, jsem mezi komentáři našla ten, který jsem skutečně hledala.

Ten od Victorie. *Můj nejoblíbenější pálkař. Tolik tě miluju.*

Motýli v břiše ztěžka dopadli k zemi jako kamení. Ovládla jsem se a nepodívala se na její poslední video. Určitě by bylo plné záběrů na Sama v akci a na ni v dokonalém outfitu roztleskávačky.

Vypnula jsem telefon a nacpala si ho do kapsy. Musím ho smazat ze svých přátel a přestat s tím sledováním.

4

„Ty máš zase nový top," pronesla matka ledabyle, když se vracela do obývacího pokoje s tácem plným šálků a konvicí čaje. Postavila jsem se a natáhla ruce s jasným gestem, že jsem připravená těžký tác přebrat, což matka jako vždycky naprosto ignorovala. Stejně jako každou neděli. Byl to jeden z těch podivných rituálů, které jsme obě s železnou pravidelností opakovaly. Nemyslím to zle, mám svoji mámu ráda, ale opravdu není jednoduché s ní vyjít.

„Jo," odpověděla jsem. „Líbí se ti?" Roztáhla jsem paže, aby si mohla lépe prohlédnout prostřižené rukávy odhalující na ramenou a pažích opálenou pokožku, na kterou jsem byla náležitě hrdá. „Koupila jsem ho ve slevě v H&M."

„To můžeš po prvním praní vyhodit. Být tebou, tak se nepřibližuju k ohni, tak levný materiál na tobě hned chytne."

Uhladila si přitom béžovou vlněnou sukni, aby upozornila na to, jak vypadá kvalitní látka. Měla tu sukni tak dlouho, že se určitě brzo vrátí zpátky na předváděcí mola.

„Já vím, ale byl tak hezký, že jsem nemohla odolat," vysvětlila jsem a usmála se na ni. Ještě pořád dokázala vypadat elegantně téměř ve všem, co si na sebe oblékla. Teda v takovém tom naškrobeném smyslu.

35

„Aspoň tě to nestálo celou výplatu. Vždycky nejdřív mysli na hypotéku. I když by byla poloviční, kdyby sis pořídila něco tady v okolí.“

„Neboj, mami, zvládám to.“

„Já se nebojím,“ odsekla mi, aby rychle uvedla na pravou míru, že nemíní plýtvat jakoukoliv emocí na komentování mého osobního života. „Ale nečekej, že tě budu tahat z problémů, až na ni mít nebudeš. Pořád nechápu, proč ses musela stěhovat tak daleko.“

Moc dobře věděla, proč jsem se odstěhovala jen pár metrů od tety, strejdy a sestřenice, místo abych zůstala v její blízkosti. Jen si to nechtěla přiznat.

„To se nikdy nestane,“ ujistila jsem ji. „S penězi zacházím opatrně, přesně jak jsi mě to naučila,“ pronesla jsem rezignovaně. Dluh se rovnal obcování s ďáblem a utrácení peněz by mě určitě dostalo do pekla – to bych si mohla nechat zarámovat.

„A jak se má tvoje sestřenice?“ zeptala se matka a trochu popotáhla nosem. „Dáš si ještě čaj?“

Neměla Shelley moc v lásce, ale očividně jí došla konverzační témata a nechtěla se nechat zahnat do kouta. Proboha, přišla jsem před půlhodinou.

„Má se dobře,“ odpověděla jsem a nalila si čaj z poloprázdné konvice, zatímco jsem očima rychle přejela hodiny za matčinou hlavou. Přísahám, že čas v jejím domě ubíhal úplně jinou rychlostí než kdekoliv jinde na světě. Asi jako plynou psí roky, ale naopak. Tady měla hodina sto dvacet minut.

„Pořád pracuje v tom salonu?“ Našpulila pusu a přisunula ke mně konvičku s mlékem.

„Mami, je to přece Champneys, luxusní spa, a ano, pořád tam pracuje.“ Nalila jsem si trochu mléka do slabého čaje Lapsang Souchong, který matka servírovala pokaždé, když jsem přišla.

Chutnal jako vyvařená sláma. Byl by odporný, i kdyby byl kvalitně připravený, ale nic jsem samozřejmě neřekla. Kdybych matce přiznala, že by mi stačil obyčejný černý čaj s mlékem a cukrem, na kterém fungujeme s Holly v práci, padla by do mdlob.

„Předpokládám, že když nemá dostatečnou kvalifikaci, nepohrdne ničím. Nebude se hnát za titulem, když ho stejně nebude potřebovat." Na to jsem se rozhodla radši nereagovat. „Je strašně rozmazlená. Vlastně jsem překvapená, že vůbec chodí do práce. Lynn s Richardem jí dali…" Odolávala jsem pokušení na chvíli vypnout, už jsem to všechno slyšela několikrát.

„Jessico!" Bože, vypnula jsem. Máma na mě hleděla jako buldok, který právě sežral vosí hnízdo. „Poslouchej mě, když ti něco říkám!"

„Promiň, mami. Mám toho teď hodně, trochu jsem se zamyslela."

Překvapeně zvedla obočí. „Ptala jsem se, jestli už ses rozhodla jít se mnou na tu svatbu. Tvoje teta na tom bude trvat." Zatvářila se přísně a kolem úst se jí vytvořily hluboké vrásky.

Na vteřinu jsem zavřela oči. Vážně se mi tam nechtělo.

„Musím zjistit, jestli nebudu mít ten víkend službu. Holly si ještě nevybrala dovolenou."

„Nechápu, proč bys na ni měla čekat. Myslela jsem si, že to tam vedeš," pronesla matka hrobovým hlasem.

Technicky vzato jsem vedoucí byla, ale v takovém prostředí se prostě na pozice nehraje. Možná jsem měla kvalifikaci a titul, na který matka tak uštěpačně narážela, ale Hollyina desetiletá zkušenost ji v podstatě stavěla mnohem výš, než kam jsem se já mohla kdy dostat. Tvořily jsme ideální tým. Nikdy jsem si nepřipadala jako její nadřízená.

„Příští týden se jí zeptám," řekla jsem možná až příliš tiše. Třetí svatba mojí pratety Gladys bude rozhodně velká zábava.

A jít tam s matkou bude tragédie. Gladys se v téměř sedmdesáti letech vdávala za movitého mladíka Alastaira. Svatba to měla být ve velkém stylu, soudě podle pozvánky, na které Gladys v barevném overalu a obrovských slunečních brýlích vystupuje z letadla a její rozesmátý snoubenec jí je v patách. Což mimochodem přesně definuje jejich vztah. Jestli Gladys strávila posledních deset let snahou nacpat do svého života co nejvíc lásky a štěstí, matka se za stejnou dobu pokoušela vysát poslední zbytky radosti nejen z toho svého, ale taky z každého člověka ve svém okolí.

Já vím, takhle bych o své matce mluvit neměla. Měla bych vystupovat jako hodná a vděčná dcera. Chovám se k ní hrozně a vlastně k tomu nemám důvod. Není tak špatná, jen měla těžký život. Opravdu těžký. Měla bych s ní soucítit. Táta zmizel úplně bez varování. Prý potkal pravou lásku a nemohl bez ní být. Odešel z dobře placené práce v Londýně a přestěhoval se do Cornwallu, odkud od něj nikdy nepřišla ani libra z alimentů. I když jsme na tom nebyly finančně právě nejlíp, matka dovedla hospodařit tak úsporně, že si nikdy nemusela od nikoho půjčit peníze. Kromě jednoho těžkého období, kdy se můj život proměnil v pravou noční můru, jsem vždycky chodila oblečená, najezená, dokonce jsme si každý rok mohly dovolit i krátkou dovolenou. I když se Filey pošesté už pěkně okouká. V šestnácti jsem se ve stejnou dobu radši přihlásila na křesťanský tábor, jen abych se nemusela klepat zimou na yorkshirské pláži a sdílet pokoj v penzionu s matkou a její nejlepší kamarádkou Dawn. Jestli tohle zní nevděčně, pak jsem asi rozmazlená. Jak už jsem se snažila vysvětlit, nikdo na světě není tak zahořklý jako moje matka, která teď už vlastní dům a pracuje jako vedoucí oddělení operačních sálů v nemocnici v Aylesbury a vlastně by si konečně mohla začít užívat. O tátovi se mnou odmítá mluvit a já už jsem se přestala snažit.

„Možná budu mít do té doby nějaký doprovod," řekla jsem a schválně jsem se zatvářila tajemně. „Nebo ho budeš mít ty."

„Nebuď absurdní."

„Můžeš s sebou vzít Dawn. Gladys by to určitě nevadilo."

„Umíš si představit, co by na to řekla?" Matka semkla rty do tenké linky. „Určitě by se snažila vtipkovat v tom smyslu, že jsme pár."

„To si nemyslím. Ví přece, jak dlouho se s Dawn znáte." Lhala jsem, Gladys by si podobnou poznámku rozhodně neodpustila. Aniž by si toho máma všimla, Gladys by o své neteři prohlašovala, že je lesba.

„Kdo je ten mladík, kterého máš v plánu vzít s sebou? O nikom ses v poslední době nezmiňovala. Taková škoda, vždyť jsi vlastně docela pěkná holka."

„Díky, mami." Musela jsem se jejímu komplimentu zasmát.

„Jsi opravdu hezká. Lepší? Jen nechci, aby sis o sobě moc myslela. Všechno to není jen o vzhledu. To ti můžu potvrdit. Vypadáš přesně jako tvůj otec. A podívej, jak dopadl." V očích se jí zablesklo. Něco ve mně se znovu probudilo k životu a chtěla jsem zakřičet: *Co se mu stalo? Proč už jsme se s ním nikdy neviděly? Proč nás opustil?*

„Ne, mami. Vypadám přesně jako ty," řekla jsem místo toho a usmála jsem se na ni. „Vypadáš výborně. Kdybych měla ve tvém věku takovou postavu, rozhodně bych si o sobě dost myslela. Musíš si uvědomit, že jsi pořád atraktivní," pronesla jsem se silným skotským přízvukem, jak jsem se snažila napodobit jejího souseda.

Máma zavrtěla hlavou a nesouhlasně vydechla, ale ve stejnou dobu se trochu usmála a uhladila si pramen vlasů, který se jí spustil na rameno. „Ten chlap je blázen, ale je to gentleman. Ještě pořád si nemusím barvit vlasy. Chudák Dawn, ta musí do kadeřnictví minimálně jednou za měsíc."

Pak zvedla šálek a napila se čaje. „Pokud si do té doby někoho najdeš, na tvém místě bych ho radši nechala doma. Až potká Gladys, uteče na míle daleko. Nechceš přece, aby si myslel, že pocházíš z bláznivé rodiny."

„Gladys je přece neškodná, mami. Je s ní legrace, nikdo by se jí nebál. A je dost nepravděpodobné, že do té doby někoho potkám. Byla to jen domněnka."

„Domněnka. To je hezké slovo." Přikyvovala, jako by říkala, že ten titul přece jen k něčemu byl. „Takže nikdo na obzoru?"

Na někom, kdo byl tak neskutečně zklamaný osudem a jehož život se rozpadl na tisíc kousků, bylo opravdu obdivuhodné, že ještě stále věřil, že mě potká láska jako z pohádky.

„Ne," odpověděla jsem a pro jednou zadoufala, že by to snad nemusela být pravda.

Když jsem se staženým okénkem couvala z příjezdové cesty, neřekla jsem jí, že mojí další zastávkou je večeře u tety Lynn a strejdy Richarda. S trochou nostalgie jsem ve zpětném zrcátku sledovala, jak se její postava zmenšuje, až z ní zbyla jen malá tečka.

S trochou nostalgie? Co se to snažím sama sobě nalhat? Kdykoliv do toho byla zapletená máma, cítila jsem obrovský pocit viny. Ani po osmnácti letech sama sobě nedovolila být šťastná. Možná že to ani neuměla. Přesně proto bylo tak těžké s ní vydržet. Přesně proto můj pocit viny narůstal každý rok do gigantických rozměrů. Neřekla jsem jí, že jedu k tetě a ke strejdovi, protože jsem nechtěla, aby se cítila opuštěně. I když to zřejmě dávno věděla. Teta ji k sobě pravidelně zvala, pokaždé zdůrazňovala, že u nich má dveře vždycky otevřené. V podstatě je u nich měl otevřené každý, kdo se cítil být sám. Teta měla obrovské srdce a nesnesla pocit osamocení ani u někoho úplně cizího.

I když matku zvala na večeři v podstatě každý týden, ta v devíti případech z deseti odmítla s výmluvou, že se musí připravit na následující pracovní den. Všichni jsme s ní jednali v rukavičkách, i když už byla dávno silnější, než jsme si dovedli představit. Ale nezdálo se, že by ji to nějak dojímalo.

Nepřipadalo vůbec v úvahu, že bych dnešní pozvánku od tety Lynn odmítla. Pečené kuře je pečené kuře. A rozhodně převálcuje praní a žehlení, které na mě doma čekalo. A to i v případě, že jsem celou páteční noc strávila s holkama v klubu a nakonec přespala u Beliny sestry v Londýně. Zítra ráno nebudu mít tradičně co na sebe.

Když jsem zastavila na volném parkovacím místě před číslem jedenáct na ulici Pettyfeather Lane, hned za Shelleyiným autem, potěšilo mě, že žádná další vozidla nevidím. Dnes tu bude jen rodina, oddychla jsem si, protože s nemytými vlasy v neúhledném drdolu a pytli pod očima ze štěbetání do ranních hodin se mi nikomu ukazovat nechtělo.

Prošla jsem hlavními dveřmi a vesele zahulákala „zlato, jsem doma", když jsem vcházela do kuchyně.

„Ahoj zlato," odpověděla teta a utřela si ruce do zástěry. „No jéje, ty jsi přišla i s těmi bágly pod očima, měly jste s holkama fajn večer?"

„Rozhodně." Zasmála jsem se a promnula si oči. „Skoro jsme nespaly, Bel prostě nechtěla přestat mluvit, dokud nezačalo svítat."

Někdo mě zezadu chytil v pase a zaklonil mě jak v romantickém filmu. „Když s tebou se tak krásně povídá, Jess. Proboha, ty snad nikdy nepřibereš, holka. Já tě fakt nenávidím. Proč jsem prostě nemohla zdědit geny z matčiny strany, a ne ty klobásky místo prstů a stehna jak dva kůly, co má táta?"

Otočila jsem se k Shelley a objala ji, dokud jsem neustoupila o krok dozadu a neprohlédla si její hluboký výstřih lemovaný květinovým vzorkem šatů. Vypadala jsem vedle ní, jako bych právě vylezla z popelnice. „Vůbec si nestěžuj, ty máš aspoň prsa. To já si pořád kupuju podprsenku v dětském oddělení M&S." Načež nastalo trapné ticho. Podle pobavených výrazů Shelley i tety Lynn mi bylo jasné, že jsem se právě odhalila před někým, koho jsem tady vůbec nečekala. A to jsem se nemusela ani otáčet.

To snad ne. Vtipkovat o velikosti podprsenky bych mohla před kýmkoliv, jen ne před Samem.

Když jsem se otočila, setkala jsem se s pobaveným pohledem jeho modrých očí. Na jeho obranu musím přiznat, že se mi díval do obličeje a nesnažil se kontrolovat, jak moc jsem o obvodu svého hrudníku přeháněla.

„Ahoj Same," pronesla jsem odevzdaně o oktávu vyšším hlasem.

„Ahoj Jess. Jak se vede? Dlouho jsem na tebe nenarazil v parku při běhání."

„Měla jsem moc práce," zalhala jsem. Měla jsem moc práce se ti vyhnout. Můj instagramový zlozvyk se mi trochu vymknul z ruky a já jsem se rozhodla, že si od něj musím dát pauzu. Potud snaha, která bohužel neměla s realitou nic společného. Přitahoval mě úplně stejně, jako když jsem ho viděla naposledy.

„Same, dáš si pivo? Pomáhal dneska Richardovi přesunout několik dlaždic na zahradě. Hlídá zase rodičům dům." Tetin bezstarostný tón byl prostě do uší bijící. „Jess, přinesla bys Samovi pivo z té zadní lednice a vzala si tam taky něco?"

Sam se usmál, zatímco já jsem odkráčela do garáže k lednici, kterou všichni nazývali zadní, aby ji odlišili od té v kuchyni. Sáhla jsem po prvním pivu, které jsem viděla, a druhou rukou ukořistila lahev prosecca, když jsem si uvědomila, že se celá třesu. To bude adrenalinem, uklidňovala jsem sama sebe. Teta zatím ukazovala Shelley, jak připravit šťávu na maso, i když bylo venku skoro třicet stupňů. Čekal nás týden plný rekordních teplot, což bylo na květen dost překvapující, ale rodina Hiltonových prostě musela mít svoje nedělní pečené kuře. Jídlo je důležité. Vůbec jsem neprotestovala, ale Samova přítomnost mě prostě vyvedla z míry. Nechápu, proč mi to nikdo neřekl nebo mě aspoň předem nevaroval.

Kdybych věděla, že tady bude, byla bych schopná odolat a jet domů? A myslel si Sam, že jsem se na setkání s ním připravovala?

Otevřela jsem pivo otvírákem připevněným k rámu dveří a položila ho před Sama, načež jsem se k němu rychle otočila zády a nalila si skleničku prosecca, než jsem dolila poloprázdné skleničky Shelley i Lynn.

„Nechceš si sednout na zahradu? Je tam krásně," navrhl Sam.

„Nepotřebujete s něčím pomoct?" zeptala jsem se a nenápadně jsem svým pohledem posílala jasnou zprávu.

„Vůbec ne, zlato. Všechno mám pod kontrolou. Shelley, nenech tu šťávu připálit, prosím."

„Seš si jistá?"

„Naprosto," odpověděla Lynn a rychle sáhla po hrnci, ve kterém napařovala brokolici. „Jídlo bude hotové za deset minut. Richard je ještě ve sprše."

Bez možnosti schovat se uvnitř jsem se vydala za Samem, který se posadil na zahradě pod velký slunečník. Zahrada hrála navzdory sluncem spálené trávě všemi barvami. Schody byly ozdobené modrými květníky plnými různobarevných petúnií. Předstírala jsem, že mě teď nic jiného na světě nezajímá víc.

„Promiň, Jess," řekl Sam a přimhouřil modré oči. „Vidím, že se na mě zlobíš, ale nevím přesně kvůli čemu. Chceš, abych šel pryč?"

Polkla jsem. „Ne," odpověděla jsem tiše. „Jen jsem nevěděla, že tady budeš. A nechtěla jsem, aby sis myslel..." Slova se mi zasekla v puse. Kdybych řekla víc, prozradila bych se.

„Vůbec jsem netušil, že pozvali i tebe. Richard se u nás před patnácti minutami objevil a ptal se, jestli bych mu nepomohl s těmi dlaždicemi. A pak mě Lynn pozvala na večeři." Zatvářil se provinile. „Pečené kuře znělo mnohem líp než včerejší mražená pizza."

„Nedívej se na mě tak, Same!"

„Bylo to moc?" Rozesmál se nahlas.

„Víc než moc. Vsadím se, že tvoje máma nacpala lednici k prasknutí, když věděla, že tam budeš."

Ve tvářích se mu objevily dolíčky. „Znáš ji?"

„Neznám, ale na první pohled vypadáš jako mazánek, co si neumí jít ani nakoupit," chtěla jsem říct s vážnou tváří, ale nakonec jsem to nevydržela a začala se smát. „Jak dlouho tady tentokrát zůstaneš?"

„Jen na víkend. Rodiče odjeli na nějakou luxusní svatbu na Isle of Wight a rozhodli se, že si to tam trochu prodlouží. Vrací se zítra večer."

„Tam jsem nikdy nebyla. Měli jsme tam jet na výlet v šesté třídě, ale mně o den dřív praskl slepák, tak jsem místo toho jela do nemocnice."

„Já jsem tam taky nikdy nebyl, jestli je to pro tebe nějaká útěcha." Najednou se zatvářil šibalsky. „Ukážu ti moji jizvu, když mi ukážeš tu svoji."

„Taky ti vzali slepé střevo?"

„Jo, před dvěma lety. Jizva už není skoro vidět." Pak si vyhrnul tričko a ukázal opálené břicho s tmavými chloupky ztrácejícími se za lemem jeho kraťasů. Svatá prostoto, snažil se mě ten chlap zabít?

Horkost mi proletěla od hlavy až k patě a konsternovaně jsem přihlížela, jak ukazováčkem přejíždí po hladké kůži.

„Nemám tam stehy, nějak to slepili k sobě," řekl. „Paráda, co? Za starých časů bych na to nejspíš zemřel."

„To je ale rozkošná myšlenka," prohodila jsem a přiložila si studenou skleničku s proseccem k rozpálené tváři. Nepřipadalo v úvahu, že tady budu odhalovat svoje břicho, moje jizva byla mimochodem téměř identická, ale musela jsem si přiznat, že jsem byla zase o krok blíž k tomu, abych se do toho kluka naprosto zbláznila.

Během několika minut jsme probrali naše úrazy z dětství a soupeřili jsme, kdo má v těle víc zlomených kostí. Samozřejmě že vyhrál, protože si najednou zlomil tři žebra při potyčce s kriketovou pálkou.

„Co říkáš na to počasí?" zeptal se mě po chvilce příjemného mlčení, kdy se pohodlně opřel do zahradní židle. Slunce tancovalo po jeho opálené kůži se zlatavými chloupky. Vypadal jako bůh Slunce.

„Jsem spokojená. Mám ráda léto. Jen bych chtěla mít vlastní zahradu, kde bych si ho mohla pořádně užít. Můžu být vděčná za malý balkon, kde se můžu aspoň posadit, ale tam svítí sluníčko jen ráno."

„Můžeš si tam dát aspoň snídani," okomentoval to Sam.

Zasmála jsem se. „Když jsem ten byt koupila, představovala jsem si, že tam budu každé ráno sedět s miskou jogurtu s jahodami a oříšky."

„A?" Sam zvedl obočí v nadějném očekávání.

„Většinou pobíhám uvnitř s miskou cereálií, snažím se najít klíče od auta a poslední silonky bez díry, které jsem večer vyprala a přes noc sušila na kotli v koupelně… To je asi příliš mnoho informací, ale snad si to umíš představit."

„To zní jako každé ráno u mě doma. Já jím toust až v autě a kávu si beru s sebou. A pak si dám další toust v práci a pak další s dětmi o přestávce."

„Lepek ti asi nevadí, co?" odtušila jsem a snažila se zahnat vosu, která se pokoušela dostat do mojí sklenice. Jak jsem mávala rukou a chtěla se jí zbavit, podařilo se mi převrhnout Samovo pivo. Když jsme pro něj oba vyskočili a snažili se ho zachránit, zakopla jsem o Samovu nohu a kácela se k zemi, když vtom… jsem cítila jeho dlaně na svých pažích a sledovala, jak mě zvedá. Klasická situace z romantických komedií… až na to, že na tom nebylo vůbec nic vtipného. Bylo to spíš k pláči. Žaludek se mi snažil obrátit naruby a nemohla jsem odlepit svůj pohled od jeho nejmodřejších a zároveň vševědoucích očí.

Tolik jsem si uvědomovala dotek jeho prstů na svých obnažených pažích (aha, tak na to tam ty průstřihy byly) a hypnotizovala jeho rty jen pár centimetrů od těch mých. Přesně tak, klišé následovalo klišé, prostě strašná situace. Naprosto příšerná. Hrozně jsem ho chtěla políbit a bez jakéhokoliv nalhávání jsem si byla jistá, že on chce to samé.

Ale nemohli jsme. A to uvědomění najednou přistálo jako pěst přímo uprostřed mého hrudníku.

Nevím, kdo se narovnal jako první, možná jsme to udělali ve stejnou vteřinu, jen vím, že se mi udělalo nevolno. Měla jsem pocit, že budu zvracet. Což bylo dost zvláštní, protože ten okamžik sám o sobě byl vlastně moc příjemný. Ozvala se snad lítost? Vina? Nebo zklamání?

Sam se poškrábal na čele a s naprosto šokovaným výrazem udělal krok zpět.

„Večeře je hotová," zavolala do toho Lynn, která se objevila ve dveřích.

„Nejsi nemocná, Jess?" zeptal se Richard, když jsem odmítla dát si nášup. Jako by mi jídlo na talíři rostlo před očima.

„Ne." Vypotila jsem ze sebe úsměv, který byl na hony vzdálený mému aktuálnímu rozpoložení. „To bude tím horkem. Nemám moc hlad."

„Já to za tebe dojím," řekla Shelley, natáhla se k mému talíři a nabodla na vidličku jednu z opuštěných brambor. Kašlu na stehna, ať to stojí za to."

Všichni se zasmáli a já jsem po očku zkontrolovala Sama. Nemohla jsem si pomoct. Tvářil se vážně a pokračoval v konverzaci s tetou Lynn, která z něj tahala rozumy týkající se péče o psa. Teta toužila po štěněti už strašně dlouhou dobu a stejně dlouhou dobu zaměstnávala značnou část svého okolí plánováním jeho pořízení. Strejda Richard dal jejímu počínání pracovní název *Projekt štěně*. Co jsme se vrátili ze zahrady, Sam se na mě ani jednou nepodíval.

„Když už mluvíme o psech," řekl a se zklamaným výrazem odložil ubrousek, „budu muset jít Tiggy zkontrolovat, jestli má dost vody. To horko jí nedělá moc dobře."

„Měl jsi ji vzít s sebou," zalitovala Shelley. „Snad by máma dala na chvíli pokoj."

„Pořiď si psa, Lynn," řekl Sam a zvedl se ze židle. „Moje máma ti se vším pomůže. Děkuju za večeři, omlouvám se, že takhle mizím. Opravdu si vážím toho, že jste mě pozvali." Pak se rozhlédl okolo stolu. „Rád jsem vás viděl… Shelley, Jess." Kývnul bradou naším směrem, ale do očí se mi nepodíval. Pak se otočil a následoval Lynn ke dveřím. Ta nepřestávala brebentit o psích záležitostech.

„No," procedila mezi zuby Shelley, „je to vážně kus."

Richard si zakryl uši dlaněmi. „Tohle asi nebude konverzace, kterou chceš vést před svým otcem, že?"

Shelley se na něj zašklebila.

A já jsem z plic vypustila přebytečný vzduch. „Hlavně ji nechceš vést přede mnou." Otočila jsem se k ní. „Přestaň s tím."

Nejdřív na mě překvapeně hleděla, pak jí došla vážnost situace a změkly jí rysy ve tváři. „Promiň, zlato." Pohladila mě po rameni.

„Tati, jen si přidej. Vidím to na tobě. Když ten Adonis odešel, můžeš přestat zatahovat břicho."

Richard se hlasitě zasmál a naložil si na talíř pořádnou porci. „Tvoje matka mě má ráda takového, jaký jsem." Prohlásil sebevědomě a zamával na Lynn vidličkou.

„Co to má znamenat?" zeptala se udiveně Lynn, když se svezla zpátky do židle. „Slušný chlapec, ten Sam. Richarde! Neříkal jsi náhodou, že už ani nedopneš kalhoty? Tohle ti rozhodně nepomůže."

„Vážně, tati," přisadila si se smíchem Shelley a mrkla na něj.

Nechala jsem je vzájemně se pošťuchovat. Naštěstí si nikdo z nich nevšiml, že jsem nezvykle zticha. A pokud ano, nikdo to nekomentoval.

5

V pondělí ráno jsem si přivstala, ale Holly už byla dávno v práci. „O víkendu přišla nová rodina. Ještě spí. Dorazili pozdě v noci," řekla na uvítanou a rovnou mi podala šálek s horkým čajem. „Malý kluk, je mu deset. Mámě osmadvacet. Nejsou na tom moc dobře. Musím na schůzku ohledně ubytování pro Slaterovy."

Některé rodiny už se v podobných zařízeních pohybovaly několik týdnů, když se dostaly k nám. Byli jsme pro ně jen přechodným místem, než se pro ně našlo pořádné ubytování. I potom jsme jim byli schopní nabídnout určitou pomoc včetně podpory sociálních pracovnic. Jiné rodiny doslova utekly z domova jen pár hodin před tím, než zaklepaly na naše dveře. Když na tom někdo nebyl dobře, znamenalo to jediné. Šlo o druhý případ.

„V pohodě. Nic dneska nemám, postarám se o ně." V diáři jsem měla jen zítřejší schůzku s týmem, který zahrnoval různé agentury a skupiny, které pomáhaly rodinám nabídnout co možná nejbezpečnější budoucnost.

Často jsem přemýšlela, co si ty děti, které k nám přicházely, vlastně o svých otcích myslí. To, že jsem v nejstěžejnějších chvílích svého života neměla vlastního, mě s nimi tak nějak spojovalo.

Uvidí se s ním ještě někdy? Budou o to vůbec stát? Jak jejich životy ovlivní věci, které viděly a slyšely? Odešla jejich matka dostatečně brzo, nebo už si s sebou nesou jizvy, které nikdy nezmizí?

Věděla jsem jen, že to, že nás otec opustil, určitě ovlivnilo výběr mého zaměstnání. I když nebyl násilnický ani nás nijak nezneužíval, zanechal nezhojitelnou ránu na matčině duši. Bylo mi osm, tenkrát jsem jí nemohla nabídnout žádnou pomoc ani útěchu, zůstala na všechno sama. Moje práce, přestože to v žádném případě nebylo vysněné zaměstnání, mi umožnila posbírat jednotlivé střípky pomoci a v určité, i když jen velmi omezené míře vynahradit postiženým rodinám to, co jsem tenkrát nemohla nabídnout svojí matce.

„Ahoj, já jsem Jess," představila jsem se unaveně vypadající ženě s kruhy pod očima na jinak velmi pěkné tváři s jemnými rysy. „Nedala byste si čaj nebo kávu?"

„Možná čaj. Ale nechceme být nikomu na obtíž."

„Pojďte, ukážu vám, kde je kuchyň. Můžete si tam kdykoliv zajít a nikoho určitě obtěžovat nebudete. Jmenujete se Cathy, že?"

Přikývla a vyděšeně zkontrolovala malé tělíčko rýsující se pod pokrývkou na nedaleké posteli. „Nemůžu tady Jakea nechat."

„Ještě spí?"

„Ne." Oči se jí zalily slzami a potemněly prožitým děsem.

„Možná by si dal trochu džusu a sušenku," navrhla jsem. Mnoho žen, které se k nám dostaly, bylo týráno, ponižováno nebo jim bylo jiným způsobem zakazováno se projevovat, takže jim najednou dělalo velké potíže se rozhodovat. Nechtěly hlavně nikoho rozzlobit. Naší prací nebylo jejich život nějak napravovat nebo je soudit, ale nabídnout jim podporu a bezpečné útočiště. Holly ani já jsme nebyly žádné psycholožky nebo právní expertky, ale byly jsme schopné nabídnout dočasný azyl a především cestu, jak se zase postavit na vlastní nohy.

„Můžu se ho zeptat." Nazula si onošené pantofle a nahnula se přes postel k uzlíčku pod přikrývkou. „Jakeu, lásko, dal by sis něco k jídlu?" Všimla jsem si, jak má Cathy odřené kotníky.

Ze schoulené hromádky se ozvalo jen tlumené ne.

„Měl bys něco sníst, chlapečku," pokoušela se ho přemluvit a hodila po mně zoufalým pohledem.

„Nemusíte spěchat," řekla jsem a mile se na ni usmála. „Přinesu vám něco sem nahoru a do kuchyně se můžete společně podívat později. Koupelna i záchod jsou tady za rohem." Ukázala jsem rukou za sebe. „Jsou tam i ručníky. Tady ve skříňce je nějaké oblečení a věci, které by se vám mohly hodit. Vezměte si, co budete potřebovat."

Ženy, které s námi zůstávaly delší dobu, si musely samy pro sebe vařit i nakupovat, uklízet a jinak si vzájemně pomáhat. Základní potraviny i potřeby jsme nabídly těm, které jako Cathy přišly s úplně prázdnýma rukama. Podle jejích nohou jsem odhadovala, že utekla se svým synem v noci přesně v těchhle pantoflích.

Než jsem se dostala z práce domů, bylo už po šesté. Můj malinký byt sálal horkem jako sauna. Otevřela jsem všechna okna, abych trochu vyvětrala. Byla jsem utahaná jako štěně.

Bože, to byl ale dlouhý den. Otevřela jsem ledničku, zkontrolovala její obsah a po krátkém přemýšlení vytáhla poslední plechovku coly. Neměla jsem hlad a přihrádky v lednici ani police v kuchyni popravdě nenabízely moc velký výběr. Vyšla jsem na balkon, posadila se ke stolku, který se tam sotva vešel, a zírala na druhou prázdnou židli. Nemohla jsem dostat Jakeův obličej a modřinu pod okem z hlavy. Jak může někdo ublížit tak

51

malému, bezbrannému dítěti? Navíc jeho vlastní otec? Musím přiznat, že moje dětství nebylo zrovna procházkou růžovým sadem, ale nikdo mi naštěstí nikdy vědomě neubližoval.

Výhled byl zřejmě hlavním důvodem, proč jsem si tenhle miniaturní byt pořídila. Nástavba horního patra staré budovy s balkonem vmáčknutým mezi okapy okolních domů nabízela výhled na les a louky stoupající nahoru na vrchol Chiltern Hills. Ideální místo k přemýšlení, i když jsem se jen velmi zřídka nechala pohltit prací nebo svou minulostí. Byla jsem vytrénovaná k odolnosti – schopnosti postavit kolem sebe zeď a odrazit každý problém. Přesně proto tvrdila Holly, že jsem tak dobrá v tom, co dělám. Nemyslete si, že jsem tak chladná, že mě nikdy nic nedojme, jen si umím při každé příležitosti uvědomit, že abych byla schopná někomu pomoct, musím být praktická a rozumná. Příběhy žen, které k nám přicházely, byly všechny podobné. I když bych je nenazývala příběhy, byly to skutečné životy. Není možné si zvyknout na jejich průběh, ale je možné naučit se na ně reagovat.

Dneska jsem to každopádně úplně nezvládla. S hlubokým povzdechem jsem si přiložila plechovku k ústům. Cathy a Jake mi znovu vyskočili před očima. Proč k nim byl život tak nefér a co je vlastně ještě čeká?

Ano, dopadlo to na mě. To se nestávalo moc často.

Odsunula jsem prázdnou židli nohou. Někdy by bylo fajn mít někoho, s kým bych tady mohla sedět. Chlapa, který by mi naslouchal, nechal mě se z toho vymluvit, postěžovat si a pak by mi řekl, že všechno bude v pořádku, a sevřel mě v náruči.

Dneska jsem se vážně uměla politovat. Ještě že jsem měla v osm lekci pilatesu se Shelley a Bel. Těšila jsem se, protože Bel byla často mimo město. Pracovala jako auditorka ve velké firmě a někdy byla na cestách i několik týdnů v kuse.

Zvedla jsem se rázně ze židle. Konec přemítání. Půjdu k tetě Lynn a dám si tam čaj. Jen myšlenka na její dům mi zvedla náladu.

„Mami." Vyjekla jsem, když jsem doslova vběhla do tetiny kuchyně hned po tom, co jsem si odemkla vlastním klíčem a zakřičela *Ahoj, to jsem já.*

„Jess." Matčin výraz odpovídal něčemu mezi nesouhlasem a bolestí. Do jejího domu jsem nikdy nešla jen tak bez ohlášení. Nebyla jsem si vlastně jistá, jestli mám vůbec klíč.

Co tady dělala? Většinou souhlasila s návštěvou jen o svátcích a rodinných sešlostech.

„Ahoj Jess," zvolala Lynn a odpustila si obvyklou hlášku o tom, jak ráda mě vidí.

„No ahoj, pojď si s námi dát čaj, přišla jsi akorát včas," řekla Shelley a mrkla na mě, dobře si vědomá nezvyklosti takové situace.

„Říkala jsem si, že se ještě na chvilku stavím, než začne pilates," vysvětlila jsem a radši jsem nekontrolovala hodiny, které do začátku lekce odpočítávaly ještě přes šedesát minut.

„Jedla jsi něco?" zeptala se tradičně Lynn a na rozdíl ode mě upřela na kuchyňské hodiny dlouhý pohled. „Máte ještě spoustu času, neříkala jsi, Shelley, že pilates začíná až v osm? Připravila jsem výborný salát Niçoise." A bez čekání na odpověď rovnou položila na stůl další talíř. „Zůstaň taky, Joan. Mám toho spoustu. Richard si určitě nedá, pro něj je salát sprosté slovo."

„Já jsem to slyšel," ozval se naoko rozzlobený hlas z vedlejší místnosti, což všechny rozesmálo. Všechny kromě mojí matky.

„Obávám se, že nebudu moct zůstat," odpověděla přiškrceným tónem, který jsme všichni tak dobře znali. Znamenalo to, že moc dobře umí poznat, když není vítaná.

„Prosím, Joan, zůstaň. Aspoň si popovídáš s Jess."

Málem jsem se otřásla. Teta Lynn si asi neuvědomila, co právě řekla.

„Můžu si s Jess popovídat, kdykoliv budu chtít. Nepotřebuju k tomu tvůj souhlas, Lynn." Nato se matka zvedla a odplula k hlavním dveřím. Tiše jsem se vydala za ní.

„Mami, no tak, teta se jen snažila být pohostinná. Přišla jsem za Shelley, vážně. Proč tady nezůstaneš?" poprosila jsem ji, i když jsem si vlastně vůbec nedokázala představit, jaká by byla v kuchyni atmosféra, kdyby si to rozmyslela.

„Protože nemůžu. Musím jít domů. Čeká tam na mě výborná večeře." S jejími prkenně rovnými zády se dalo jen těžko diskutovat. Máma se naštvala a já jsem se cítila provinile. Napochodovat si bez ohlášení přímo do kuchyně bylo jako vykřikovat při každé příležitosti, že tetin dům vždycky byl a bude mým útočištěm. V dětství hýřil barvami a smíchem, což bylo přesně to, co mi doma chybělo.

„Uvidíme se příští týden," zavolala jsem za ní zoufale.

„Předpokládám, že toho máš hodně, když mě ale někam vmáčkneš, víš, kde mě najdeš."

Au, opravdu se naštvala.

Co mi ještě dnešek nadělí?

„Proboha, proč jsem se nechala k něčemu takovému přemluvit?" zeptala se Shelley. Pilates se podle ní nedalo považovat za skutečné cvičení, protože se u něj prý nepotí. Což vlastně jen znamenalo, že ho necvičí správně.

„Protože je to pro nás dobré," odpověděla jsem a opravdu jsem se cítila mnohem lépe, než když jsem sem přišla. Všechno to dýchání, kontrola každého pohybu a ovládání svalů, o kterých jsem ani nevěděla, že je mám, mě zaměstnávalo natolik, že už se mi nic jiného na mysl nevešlo.

„Možná tak pro tebe," zakňourala. „S tou tvojí pružnou, titěrnou postavou a malýma prsama. Ty moje mi prostě překáží."

„Přestaň se vymlouvat," okřikla ji Bel. „Moc dobře víš, že bychom si to s tebou obě rády vyměnily."

Shelley se na chvilku vzchopila a vypnula svoje pětky. „Moje tělo je prostě stvořené pro lásku, to je můj problém."

Všechny jsme se daly do smíchu.

„Tak tohle očividně nezvládám, moje tělo není stvořené ani pro randění."

„Znám někoho, kdo by měl zájem, je mladý a nezadaný, pokud bys chtěla." Oči se jí rozzářily a záhadně se usmála.

Ignorovala jsem ji, víckrát už jí na to neskočím. Nebylo by to poprvé, co se mě snažila dát dohromady s někým naprosto nemožným.

Nazvedla překvapeně obočí. „Nechceš vědět, o koho jde?"

„Ne."

„I kdyby to byl někdo, koho znáš?"

Zadívala jsem se na ni. Cože? Je nám snad třináct? Myslela Sama?

„Věděla jsi, že se rozešel s tou svojí holkou?"

Víc informací už jsem nepotřebovala. Vážně myslela Sama. Nával adrenalinu mnou projel tak silně, že jsem upustila tenisku.

„Vážně?"

Přikývla, jako by věděla, že na mě teď musí opatrně. „Promiň, myslela jsem, že už to dávno víš." Pokrčila rameny v tiché omluvě. „Máma si přes plot povídala s jeho mámou, zmínila se o tom."

„Wow," zašeptala jsem. Nechápala jsem, proč se cítím tak otupěle. Sam to skoncoval se svojí přítelkyní. Myslím, že jsem měla strach si domyslet, co by to pro mě mohlo znamenat. „Víš přesně kdy?"

Stalo se to ještě před víkendem? Nebo po neděli?

Shelley zavrtěla hlavou. „To máma neříkala. Můžu se jí zeptat, jestli chceš."

Naznačila jsem, že to nebude nutné.

„Tak radši ne." Chápavě se pousmála. Moc dobře věděla, že sotva by se před tetou zmínila, nakráčela by k sousedům a neodešla by, dokud by neznala každý detail.

Byla jsem zmatená. Sam se od té doby, co mi poslal žádost o přátelství na Facebooku, záměrně neozval. Ani neposlal zprávu. Možná jsem si to všechno jen namlouvala, tu vzájemnou náklonnost, prostě jsem chtěla sama sobě namluvit, že o mě má zájem. To se přece občas stane každému, ne? Třeba stalkerům, kteří jsou přesvědčení o tom, že k nim objekt jejich zájmu taky něco cítí. Možná prostě Sam není schopný odolat flirtování. Třeba se tak chová ke každé holce, která na něj zamrká a naznačí, že by mezi nimi mohlo něco být. Třeba je to prostě jen taková coura v kalhotách, která testuje vodu, ale nikdy do ní nevkročí. Protože má stabilní vztah, na který se nakonec vždycky vymluví. Čím víc jsem nad tím přemýšlela, tím víc jsem o jeho záměru byla přesvědčená.

Bel a Shelley se k tomu víc nevyjadřovaly, za což jsem jim byla opravdu vděčná. V hlavě mi vířila spousta otázek a žádná z odpovědí nedávala smysl.

Na nebi nebyl ani mráček a slunce se jen pomalu vzdávalo svého kralování, takže jsme se navzdory pokročilé hodině rozhodly jít domů pěšky. Ulice High Street byla naprosto tichá, jako by se každý rozhodl užít si ten nezvykle teplý večer doma. Kráčely jsme v tichosti vedle sebe a já jsem cítila, jak na mě Bel se Shelley střídavě pokukují.

Když jsme mírným kopcem došli k malému kruhovému objezdu, kde se od nás Shelley odpojovala, natáhla jsem ruce a chytila je za předloktí. „Holky, můžete se o mě prosím přestat strachovat? Shell, skoro slyším, jak ti šrotují kolečka v hlavě. A ty, Bel, přestaň se o mě bát."

„Prostě to nejsi ty, tak…"

„Tichá."

„Vážná."

Musela jsem se zasmát, když se začaly překřikovat. „Tak toho prosím nechte. Jsem v pohodě. Sam se mi ani neozval, prostě nemá zájem. Tečka."

Ta myšlenka mě bohužel neodradila od prolustrování Facebooku a Instagramu, sotva jsem překročila práh a telefon se mi připojil na wi-fi.

Sam na Facebooku nezmiňoval nic od soboty, kdy zveřejnil video, na kterém odpaluje kriketový míček tak mohutným úderem, že se to rozléhá po celém hřišti. Pustila jsem si to video hned několikrát a pokaždé mě udivilo, jak ve sportovním dresu vypadá vážně oproti tomu týpkovi, kterého jsem několikrát potkala. O kriketu jsem nevěděla zhola nic, ale jedno mi bylo jasné – Sam při něm vypadal zatraceně sexy. Až mi z toho vyschlo v krku.

Jeho instagramový účet nebyl aktualizovaný přes týden. I když jsem věděla, že dělám hloupost, naťukala jsem do řádku vyhledávání Victoriino jméno.

Její poslední příspěvek byl přidaný včera v noci. Vypadala na něm naprosto úžasně, v jejím postoji smrtící kobry však bylo něco zarážejícího. Černé krajkové šaty sotva zakrývaly její opálená stehna a délku jejích nohou zvýrazňovaly vysoké podpatky. Vše umocňoval dechberoucí dekolt odhalující plná ňadra. Tahle fotka křičela „femme fatale" a ve stejném duchu se neslo i přes padesát komentářů pod ní.

„Ukaž mu, o co přišel, kočko."

„To je ale blbec."

„Držím palce, zlato."

„Ten má v hlavě piliny. Zasloužíš si lepšího."

„Nemůžu tomu uvěřit, kotě. Posílám objetí."

„Bože, seš nádherná. Najdeš si jiného."

Svalila jsem se na pohovku. Byla to pravda. Sam se rozešel s Victorií.

6

Telefon se mi rozdrnčel v kapse, zrovna když jsem spěchala na metro. Měla jsem přesně šest minut na to, abych vyjela po eskalátorech a zběsile se rozběhla na nástupiště, kam měl v 17.34 přijet vlak mířící do Tringu, po tom, co jsem v Londýně strávila den nakupováním a setkáním se spolužáky z univerzity. Nabrala jsem rychlost a ignorovala nepřestávající vyzvánění, zatímco jsem zápasila s turniketem, a nakonec se procpala téměř zavřenými dveřmi dovnitř. Pak jsem se svalila na první volné sedadlo, aniž bych si všimla, kdo sedí vedle mě. Dokud se ten člověk nezačal smát. Budu muset v parku nasadit trochu jinou rychlost, sprint jsem ze svého repertoáru vyřadila už na střední škole.

„Jess Harperová!"

„Michaeli!" Zaregistrovala jsem povědomou tvář. Michael se mnou chodil do školy a jeho přítelkyně Helen se zase kamarádila se Shelley. „Co tady děláš?"

„Vracím se zrovna do Tringu. Bydlím teď na chvíli s rodiči. Po vysoké jsem začal pracovat v Southamptonu a pak se mi naskytla příležitost v Londýně. Máma s tátou prodávají dům a stěhují se do menšího a…," vypadal trochu zahanbeně, „pomohli nám trochu s depozitem na náš byt." Pak mu zazářily oči. „Budeme se s Helen brát."

„No paráda, gratuluju! Shelley mi nic neřekla."

„Ještě to neví a Helen mě asi zabije, až zjistí, že jsem ti to vyslepičil. Nic jí prosím neříkej. Mají spolu jít zítra ven."

„Neřeknu ani slovo." Mrkla jsem na něj a už jsem si v duchu představovala Shelleyin nadšený výraz, až v první vteřině zaostří na Helenin zásnubní prsten. „Měli bychom někdy někam zajít společně."

Zbytek cesty jsme si povídali o starých dobrých časech, takže jsem si na zmeškaný hovor vůbec nevzpomněla. Telefon jsem vytáhla z kapsy, až když vagon metra zastavoval na mojí stanici. Pohled na Samovo jméno na displeji mi na chvilku zastavil srdeční tep.

„Špatné zprávy?" odtušil Michael.

„Ani ne, jen… nečekaný hovor." Od Samova rozchodu uběhly už dlouhé tři týdny. První týden a půl jsem strávila mučením sama sebe myšlenkou na to, že by se mi mohl ozvat. Další týden a půl jsem se snažila přesvědčit, že o mě nikdy neměl zájem a všechno jsem si to jen vymyslela.

Musela jsem vypadat šokovaně. I když se myšlenka na něj občas vloudila do mojí mysli, zařadila jsem si ho do šuplíku „Mimo dosah" a zavřela ho jako bankovní sejf. Přestala jsem kontrolovat jeho i její instagramový profil a s uspokojením jsem zjistila, že se Sam jakoby vypařil z virtuálního světa. Tohle však byla střela do neznáma. I když jsem ze všeho nejvíc chtěla vytočit jeho číslo a zavolat mu zpátky, umístění stanice metra a především sounáležitost s dávným kamarádem mi poručily doprovodit Michaela domů.

Jen co jsem vkročila do bytu, vytáhla jsem telefon a rozklepanými prsty vyhledala v seznamu zmeškaných hovorů jeho jméno. Volal dvakrát, ale ani jednou nenechal vzkaz.

Uf! Proč jsem ho hned vytočila? Ani nevím, co mu řeknu, měla jsem se na to aspoň trochu připravit. Nebylo to zoufalé?

„Ahoj Jess."

„Ahoj Same." Zněla jsem nesměle? Proboha. Já přece nikdy nezním nesměle. Zastavila jsem se uprostřed obýváku a po krátkém zamyšlení se opatrně posadila na pohovku.

Nastalo nervózní ticho.

„Promiň, volám nevhod?" zeptala jsem se a zatáhla za volnou nitku rozpáraného lemu trička. Nechtěla jsem, aby to bylo nevhod.

Sam se zasmál, ale neznělo to moc věrohodně, jako by snad litoval, že mi vůbec volal jako první. Možná to byl omyl. Ale proč by byl, přesvědčovala jsem sama sebe, zatímco jsem si představovala jeho modré oči.

„Ne, vůbec ne. Kdykoliv je to vhod." Skoro jsem viděla, jak se u toho ksichtí. Usoudila jsem to z tónu jeho řeči. Bylo to šílené? „Já jen že když jsem volal před chvílí, měl jsem nachystané, co ti řeknu, a teď... nevím vůbec nic, protože jsem mezitím sám sebe přemluvil, že mi nezavoláš zpátky, a... nešla bys se mnou někdy na drink?"

„Šla," odpověděla jsem se smíchem, mile překvapená jeho upřímností.

„Šla bys?"

„Chceš, abych si to ještě rozmyslela?"

„Ne," odpověděl a pak jedním dechem dodal, „jezítramocbrzo?"

7

Špatný den v práci znamená to, že se některá z žen rozhodne, že návrat k životu, který doposud znala, je pro ni lepší možností než nejistota vyplývající z obav o vlastní bydlení, zapojení dětí do nových škol a strachu, jak to všechno bude sama zvládat. Holly i já moc dobře víme, že to není naše chyba. Ve většině případů děláme o sto procent víc, než je nad naše síly, přesto se pokaždé, když se to stane, nevyhneme pocitu selhání. Dneska právě takový špatný den nastal. Rodina Slaterových, za kterou jsem tolik bojovala, aby všechny tři děti mohly chodit do stejné školy, se vracela domů. Jejich otec slíbil, že se změní, prosil matku, aby stáhla všechna obvinění, a fotkami jim připomněl jejich prostorný dům v prominentní části Surrey. A bylo hotovo. V dobře situované střední vrstvě by přece nikdo domácí násilí neočekával. Stereotyp vykreslující podobné situace pouze v okrajových částech s nízkými příjmy a dalšími problémy je však daleko od reality. Tohle nejsou žádné stereotypy. To jsou skutečně příběhy opravdových lidí.

Měla jsem chuť schůzku se Samem zrušit. Chtěla jsem, aby potkal moji veselou, bezstarostnou verzi, ne zklamanou a vysílenou Jess, která nesnese lhostejnost a nemohoucnost a nemůže se smířit s tím, že neexistuje ještě něco, co by mohla udělat.

Pravda je taková, že budoucnost Slaterových byla více než nahnutá. Museli by nějak fungovat v jednopokojovém bytě a žít ze sociálních dávek, dokud by děti trochu nevyrostly. Paní Slaterová dřív řídila luxusní audi a nakupovala v drahých buticích. Nakonec jsem Sama nezrušila. Naklusala jsem do restaurace o dvacet minut dřív, posadila se na zahrádce ve stínu obrovského stromu a usrkávala z velké orosené sklenice coly. Teplota opět dosahovala ke třicítce, což mi nakonec ani moc nevadilo, když jsem seděla na čerstvém vzduchu. Nakonec jsem Samovi poslala zprávu, že už jsem na místě.

Restaurace měla výbornou polohu, asi deset minut cesty od mojí i Samovy práce. Zklamaně jsem si musela přiznat, že to zřejmě nebyl ten pravý důvod, proč ji Sam vybral. Rozhlédla jsem se kolem sebe, nebylo tady moc lidí, ale i kdyby byl prostor naplněný k prasknutí, neznala bych tady jedinou duši. Byli jsme dostatečně daleko od Tringu, aby nás náhodou nikdo nepotkal. Pohodila jsem hlavou a snažila se zahnat myšlenku, že se tady vlastně schováváme. Předpokládala jsem, že šlo o jeho ohleduplnost k Victorii, další myšlenky jsem se snažila rychle vyhnat z hlavy. Pozval mě na skutečné rande? Co to vlastně znamenalo? Nebyla jsem schopná na něj přestat myslet v podstatě od té doby, co jsem ho poprvé potkala. A to jsem se opravdu snažila. Cítil ke mně to samé? Myšlenka na to, že by po mně mohl toužit stejně jako já po něm, mě naplňovala obrovskou vinou. Svědomí mi stále připomínalo matku poté, co otec odešel. Ničila sama sebe přemítáním nad tím, co mu mohla ta druhá žena nabídnout. Co mohla udělat jinak.

Sjela jsem prstem po orosené sklenici a ignorovala snahu představit si, jak se teď asi Victoria cítí. Dělalo se mi z toho trochu špatně. Nikdo na světě si nezaslouží procházet tím, čím si musela projít moje matka.

I když jsem moc dobře věděla, že je to v tuhle chvíli to nejhorší, co můžu udělat, vzala jsem do ruky telefon a znovu začala procházet Victoriin profil na Instagramu. Bylo více než očividné, že jejich rozchod neproběhl po vzájemné dohodě. Její poslední příspěvek byl složený z několika fotografií ze starých šťastných časů, ona a Sam obklopeni skupinkou přátel, některé obličeje se opakovaly, jiné ne. Jedna fotografie po očividném vítězství na kriketovém zápase, jedna z něčí svatby, další z exotické pláže, která zdaleka převyšovala moje možnosti, poslední z Barcelony před chrámem Sagrada Família. Šlo o neuvěřitelně propracovaný, detailně promyšlený důkaz jejich spokojeného života. Povzdech nad tím, jak byli sehraní.

Vypnula jsem telefon a odsunula ho stranou. Zadívala jsem se do koruny rozložitého stromu a přemýšlela jsem, jak je možné, že jsou jeho listy tak svěže zelené, když tráva pod ním už dávno vzdala boj o život. Výhled na kopcovitou krajinu hrál za jiných okolností všemi odstíny zelené. Teď byl zpražený dohněda.

„Jess!"

Sam se přede mnou objevil jako duch.

„Ahoj." Postavila jsem se. Usmál se na mě, jeho modré oči tancovaly radostí, že mě vidí. Sálalo z nich teplo a mě najednou opustily všechny chmurné myšlenky, kterých jsem se nemohla celý den zbavit.

Bez zaváhání ke mně přistoupil a objal mě kolem ramen, jeho dlaně spočinuly na mých zádech. Pak mě rovnou políbil na rty, jako by se nic nedělo, jako by to tak mělo vždycky být. Prostě jen rychlý polibek dvou lidí, které pojí sympatie. Jasně mi tak naznačil, co má v plánu, ale nenechal se unést okamžikem. Byla to nabídka, upřímná a jasná. A já jsem teď měla na vybranou.

„Ahoj," odpověděl konečně trochu chraptivým hlasem. „Tohle jsem chtěl udělat už dávno."

Srdce mi prudce bušilo v hrudi. Překvapeně a trochu omámeně jsem na něj hleděla jako v nějaké grotesce. Zřejmě si toho vůbec nevšiml, protože se na mě jen připitoměle usmíval.

„Já taky," přiznala jsem.

„Dáš si něco k pití?" zeptal se.

Pak se otočil a já jsem si bezostyšně prohlížela jeho široká záda, která mizela uvnitř restaurace. V košili s kravatou vypadal moc dobře, ale já jsem ho stejně měla radši v tričku a šortkách. Takhle působil trochu naškrobeně. Šlo sice o ležérní uniformu, ale stejně to nebyl on.

Když se vrátil se dvěma sklenicemi coly, posadil se vedle mě a okamžitě si uvolnil kravatu, která vypadala, jako by patřila učiteli zeměpisu z padesátých let. Pak si ji přetáhl přes hlavu, rozepnul dva knoflíčky u krku a vyhrnul si rukávy.

„Lepší?" poškádlila jsem ho.

„Kravaťácké dny. Nesnáším je. Musel jsem se dneska potkat s několika rodiči. Ředitel má rád, když u toho vypadáme profesionálně." Zavrtěl hlavou a zhluboka se napil.

S oddaností štěněte jsem pozorovala jeho pohybující se ohryzek a cítila jsem, jak mi hormony zběsile poletují celým tělem a blikají jako slabá žárovka v nějakém hororu.

„V těch šatech ti to sluší, vypadáš v nich hrozně vysoká." Zazubil se na mě. „Přemýšlím, co by na to řekl ředitel, kdybych se objevil v práci v takových šatech, rozhodně by to bylo příjemnější než v takovém vedru nosit dlouhé kalhoty."

Pak jsme přirozeně sklouzli ke konverzaci o stereotypech, pohlavích, sexismu a sexuálním obtěžování v práci. Ne úplně ve vážném tónu, docela jsme se u toho nasmáli.

Za tu dobu jsem vypila obrovské množství coly, ale nechtěla jsem ztratit jedinou minutu z našeho povídání, takže můj močový měchýř nabral velikost skákacího míče.

„Hlavně teď neříkej nic vtipného," varovala jsem ho a postavila se. „Strašně se mi chce na záchod."

Doplazila jsem se na toaletu a zadívala se na sebe do zrcadla. Uviděla jsem tam nezvykle široký úsměv. Nikdo z nás nedefinoval, co dnešní setkání znamená, a já jsem nijak nedala najevo, že vím, že se rozešel s přítelkyní. Předpokládala jsem, že asi ví, že o tom vím. Nezdálo se však, že by nám to nějak překáželo. Nebavili jsme se o soukromí, na druhou stranu jsem neměla pocit, že bychom se nějakému tématu záměrně vyhýbali. Prostě jsme byli rádi, že jsme spolu, a nechávali jsme se unášet proudem.

Mrkla jsem na svůj rozzářený odraz a v duchu se trochu pokárala. „Seš v pěkný bryndě, holka."

Když jsem se vracela ke stolu, Sam sledoval něco na telefonu a druhou rukou si pohrával s červenou a modrou plastovou kostkou. Když jsem se přiblížila, podíval se na mě a s nadšeným výrazem odložil telefon displejem dolů.

„Lego?"

Usmál se a mezi prsty znovu spojil a rozpojil dvě kostky.

„Leželo na zemi, když jsem odcházel z práce, tak jsem si to strčil do kapsy. Musím přiznat, že na legu je něco hrozně uspokojivého. Ty kostky na sebe vždycky perfektně pasují. Prostě k sobě patří." Najednou zvážněl a podíval se mi do očí. „Přesně tak jsem se cítil, když jsem tě poprvé potkal. Prostě k sobě patříme." Najednou vypadal plaše a trochu mu zčervenaly tváře. Nervózně kostky zase spojil a postavil je těsně vedle sebe. Srdce se mi začalo roztékat. Věděla jsem přesně, co tím myslí. Nemohl to popsat trefněji.

„Promiň, to znělo trochu… kýčovitě," omluvil se a nechal lego legem.

Nemohla jsem si pomoct. Pohladila jsem ho po dlani. „Nezní. Vím přesně, co tím chceš říct. Jen takhle nahlas je to…"

Pokrčila jsem rameny. Ty kostky lega ležící na stole byly jasnou definicí toho, co jsem cítila, když jsem si s ním ten první den povídala v tetině zahradě.

„Šílené?" Vrásky kolem očí se mu spojily ve vějířky, když se na mě hřejivě usmál.

„Není to šílené," řekla jsem a vzala do ruky modrou kostku lega. „Je to lego." Sevřela jsem modrý dílek v dlani a pak jsem si ho hodila do kabelky. On mě beze slova následoval a červenou kostku si strčil do kapsy. Usmívali jsme se na sebe jako blázni. Všem muselo být jasné, o co tady jde.

„Chceš ještě něco k pití?" zeptal se.

Cítila jsem bublinky až v uších, ale zároveň jsem nechtěla, aby ten večer skončil.

„Zatím ne," odpověděla jsem a sama sebe pochválila za to, jak neutrální odpověď se mi podařilo vymyslet.

„Takže… co se stalo s tvojí přítelkyní?" Tak a je to venku. A vůbec jsem si nepřipadala hloupě, že se tak ptám.

S trochu křivým úsměvem sklopil oči a zatahal za rukáv. „Rozešli jsme se. Asi před měsícem."

„Nemusíš o tom mluvit, jestli nechceš. Jen jsem se chtěla ujistit. Chtěla jsem naznačit, že vím, že už nejste spolu. Nechtěla jsem, aby sis myslel, že lovím zadané chlapy."

„To jsem přece věděl už od začátku," dodal rychle. „Věc se má tak, Jess, že… jsem na tebe prostě nemohl přestat myslet. Když jsem tě potkal… no víš." Podíval se na mě s upřímností v hlase. „Prostě mě to hrozně vyděsilo."

„Aha," prohodila jsem překvapeně. To jsem úplně slyšet nepotřebovala. *Hrozně ses mi líbila* by bylo lepší. Nebo *prostě mezi námi něco přeskočilo.* To by taky šlo. Vyděsit jsem ho nechtěla. To znělo, jako bych se chovala jako nějaká kudlanka nábožná, zahnala ho do rohu a tam ho sežrala. Znělo to přesně tak, jak jsem nechtěla.

Usmál se a vzal můj obličej do dlaní. Jeho dotek vibroval jako elektřina. To gesto působilo tak uvolněně a přirozeně, až mě to málem rozplakalo.

Pak mě pustil a znovu se zatahal za rukáv. „Vyděsilo mě to, protože jsem hned věděl, že chci být s tebou. Prostě to najednou vymazalo všechno, o čem jsem byl přesvědčený. Chodili jsme s Victorií čtyři roky. Byli jsme spolu šťastní. Teda aspoň jsem si to myslel. Všechno šlapalo, jak má... Ale pak, snažil jsem se tě nějak vymazat z hlavy, vážně. Říkal jsem si, že jsem si to všechno vymyslel. Že to bylo... já nevím, jen nějaké chvilkové pobláznění." Namáhavě polkl a znovu si začal upravovat oba rukávy.

„Pak jsem tě potkal v tom parku a zase se to všechno vrátilo. Vlastně to bylo ještě stokrát silnější. Už jsem věděl, že jsem si to jen nepředstavoval. Věděl jsem, že to cítíš podobně." Zabořil se pohledem do mých očí. V těch jeho nebyla žádná domýšlivost, jen upřímnost. Přikývla jsem.

„Cítila jsem to podobně a ano, taky mě to vyděsilo. Neměla jsem přece žádné právo k tobě něco cítit. Měl jsi přítelkyni. Byl jsi mimo můj dosah."

V jeho obličeji se rozhostila úleva a porozumění.

„Nevěděl jsem, co mám dělat. Poslal jsem ti žádost o přátelství, chtěl jsem nějak zůstat v kontaktu... nechtěl jsem být... dotěrný. Miloval jsem Victorii. Čtyři roky, to je dlouhá doba. Ale to, co jsem najednou cítil k tobě...," znovu se na mě podíval tím něžným pohledem, zahlédla jsem v jeho očích obrovský pocit viny, „...všechno ostatní úplně zastínilo. Prostě jsem najednou věděl, že už ji nemiluju. Nemiluju dost na to, abych s ní zůstal. Mohl jsem v tom jednoduše pokračovat, ale lhal bych jí i sám sobě. Jako bych jí byl nevěrný, protože jsem se zamiloval do někoho jiného."

Teplo jeho dlaně přikrylo tu moji jako kotva, která nám oběma připomněla, že tohle je skutečné, že to není žádná fantazie, výmysl ani představa.

„Doufal jsem, že to přejde. Že na tebe prostě přestanu myslet. Doufal jsem, že jsem si to všechno vymyslel, ale moje city k tobě se jen prohlubovaly a zavrtávaly se do mě jako klíště. Dělal jsem všechno pro to, abych je ignoroval. Přesvědčoval jsem sám sebe, že ve skutečnosti nemůžeš být tak úžasná, jako jsem si tě vybavoval."

Zavřela jsem oči. V jeho výrazu bylo tolik utrpení, až mě to skoro zabolelo.

„To nezní moc hezky, co?" pronesl pak tiše.

„Ale zní, dělal jsi přesně to, co jsi měl. Vlastně jsi byl celou dobu na Victoriině straně."

„Stejně to nepřešlo. A když jsem tě potkal znovu u Lynn, udělalo se mi z toho špatně. Uvědomil jsem si, že tě nikdy nedostanu z hlavy. Musel jsem tě znovu vidět, ale nejdřív jsem to musel vyřešit s Victorií."

Nasadila jsem bolestivý výraz, když jsem si uvědomila, kolik viny nesu na svých bedrech. Skoncoval to s ní kvůli mně. Byla jsem přesně tou ženou, kterou jsem nikdy být nechtěla. Do krku se mi drala směs euforie a nevolnosti. Připadala jsem si, jako bych balancovala na hraně ostrého nože, někde mezi bolestí a radostí.

„Pak jsem musel chvíli počkat, nechtěl jsem, abys měla pocit, že za to můžeš ty. Nechtěl jsem, aby cokoliv…," odmlčel se a pak se hlasitě zasmál. „Sakra, tohle zní úplně jako filmové klišé. Prostě jsem chtěl začít s čistým štítem."

Měla jsem pocit, že se mi srdce rozskočí snad na tisíc kousků. Paní praktická, v růžových srdíčkách a romantických gestech prostě neumím chodit. V mém světě byla vždycky láska zastíněná strachem, lžemi a obavami. Samova slova tohle všechno zastřela mlhou. Věděla jsem, že to myslí vážně, a na chvíli jsem si dovolila odplout na nadýchaném obláčku štěstí. Byli jsme si tak podobní, až mě to děsilo.

Obrátila jsem svoji dlaň pod tou jeho a propletla naše prsty.

„Děkuju," řekla jsem. „Jestli tě to uklidní, nepřestala jsem na tebe myslet od první minuty, co jsem tě uviděla. A to jsem se fakt snažila. Ženy mají na světě s muži už tak dost problémů, aniž by jim další ženy přidávaly starosti."

„Snažil jsem se, co nejdýl to šlo." Povzbudivě zmáčknul moje prsty. „Nalhával jsem si, že si možná do té doby někoho najdeš."

To mě rozesmálo. „Říká se o mně, že jsem vybíravá."

„Aha, takže Jessico Harperová, šla bys se mnou na rande?"

„Ano."

„Můžu tě vzít v pátek na večeři?"

„Příští pátek?"

„Ne! Zítra." Ušklíbnul se na mě. „Nechtěl jsem být dotěrný."

Šťouchla jsem do něj ramenem. „Blázne."

Objal mě kolem ramen. „Komu říkáš blázne? To i děti ve škole si mě váží víc. Říkají mi pane Blázne."

8

„Už víš, co si vezmeš na sebe?" zeptala se Shelley válející se na mojí posteli se skleničkou prosecca, kterou mávla směrem k mojí omezené garderobě. Hned co se doslechla, že jdu na rande se Samem, přispěchala do mého bytu a trvala na tom, že si otevřeme lahev vína a oslavíme fakt, že *se konečně blíží pořádný sex, takže moje opomíjené partie bude potřeba pořádně promáznout lubrikantem.* To jsou její slova, ne moje.

„Nemůžu uvěřit tomu, žes mi to neřekla hned, jak ses s ním sešla poprvé," zabrblala a snažila se upít víno z ne příliš pohodlné polohy vleže s jedním loktem za hlavou.

„Jestli mi to vyliješ do postele, budeš to všechno prát. Nechci, aby si Sam myslel, že se v noci počurávám." Sotva jsem tu větu dopověděla, zastyděla jsem se.

„Doneseš si ho v zubech až do postele, co?" chytila se té myšlenky okamžitě Shelley.

„Ne, to určitě ne." Zkontrolovala jsem čerstvě vyprané povlečení, které jsem vyměnila možná deset minut před tím, než sem Shelley dorazila. Rozhodně s ním nebudu mít sex hned po první schůzce. To jsem nikdy neudělala.

„Neee, Jess se stydíííí," poškádlila mě. „Podívejme se, jak se jí červenají tváře."

„Ticho, Shelley!" Těžko jsem maskovala smích. „Ještě mě zkazíš."

„To těžko. Jsi ta nejlepší holka, co znám. Úplně nezkazitelná. Už ses někdy s někým vyspala na prvním rande? Sex na jednu noc?" Zvedla ruku nad hlavu ještě dřív, než jsem stihla zavrtět hlavou. „OK. Ale je vidět, že se ti fakt líbí. Je to fakt kus. Nahý musí vypadat úplně božsky."

„Brzdi, Shelley."

„No tak, Jess, ten chlap je chodící sexuální návnada. Úplně se mi bouří hormony, když ho vidím."

„Tvoje hormony se chovají jako rozdováděná štěňata. Bouří se před každým."

„To je pravda," souhlasila Shelley a ani trochu se neurazila. „Na to nemůžu nic říct, jsem prostě přátelský typ. Mám ráda lidi. A tohle se všechno seběhlo strašně rychle. I na mě. Tak už povídej. Co se stalo? A proč jsi mi o tom vůbec neřekla?"

„Protože vlastně nebylo co říct, až do včerejšího večera. A co si myslíš o těchhle šatech?" Zvedla jsem nad hlavu saténové šaty, které jsem měla na sobě jednou nebo dvakrát. Koupila jsem si je na jednu svatbu, ale neměla jsem možnost je vyvětrat, i když se mi fakt líbily.

Kdybych nepracovala na místě, kde ženy byly vděčné za to, že vůbec měly nějaké oblečení, natož aby vlastnily večerní róby, možná bych si je sem tam vzala do práce, jen abych je vůbec nějak využila.

Shelley obrátila oči v sloup. „Nenávidím tě. Jsou úplně, úplně obyčejné, ale ty v nich se svou postavou budeš stejně vypadat úchvatně. Jaká je to velikost? Barbie?"

Ignorovala jsem ji a shodila ze sebe ručník. „Asi se budu muset znovu vysprchovat." Přičichla jsem si k podpaží a Shelley po mně hodila deodorant z kosmetického stolku.

„Bože, to je ale horko," zamručela a znovu se natáhla na postel, zatímco jsem si oblékla podprsenku bez ramínek a nejhezčí kalhotky.

„Jdeš na to dobře."

„To jsou úplně obyčejné kalhotky," ozvala jsem se možná až příliš ostře.

„Uklidni se. Tak kam tě pan Božský dneska večer bere?"

„Do Olivia. Shelley, kolik ti je?"

„Devětadvacet a tři čtvrtě, bez několika dní." Ušklíbla se a zvedla skleničku, ze které vydatně upila.

Natáhla jsem si šaty přes hlavu, hebká tmavě modrá látka lehce sjela kolem mých boků na správné místo.

„Vážně tě nenávidím."

Nakrčila jsem nos a uhladila si šaty na břiše, než jsem si prohlédla svůj odraz v zrcadle.

„Ne, tvůj úžasný zadek v tom rozhodně nevypadá moc velký."

„To bohužel ani moje prsa," upozornila jsem ji a zadívala se na její mohutné poprsí napěchované v růžovém overalu.

Shelley svoje křivky přátelsky objela dlaněmi. „Když je máš, tak je ukaž. Přesně proto tvůj mikro zadek vypadá v těch šatech naprosto božsky." Vyskočila na nohy tak prudce, že se jí prosecco jen tak tak podařilo udržet ve skleničce. „Jsi naprosto úžasná, sestřeničko, a to ve všech směrech. Ten chlap má hrozný štěstí, musíš mu to dát setsakramentsky najevo." Pohladila mě po tváři. „Ať si to pěkně odpracuje. Jsi na lidi hrozně milá. Ale musím mu přidat body za to, že tě bere do Olivia, tam je to fakt hezký."

Šlo o malou restauraci v sousedním městě. Shelley se nabídla, že mě tam odveze.

„Jsem vážně ohromená. Dobrý výběr. Nemusíš se bát, že na tobě bude chtít šetřit. Ani dobrý sex ti tuk na ty tvoje kosti nepřidá."

Dělala jsem, že nic neslyším. „Nečekám, že by za mě platil. Pracuje jako učitel." Ta restaurace byla známá příjemným prostředím a kvalitní, ne příliš drahou nabídkou. Každopádně šlo o lepší položky než o pizzu na papírovém tácku.

„Bože, ty jsi tak nenáročná." Ustoupila o krok a prohlížela si mě. „Jsi si jistá, že jsme příbuzné?"

Zasmála jsem se. „Pochybuju o tom už několik desítek let."

„Když mě chlap vezme na večeři, počítám, že sáhne trochu hlouběji do kapsy."

„A já za sebe zase ráda zaplatím. Předejdu tím aspoň zbytečnému očekávání."

„Tak ještě jednou. Opravdu jsme z jednoho hnízda?"

„Shelley, přestaň mi věšet bulíky na nos. Vím, že nejsi taková. Taky si to s každým nerozdáš na první schůzce."

Mrkla na mě. „Pokaždé ne."

„Jsi si jistá, že chceš vysadit právě tady?" zeptala se Shelley s přehnaně zvednutým obočím, když jsem ji navigovala na parkoviště.

„Přesně tak," odpověděla jsem a zvedla kabelku z podlahy jejího maličkého Fiatu 500.

„Zkazila jsi mi radost," oznámila mi a zaparkovala na tom nejmenším místě, takže jsem málem vyletěla předním oknem.

„Opravdu se ti omlouvám," řekla jsem naoko upřímně a zkontrolovala čas. Měla jsem ještě deset minut. Přesně jak jsem si to naplánovala. „Nejdeš se mnou, jasný?" Můj tón však neměl na její rozhodnutí žádný vliv. Ušklíbla se a já jsem obrátila oči v sloup. Čekala se mnou, dokud se neobjevil Sam, přesně jak by to udělal její otec.

„Jak se dostaneš domů? Chceš, abych pro tebe přijela?"

„Sam řekl, že mě odveze," přiznala jsem a smetla jsem si neexitující smítko z šatů.

„Pozveš ho nahoru na kafe?" zavlnila rameny a nasadila laškovný tón.

„Ne!" Vrazila jsem do ní ramenem a snažila se vyhnat všechny představy z její hlavy. „Možná jo, ale bude to jen kafe, jasný?" Otevřela jsem dveře auta a do tváře mě praštilo stále sálající dusno.

„Bav se, zlato." Znovu se zatvářila jako školačka. „A napiš mi všechny detaily, až se dostaneš domů... Pokud teda nebude ten fešák s tebou."

Bouchla jsem dveřmi, ale když jsem se vydala k restauraci, musela jsem se proti své vůli usmát. V břiše mi tancovaly desítky opilých motýlů a já jsem se cítila omámeně a věřila jsem, že dneska... se může stát cokoliv.

Možná že už na něj byly moje smysly vycvičené nebo jsem prostě jen poznala jeho chůzi. Okamžitě jsem ho rozeznala jen pár metrů před sebou. A strnula jsem v naprostém ohromení. Moje hormony zbystřely a srdeční tep se mi úplně splašil. V tmavě modrých plátěných kalhotách a bílém tričku vypadal naprosto k nakousnutí. A ne, na jeho zadek jsem se ještě ani nepodívala... Možná jen trochu. Úplně poprvé jsem ho viděla s rozpuštěnými vlasy. I když jsem za normálních okolností muže s dlouhými vlasy nevyhledávala, najednou mi jeho blond kudrny připadaly naprosto neodolatelné.

Zpomalila jsem a chvilku jsem si ho prohlížela. Musela jsem ovládnout okamžitou potřebu se rozběhnout, skočit mu kolem ramen a celého ho zlíbat. I když jsem si to nechtěla přiznat, strašně ráda bych prsty projela jeho vlasy. Přesně tak. Naprosto jsem se zbláznila.

S hlubokým povzdechem jsem ho ještě několik vteřin pozorovala a pak jsem se přinutila dát se do pohybu. Ještě jsem naposledy sjela pohledem po jeho nohou, které jak jsem si dobře pamatovala, byly opálené a svalnaté. U ucha držel mobil a s někým mluvil. Pak se zastavil a trochu pohodil hlavou. I když jsem pořád obdivovala jeho vzhled, vycítila jsem, že něco není v pořádku. Dal si ruku v bok a pak si přehodil telefon do druhé ruky. Vypadalo to na dlouhou konverzaci. Pak se dal znovu do chůze. Oba jsme se blížili k restauraci, ale on znovu zastavil a mával rozčíleně rukou. Když se otočil bokem a frustrovaně zaklonil hlavu, mohla jsem z jeho rtů vyčíst, že se ptá boha, jestli si tohle zaslouží. Očividně nebyl v dobré náladě.

Na chvíli jsem se zarazila, nechtěla jsem ho překvapit, i když jsem měla chuť vytrhnout mu telefon z ruky a zahodit ho. Moc jsem se na dnešek těšila. Od první chvíle, co jsem Sama potkala, byl neustále v mých myšlenkách. Dnešek byl plný očekávání, které doslova bublalo pod pokličkou mého vědomí. A každá hodina, která mě přibližovala k našemu setkání, zmenšovala téměř fyzickou bolest z čekání.

Zůstal stát, rukou divoce šermoval ve vzduchu a vypadal dost rozčíleně. Rozhodla jsem se předstírat zájem o nejbližší výlohu a čekala jsem, dokud se nedá znovu do chůze. O pět minut později už jsem znala nazpaměť všechny ceny zájezdů nabízených místní cestovní kanceláří – mohla jsem například z Lutonu nebo Birminghamu letět na Maltu a ubytovat se na sedm nocí ve čtyřhvězdičkovém hotelu za tisíc liber. Vedlejší výloha opravny obuvi plná tkaniček, krémů a kartáčů příliš nelákala moji pozornost, ale Sam byl pořád na telefonu. Jen přešel na druhou stranu ulice a pochodoval tam a zpátky přímo před vchodem do restaurace.

Bylo přesně půl osmé. Znovu jsem zkontrolovala čas na zápěstí a začala jsem si připadat nepatřičně. Viděla jsem, jak se Sam tváří. Jeho výraz byl plný bolesti. Bavil se s někým, koho opravdu nechtěl slyšet, a působil netrpělivě.

Poslední motýl v mém břiše padnul k zemi jako podťatý. Nechtěla jsem do jeho rozhovoru zasahovat, ale kdyby teď zvedl hlavu, stejně by mě viděl, takže jsem jen zpomalila, jak jen to šlo, a vydala se přímo k němu.

9

„Ne, já ti nelžu, Vic… Ano, dneska se s ní uvidím. Prosím, neplač. Nechci ti ublížit, ale musíme se oba pohnout z místa. Je konec."

Zarazila jsem se a litovala svého rozhodnutí. Vrátit to ale nešlo. Každou vteřinu si mě všimne. Znovu mnou projela vlna viny. To já jsem tohle všechno způsobila.

„Já jen…" Kousnul se do rtu a poslouchal nářek na druhé straně s bolestivým výrazem. „Prosím, nedělej to, Vic… Je mi to líto, ale…" Sledovala jsem, jak hledá ta správná slova a pak je znovu formuluje. „Je konec. Už jsme jen… Už jsem ti to přece říkal." Zhluboka se nadechl. „Já vím. Jsem idiot. A mizera. Omlouvám se."

Pak sebou trhnul, když na něj začala padat další slova zoufalství a urážek. Zvedl se mi žaludek, nemohla jsem se na to dívat, připadala jsem si nepatřičně – zpoza rohu sledovat někoho, kdo dostává pořádnou nakládačku. S každým odmlčením se na něj z druhé strany hrnul další nával nadávek a v jeho tváři se střídalo ponížení, vina, rozčílení a stud. S každým odmlčením mi v žaludku narůstala koule představující můj podíl na téhle katastrofě.

„Už jsme to řešili," zopakoval unaveně, „není nic, co bych… Ne, nic jsi neudělala špatně… Nechci, abys něco měnila, tady se nedá nic změnit... Není to tvoje vina. Ano, můžu za to já! Ne, není to žádné klišé, je to pravda. Snažil jsem se ti to vysvětlit... Nemůžeš to pořád opakovat." Rozčíleně vrtěl hlavou, jednu ruku nacpanou v kapse, když vzhlédl a všiml si mě. V očích se mu objevila lítost. „Musím jít."

Uslyšela jsem zakvílení.

„Dobře, zavolám ti později. Nevím v kolik. Zítra... Ne! Nespím s ní!" Podíval se na mě vyděšeně. „Pokládám to."

Strčil telefon do kapsy a zamračil se.

„Ahoj," řekl, „předpokládám, že není šance, že jsi nic z toho neslyšela." Přes všechen smutek vepsaný do každé vrásky v jeho tváři se na mě snažil usmát. Nebyl to však ten sálající úsměv, který jsem znala. Bylo to zničující. Možná bych to měla hned ukončit, jeho život by byl o poznání snadnější.

Zakroutila jsem hlavou. „Zněla dost zoufale." Chtěla jsem ho obejmout. Vypadal unaveně. „Je mi to líto." Natáhla jsem ruku a povzbudivě ho chytila za rameno, jako by to v tuhle chvíli mohlo nějak pomoct.

„Udělal jsem hroznou chybu a řekl jí, že se s někým vídám. Chtěla se večer setkat a dát si drink. Chce, abychom zůstali přátelé. Když jsem jí řekl, že už dneska něco mám, chtěla znát podrobnosti. Samozřejmě." Kroutil hlavou nad vlastní naivitou.

„Aha," pronesla jsem zúčastněně a hned mi bylo jasné, jak k tomu došlo. Sam zkrátka nechtěl lhát a Victoria se do té informace zakousla jako vzteklý pes. Ženy mají ohledně takových situací šestý smysl.

„Měl bych si nakopat. Jako bych to vyhlásil do světa. Ve chvíli, kdy jsem řekl, že to není nikdo, koho zná, okamžitě chtěla vědět, kdo jsi." Z jeho výrazu mi hned bylo jasné, že jejímu naléhání podlehl. „Prostě jsem jí to musel říct. Dneska ráno." Promnul si dlaněmi tváře.

Přemýšlela jsem, kolikrát mu už dneska mohla volat.

„Připadám si jako magor. Jen jsem se snažil udělat všechno správně. Čekal jsem celý měsíc, než jsem tě někam pozval."

„Chceš to zrušit?" zeptala jsem se a z mého hlasu bylo patrné, jak moc jsem se na dnešek těšila. Sklopila jsem oči, i když mi bylo jasné, že zklamání prostě nemůžu zamaskovat. „Možná to tak bude lepší."

„Děláš si srandu?" Chytil mě za ruku, jako by měl strach, že uteču. „Ne! S Victorií jsem skončil. Nechci se k ní vrátit." Opatrně mi zvedl prstem bradu. „Jess, já vím, že je to teď trochu šílené, za to se omlouvám, ale pokaždé, když tě vidím, mi je jasné, že dělám dobře, že jsi to ty, s kým chci být. Včerejšek byl prostě dokonalý." Pak s úsměvem dodal: „Nepřestal jsem na tebe od té chvíle myslet. Jen díky tobě tohle všechno nějak přežiju."

Houf motýlů se zvedl ze dna mého žaludku a začal se zběsile nahánět, až jsem musela rychle popadnout dech.

„Vážně?" zašeptala jsem a pak jsem bez rozmýšlení dodala: „Chci být s tebou, bez tebe jsem úplně nemožná. Dneska na mě v práci Holly házela věci." Pohladil mě po tváři. „Byla jsem úplně mimo."

Sjel mi prstem po spodním rtu, což způsobilo naprostý zkrat všech mých nervových zakončení. Chvějící se očekávání se plížilo mým žaludkem dolů mezi stehna. Tady jsem! Jessin zanedbaný sexuální chtíč! Odkud se to jen vzalo? Najednou jsem zatoužila kousnout ho do prstu a olíznout jeho ukazováček. Proboha, Jess, uklidni se!

Jako kdyby Sam četl moje myšlenky, dlouze se mi zadíval do očí.

„Moc ti to sluší."

„Tobě taky." Natáhla jsem ruku k jeho blond vlasům. Až teď jsem si všimla růžové růže zastrčené v jeho kapse.

„Pěkná kytka," poškádlila jsem ho. Okvětní lístky nebohé květinky už měly to nejlepší za sebou.

Sáhnul pro ni a s galantním gestem mi ji podal tak, abych se nepíchla o trn. „Měl jsem ti ji dát už dávno. Promiň, trochu ji to horko dostalo. Dal jsem ji doma do vody, ale pak jsem měl strach, že ji zapomenu."

„Děkuju," kuňkla jsem. Obřadnost, s jakou mi květinu podal, naznačovala, že mu na tom gestu opravdu záleželo.

„Esme z mojí třídy tvrdila, že ti musím na schůzku přinést květinu. Že budeš určitě vypadat nádherně a zasloužíš si růži. Je jí sedm."

Srdce mi radostí poskočilo. Když jsem sledovala jeho uspokojivý pohled, kterým mě sjel od hlavy až k patě, začala jsem tát jako ledová kostka.

„Hezké holky očividně dostávají květiny a ona měla strach, že žádnou nesežinu, tak mi přinesla jednu z jejich zahrady." Jeho přiznání mě málem dostalo do kolen. Co na to mám vlastně říct? Ten chlap mě jednou zničí.

S trochu nakřáplým hlasem jsem odpověděla: „Řekni Esme, že se mi moc líbila." Zvedla jsem tu chudinku k nosu a přičichla si. Milovala jsem růže a tahle mi na pár vteřin vehnala slzy do očí.

Sam setřel kapku, která mi stékala po tváři, pak se nahnul k uchu a zašeptal: „Taky mi dala přesné instrukce, jak by měl dnešní večer probíhat."

„Vážně?" zamrkala jsem.

„Vlastně celá třída," přiznal vesele. „Myslí si, že v tomhle potřebuju poradit."

Snažil se tvářit vážně a já jsem se musela kousnout do rtu.

„To musí být katastrofa, když si musíš nechat radit od sedmiletých prcků," poškádlila jsem ho.

„Pozor, některým je už deset,“ opravil mě. „Je to moje vina. Neměl jsem jim vykládat, co jsem dělal v pátek.“

„Jak ses k tomu dostal?“

„Neboj se. Obvykle se jim se svým milostným životem nesvěřuju. Natož abych si od nich nechal radit.“ Pak mě chytil za loket a vykročili jsme ke dveřím restaurace.

„Neměl by ses na to spoléhat.“

„Mluvili jsme o plánech na víkend, ptal jsem se jich, co budou dělat. A pak jsem přiznal, že jdu s někým na večeři. Ve svém věku chtějí po každém dospělém člověku, aby se ženil nebo vdával, takže když se mě ptali, jestli jdu s přítelkyní…,“ odmlčel se, „bylo jednodušší říct, že jo. V jejich světě existují jen jednoduché vztahy, vysvětlovat jim podstatu randění bylo nad moje síly.“

„To si umím představit.“ Teď už jsem se smála. Co by asi řekl na to, kdybych se mu svěřila s Hollyinou představou naší první schůzky?

Když jsem asi posedmé začala řešit, že nevím, co si vezmu na sebe, hodila po mně sešívačkou a prohlásila, že mám hlavně počítat s tím, že budu mít sex, abych se konečně trochu uklidnila. „Chováš se jako kočka na rozpálené střeše, navíc s kolečkovýma bruslema. Přestaň se tak vrtět, nebo tu židli rozbiješ.“ Přesně takhle to řekla.

Restaurace byla uvnitř tichá a překvapivě zajímavá. Téměř všechny stoly byly obsazené a vzduchem se nesla tichá konverzace. Kolem stolů však byl dostatek místa, což zajišťovalo soukromí.

Sam mi galantně odsunul židli a já jsem tiše poděkovala. Jako bychom oba byli najednou ostýchaví. Z hlavy se mi vypařila každá rozumná myšlenka a jediné, čeho jsem byla schopná, bylo zírat na Samovy bicepsy rýsující se pod bílou látkou. V puse jsem měla sucho jako na Sahaře.

Naštěstí se číšník rychle pustil do prezentace dnešní nabídky a vhodných nápojů.

„Dáš si víno?" zeptal se Sam při pohledu na nápojový lístek. Číšník odstoupil a čekal, až si vybereme.

„Dáte nám minutku?" zeptala jsem se ho rovnou. Sam se na mě vděčně podíval.

„Co vlastně piješ?" zeptal se mě a zavřel nabídku drinků. „Červené, bílé, růžové?" Způsob, jakým se snažil zorientovat v nabídce vín, mě přinutil semknout rty, abych se hlasitě nerozesmála.

„Radši by sis dal pivo, že?" zeptala jsem se a zajiskřilo mi v očích.

„Ne, klidně si dám víno." Z jeho hlasu byla cítit obava.

„Same, klidně si objednej pivo." Zachytila jsem nehtem okraj nápojového lístku a protočila ho po stole.

„Nebude ti to vadit?" ujistil se a očividně si oddychl.

„Určitě ne. I když by možná pomohlo, kdyby sis ten lístek nečetl vzhůru nohama," dodala jsem pobaveně.

Zrudly mu tváře. „Aha, sakra." Zasmál se a modré oči mu doslova zářily. „Klidně by to mohlo být napsané svahilsky. O víně vůbec nic nevím. Vic vždycky... objednávala víno." Zatvářil se omluvně a já jsem ho pohladila po dlani.

„Klidně o ní můžeš mluvit. Chápu, že čtyři roky jsou dlouhá doba."

„Nechci. Dnešní večer má být jen o tobě." Přes tvář se mu přehnalo rozčílení. „Co by sis dala?"

„Ve skutečnosti moc nepiju. Navíc... už mám v sobě půl lahve prosecca, které do mě nalila Shelley.

„Jak se má?"

„Výborně a moc tě pozdravuje."

„A teta Lynn a strýc Richard?" zeptal se a pak rychle dodal: „Už jsem o tobě řekl svým rodičům."

Zasmála jsem se. Nebylo až tak těžké dát si všechno dohromady. „To je možná dobře. Mám je oba moc ráda, ale diskrétnost jim nic neříká. Jsem vlastně překvapená, že se mi teta Lynn ještě neozvala, Shelley jí to určitě už vyžvanila. Tvoje máma by se to stejně nejpozději zítra ráno dozvěděla." Svojí matce jsem nic neřekla a neměla jsem to ani v plánu.

„Vždyť je to stejně jedno." Natáhl se přes stůl a chytil mě za ruku. „Nemám co skrývat. Mámě jsem to řekl už minulý týden." Sjel mi po obličeji a z jeho očí jsem vyčetla obdiv, což znovu splašilo můj srdeční tep.

„Co ti na to řekla?" Ještě že jsem teď nemusela stát, nohy jsem měla jako z gumy. „My-myslím tím, že po čtyřech letech už si asi na Victorii dost zvykla." Jeho matku jsem neznala, takže bylo těžké soudit, zda byla z jejich rozchodu nešťastná, nebo spíš měla radost, že jí synáček zůstane pod křídly o nějakou dobu déle. Matka Belina přítele jim například svatbu naznačovala už od jejich půlročního výročí.

„Nic." Pokrčil rameny, jako by tím chtěl vyjádřit svůj neklid. „Nemyslím si, že vůbec chce něco vědět. Vic je s ní totiž pořád v kontaktu."

„Tak je to možná lepší," řekla jsem a srovnala příbory po svojí levé straně. Neuměla jsem si ani představit, jak se Samův život i život jeho rodiny změní po tom, co do něj vstoupí nová žena. Nikdy jsem otcovu novou partnerku nepotkala. Od té doby, co se od nás odstěhoval, nad ním měla takovou moc, že se v mém životě už nikdy neukázal. Už patřil jenom jí. Ztratila jsem tak nejen otce, ale i prarodiče. I když Sam a Victoria nebyli svoji, určitě si s jeho rodiči za tu dobu vytvořila nějaký vztah. Nebylo to fér. To já jsem byla v tomto případě narušitelka.

„Chápu, že se za tu dobu stala součástí vaší rodiny. Nechci se teď rozhodně mezi nikoho plést. Musí to být pro ni už tak dost složité." Bolelo mě srdce, když jsem si představila, o co všechno musela přijít. I když mi znovu poskočil tep, když mě Sam chytil za ruku a povzbudivě ji stisknul, přičemž palci hladil jemnou kůži uvnitř mojí dlaně.

„Nebudu před tebou nic skrývat, Jess." Hloubka jeho modrých očí odhalovala jeho přesvědčení. „Nechtěl jsem mámu stavět do situace, kdy by se o tobě dozvěděla dřív než Vic."

„Já to chápu. Bylo by vlastně smutné, kdyby už spolu nikdy nemohly být v kontaktu." Jak bych se při tom asi cítila já? Kdyby mě někdo násilím odseknul od rodiny, na kterou jsem byla zvyklá. Rozhodně by to bylo nefér. A moje touha být se Samem byla znovu převálcovaná faktem, že to já jsem ta kukačka v cizím hnízdě. Chudák Victoria ztratila mnohem víc než jen přítele.

Samův telefon, který ležel jen kousek od jeho ruky, oznámil příchozí zprávu. Sam to však ignoroval.

„Takže znovu, co ti mám objednat?"

„Zůstanu u prosecca, děkuju," odpověděla jsem a zkontrolovala, že ho tu rozlévají po skleničkách.

Uculil se a celý se rozzářil, což zahnalo všechny moje chmury. Jako ve zpomaleném záběru jsem sledovala, jak ztišil hlas a pomalu se ke mně naklonil přes stůl. „To mi připomíná, jak jsem tě poprvé potkal. U Lynn a Richarda. Nikdy dřív jsem neviděl víc prázdných lahví od prosecca, než bylo ten den v jejich popelnici na tříděný odpad. Ani hezčí nohy." Několikrát provokativně zvedl obočí a já jsem vyprskla smíchy. Což naštěstí zamaskovalo rozpaky a touhu, která se znovu ozvala mezi mými stehny.

Pročítali jsme společně menu, a i když jsme se přitom nedrželi za ruce, naše dlaně spočívaly jedna vedle druhé a dotýkaly se palci.

„Tak co to bude?" zeptal se.

„Neměla bych, ale dám si boloňské špagety.“

„Proč ne?“

„Protože si je kdykoliv můžu udělat doma a tady mám možnost dát si něco... lepšího.“

„Proč? Měla by sis dát přesně to, na co máš chuť.“

„Co si objednáš ty?“

Usmál se. „Boloňské špagety, protože je to moje nejoblíbenější jídlo, ale kdybys mi je připravila ty...“ Jeho předstíraným mdlobám jsem se musela zasmát nahlas.

Pak se u našeho stolu objevil číšník a objednali jsme si.

„Umíš vařit?“ zeptala jsem se, najednou zvědavá na detaily z jeho života. I když jsem měla pocit, že ho znám, bylo toho tolik, co jsem ještě nevěděla. „Kde bydlíš? A bydlel jsi s...?“

„Dělám nejlepší anglickou snídani, co si jen umíš představit. Moje ztracená vejce chutnají fantasticky, a to nepřeháním.“ Mrknul na mě. V tuhle chvíli jsem si byla jistá, že jeho kuchařské umění ocením v následujících dnech. „O mých sendvičích se slaninou se vyprávějí legendy. Ale největší obdiv si zaslouží moje kuře Dansak, krevety Pathia a jehněčí Mogwai.“

„To je překvapivý repertoár.“ Zahihňala jsem se. „Není náhodou Mogwai z filmu o gremlinech?“

Sam znuděně mávnul rukou. „Mogwai. Mogli. Muggli. Paní Patelová. Babička ze školy. Její vnuk Milan je v mojí třídě. Na konci školního roku vždycky donese pro všechny děti kari.“ Usmál se. „Tvrdí, že je naprosto nepochopitelné, že ještě nejsem ženatý. Takže mi nosí recepty na různé indické pokrmy a někdy přijde do školní kuchyně, kde mě je učí vařit. Tohle je vlastně všechno, co umím. Jednou ke mně musíš přijít na večeři, pokud máš teda ráda kari.“ Zasmál se vlastnímu vtipu.

„A ne, s Victorií jsem nebydlel...“ Odmlčel se a zatvářil se zničeně, jako by už jí nechtěl věnovat další minuty. „Ještěže tak, to by náš rozchod ještě zkomplikovalo," zamručel. „Myslím tím odstřihnutí se od ní. Chtěla, abychom se k sobě nastěhovali. Já jsem nechtěl. Pochází z vlivné rodiny. Její byt... no prostě, něco takového bych si nikdy nemohl dovolit. Můj je družstevní. Vlastním jen čtvrtinu. Ale je to aspoň nějaký začátek."

„Pochopitelně," přiznala jsem. „Práce v našem oboru moc nevynáší."

Znovu se ozvalo pípnutí telefonu. Rychle jsem zaostřila na displej, Victoriino jméno zkrácené na první tři písmena jsem správně odtušila i vzhůru nohama.

„Promiň," trhnul sebou, vypnul zvuk a otočil telefon.

„Hezký obal," pochválila jsem ho a přečetla si slova na plastovém krytu.

Být učitelem je stejně jednoduché jako naučit se jezdit na kole... Až na to, že to kolo hoří, ty hoříš, všechno kolem hoří.

„Máma jednoho z mých dětí mi ho koupila na konci školního roku."

„To od ní bylo hezké."

„To bylo, navíc to byla konečně změna od tradičních dárků."

„Dostáváš jich hodně?"

„Mraky. Už si nikdy v životě nebudu muset kupovat ponožky." Zasmál se a zvedl nohu nad stůl, aby mi ukázal ponožky s Homerem Simpsonem. „Ani čokoládu, bonboniéry a pralinky. O Vánocích musím chodit každý den běhat, abych se zase dostal do formy."

„Chudáčku," politovala jsem ho naoko. „To musí být těžké."

„Předpokládám, že tobě nikdo v práci dárky nenosí."

„Ne, ale to není důvod, proč to dělám. Když od nás nějaká rodina odejde, nastane pro ně nová životní etapa. Nikdo se je nesnaží přesvědčit, že to bude procházka růžovým sadem. Ale občas," vytáhla jsem klíče, na kterých visela růžová, fialová a modrá, ručně vyráběná bambule, „nám někdo něco vyrobí. Tohle mi dala Nadya." Pohladila jsem ty koule. Opatrovala jsem je jako oko v hlavě, ale musela jsem sama sobě přiznat, že byly moc velké a zabíraly zbytečně moc místa. Nemohla jsem si je jen tak strčit do zadní kapsy, když jsem šla do obchodu, nebo nacpat do malé kabelky. Připomínaly mi však dobrý konec jednoho příběhu a to za to stálo.

„Přišla k nám před třemi lety. Manžel jí přivřel ruku do dveří od auta," prohlásila jsem a znovu mi před očima naskočily její sedřené a pokřivené prsty. „Utekla, když nebyl doma, potřebovala léky pro nejmladšího syna, který trpěl strašnou bolestí zubu. Šlo o domluvený sňatek. Její rodina odmítala připustit, že ji manžel bije a psychicky týrá."

„Dělal to vědomě?" Sam nemohl uvěřit tomu, co slyší.

Přikývla jsem. „Nadya absolvovala několik operací, než měla ruku v pořádku. Tohle pro mě vyrobila na jedné z terapií." Zavrtěla jsem při té vzpomínce hlavou. „Normálně o těch ženách nikde nemluvím, ale Nadya byla jedním z mých prvních případů se šťastným koncem a celý její příběh je na našich webových stránkách. I když má s tou rukou pořád problémy. Dva z jejích synů jsou teď zapsaní do Watfordovy fotbalové akademie a ona dokončuje druhý rok oboru účetnictví a finance na univerzitě v Hertfordshiru."

„To zní jako skutečně dobrý konec."

„Ano, to byl." Znovu jsem barevné koule pohladila, než jsem je zastrčila zpátky do tašky.

„Jak dlouho v tom azylovém domě pracuješ? A kde přesně to vlastně je?"

„Asi pět let. Ale lokalitu ti nemůžu prozradit, musím chránit rodiny, co u nás bydlí."

„To chápu."

„To jsi jeden z mála. Už ani nepočítám, kolik lidí mě přesvědčovalo, že to nikomu neřeknou. A pak se urazí, když jim to stejně odmítnu říct. Proto o svojí práci nikde moc nemluvím." Sam chápavě přikyvoval. „Úplně tomu rozumím. Já zase musím pořád poslouchat, že dřív žádné autistické děti nebyly nebo že si to rodiče dělají sami. A moje nejoblíbenější hláška: Jsou to jen zlobivé děti. Proč lidi mají potřebu komentovat něco, o čem vůbec nic neví? To mě přivádí k šílenství." Prohrábnul si vlasy.

Usmála jsem se. Kdo by řekl, že mě tak okouzlí chlap s delšími vlasy?

Když nám číšník přinesl jídlo, pokračovali jsme v příjemné konverzaci, při které jsme odhalovali, co máme společného, a co nás odlišuje. Oba jsme byli jedináčci, oba jsme šli na univerzitu a ani jeden z nás netoužil vydělávat hromadu peněz.

„Asi prasknu," oznámil Sam, když dopil šálek kávy a znovu propletl své prsty s mými. Měli jsme za sebou sladkou tečku a já jsem s očekáváním přemýšlela, co se bude dít dál. Naše pohledy se stávaly hlubšími a letmé doteky vysílaly do mých slabin stále jasnější zprávy.

Pak se u stolu objevil číšník s účtem a významným pohledem ke dveřím, kde se za tu dobu zformovala dlouhá fronta. Dvě hodiny utekly jako voda a my jsme si toho pořád měli tolik co říct.

„Ještě je brzo…," prohlásil Sam. „Šla bys ještě někam?"

„Doufala jsem, že se zeptáš," přiznala jsem se smíchem.

Sam po krátké výměně názorů zaplatil a slíbil mi, že příští účet nechá na mně. Když se ujistil, že bude ještě nějaké příště, jeho rozzářená tvář málem zapálila celou restauraci.

„Co máš v plánu zítra?" zeptal se.

„Nemám žádné plány," odpověděla jsem. Nechtěla jsem před ním předstírat, že jsem na roztrhání. Sam mě měl dávno přečtenou.

„Někam bych tě chtěl vzít." Pošimral mě na krku, když se mi snažil přehodit kašmírovou šálu kolem ramen.

„To bych moc ráda." Usmála jsem se na něj. Předklonil se a políbil mě na rty.

„Bude to rande," zamumlal.

Když jsme vyšli z restaurace na ulici, kde právě zapadalo slunce a zlatavá záře zalila celé okolí, podíval se na zápěstí. „Chtěla bys jít na Ferry Boat, nebo radši něco klidnějšího?"

Obrázek přeplněného nábřeží, kde se lidi těsnají vedle sebe na plastových lavičkách, jasně kontrastoval s vychlazeným pivem a lahví vína v mojí vlastní lednicce, ale především s dvěma židličkami na balkoně a čerstvě povlečenými peřinami.

„Chtěl bys…?" odmlčela jsem se a skoro stydlivě se na něj usmála, když vzal moji dlaň a s jemným přikývnutím, jako by přesně věděl, na co se ptám, mě na ni políbil.

„Do prdele!" zavrčel najednou, když koutkem oka zachytil postavu na druhé straně ulice.

Victoria tam stála jako bohyně pomsty – v bílých krajkových šatech, které těsně obepínaly její dokonalou postavu, v obličeji měla ponížení a smutek. Pak naklonila hlavu stranou a sevřela pěsti. Udělalo se mi špatně od žaludku.

Najednou se rozběhla přes ulici, kterou se rozeznělo troubení projíždějícího auta, jemuž málem vběhla pod kola, a padla Samovi do náruče. Pustil moji dlaň a snažil se ji zachytit.

„Same, Same!" Rozplakala se a schoulila se mu do náruče.

„Prosím, nedělej mi to! Prosím, já to nevydržím! Musíme si promluvit." Objímala ho a uplakanou tvář obrátila k té jeho. Všechny jejich společné fotky, které jsem viděla na Instagramu, mi začaly vyskakovat před očima jako krvavá slide show. Cvak! Victoria a Sam spolu na pláži. Cvak! V řadě na horskou dráhu. Cvak! U večeře při svíčkách. Na všech těch obrázcích byla ztělesněním dokonalosti – sebevědomá mladá žena, která přesně ví, kam patří. Teď tady přede mnou plakala a najednou vypadala mnohem menší než na fotkách. V obličeji se jí zračilo zoufalství hraničící s šílenstvím. Přímo přede mnou se odehrávala stejná katastrofa, která se přihodila mojí matce.

„Vic." Samův chraplavý hlas mě vrátil zpátky do reality a jeho výraz mi vypálil další ránu do žaludku. Vypadal utrápeně. Bože, tohle byl pořádný zmatek! Vzduchem lítaly emoce. Zaťala jsem nehty do dlaně. V práci jsem s podobnými ženami uměla jednat, byla jsem jen pozorovatelka, jejich bolest se mě osobně nedotýkala. Navíc skutečnost, že se dostaly až k nám, znamenala, že si chtěly nechat pomoct. Někdo jiný byl zodpovědný za jejich zoufalství.

Ale teď jsem prostě nemohla jen tak utéct. To já jsem to způsobila, já jsem za to mohla.

„Nezvládnu to, Same." Victoria si opřela čelo o jeho hruď a začala úpěnlivě vzlykat. Sam ji objal a hladil ji po černých lesklých vlasech. Měl zavřené oči. Bylo mi jich líto. Nikdo na světě si nezasloužil trpět jako oni. Když jsem se o krok vzdálila, Sam zpozorněl a podíval se na mě. V jeho výrazu bylo tolik zoufalství, že jsem ze sebe nemohla vydolovat trochu síly se na něj usmát.

Místo toho jsem jen mávla telefonem na znamení, že si zavolám Uber.

Zakroutil hlavou a chtěl Victorii pustit, ale pak se na ni podíval a poraženě zamumlal: „Je mi to líto. Zavolám ti."

Přikývla jsem, schovala hlavu mezi ramena a rychle jsem zahnula za nejbližší roh, abych se dostala z jejich zorného pole. Pak jsem se opřela o zeď a málem jsem se zlomila pod náporem bolesti a viny. Jak jsem mohla něco takového dopustit? I když jsem se do Sama čím dál víc zamilovávala, v tomhle jsem přece nemohla pokračovat.

10

„Můžeš si vzít den volna," oznámila jsem svému mobilu a zasunula ho až úplně dozadu do šuplíku malého stolku, který sloužil jako můj toaletní koutek. Ano, chovala jsem se jako zbabělec, ale neměla jsem sílu přečíst si zprávy, které tam na mě čekaly.

Telefon jsem vypnula už včera večer po sérii Samových omluv, kterými mě zaplavil ještě dřív, než Uber zastavil před mým bytem. Jednořádkové zprávy se strohým oznámením měly spíš opačný efekt a já jsem z nich jasně vycítila, že je Sam stačil naťukat ve chvíli, kdy se Victoria na chvilku pustila jeho krku. Nechtěla jsem na to vůbec myslet.

Ani jsem se nenamáhala odpovídat. Včera večer ani dneska ráno. Neměla jsem na Samovy omluvy náladu. Moje pocity byly natolik smíšené, že jsem prostě netušila, jak se v nich vyznat. Nevěděla jsem, co vlastně chci. A přesně proto bylo lepší, když můj telefon zůstal vypnutý. Jedno jsem ale věděla jasně, byla jsem naštvaná. Fakt jsem se zlobila. Ne na Sama, ale celkově, na danou situaci. Byla jsem naštvaná, že po všech těch citech, které mi vyjádřil, Victoria v jeho světě pořád zaujímala první místo. Jasně, trochu jsem si protiřečila, snažila jsem se jí porozumět, ale na rovinu, cenila jsem si i sama sebe. Nechtěla jsem, aby se mnou někdo takhle zametal. Takže když jsem dostala jeho první zprávu, která obsahovala jen jedno slovo *PROMIŇ*, vůbec to nezabralo. Prostě jsem telefon vypnula. Naprostá dětinskost, nulová dospělost.

O deset minut později jsem si ve sprše uvědomila, že vypnout si mobil byla zásadní chyba. Shelley bude určitě celá nažhavená čekat, až jí popíšu, co se večer dělo. Vzhledem k tomu, že trpělivost rozhodně nebyla součástí její DNA, mohla se kdykoliv probourat dovnitř hlavními dveřmi. A právě v tu chvíli se od vchodu ozvalo rázné klepání na dveře.

Omotala jsem se osuškou a zprudka otevřela. „Samozřejmě, že jsi nemohla… Same?!"

Spadla mi čelist, i když mi ta situace znovu vlila krev do žil. Co tady dělá? Rozhodně bych ho tu nečekala. Vždyť ani nevěděl, kde bydlím. Asi si to někde zjistil. Minutu jsem sledovala tu spanilou postavu, která se tak nečekaně zjevila na mém prahu. A pak se na mě roztomile usmál.

„Napadlo mě, jestli by ses se mnou nechtěla projet na kajaku." Mávnul rukou přes rameno k autu, na jehož střeše byla připásaná červená loďka. „Připravil jsem piknik. A nechal jsem doma telefon. Nikdo nás nebude rušit. Jen já, ty a kachny." Pak se odmlčel. „Chtěl bych se ti znovu omluvit za ten včerejšek. Ani na jednu zprávu jsi mi neodepsala. Nedivím se ti. Který idiot může hodit za hlavu rande kvůli svojí ex? Prostě jsem vůbec nečekal, že by mohla něco takového udělat. Je úplně mimo, taková nikdy nebyla. Dostal jsem strach, nevěděl jsem, čeho je schopná. Prosím, dej mi ještě šanci."

Při pohledu na jeho modré oči plné lítosti se všechno moje odhodlání rozplynulo. Celý můj nervový systém se restartoval a já jsem po Samovi najednou zatoužila mnohem víc než dřív. Chtěla jsem s ním jít na kajak, šla bych s ním kamkoliv. Něco vzadu v mozku vyslalo varování, ale já jsem ho ignorovala a řídila se emocemi. Prostě se mu to včera vymklo z rukou. Bylo to naprosto neočekávané. Nikdo by nevěděl, jak zareagovat. Měla bych mu aspoň umožnit pokusit se o omluvu a nápravu. A k tomu ta přitažlivost, která mezi námi narůstala každým dnem a do budoucna slibovala něco naprosto úžasného.

Moje podvědomí už se jasně rozhodlo, že odpověď je ano. Zlost a zmatek z dnešního rána byly najednou pryč. Běžně netrucuju, nevydržím se ani dlouho zlobit. A vlastně nemám ráda lidi, kteří se v tom vyžívají. Sam si zaslouží druhou šanci.

„Jen na sebe něco hodím."

„To ani nemusíš," zažertoval a zablesklo mu v očích.

Zvedla jsem obočí a tvářila se tak dlouho, dokud mu nedošlo, že abych mu mohla znovu věřit, musí si podobné vtípky na nějakou dobu odpustit. Dveře jsem nechala otevřené, otočila jsem se a vyběhla nahoru po schodech.

Rychle jsem si rozčesala vlasy, sepnula je do vysokého drdolu, nasprejovala si do podpaží deodorant, dneska mělo být zase horko, a oblékla si kalhotky. Tentokrát jsem schválně vybrala obyčejné bavlněné. Svoje nejlepší prádlo jsem úplně zbytečně použila včera. Další krajky už si nezasloužím. A vlastně je ani nemám. Pak jsem v zamyšlení sáhla po džínových kraťáskách, ve kterých – aspoň jsem si to myslela – vynikly moje nohy, a upnutém tílku, které sice úplně zazdilo můj hrudník, ale odhalilo klíční kosti a hezká ramena. Celou dobu mi v břiše probublávalo vzrušení, a když jsem doskákala k hlavnímu vchodu, nemohla jsem se ubránit širokému úsměvu.

„To byla rychlovka," ocenil mě a odlepil se ode zdi.

„Přece nebudeme plýtvat časem, když je tak krásný den," vysvětlila jsem a podívala se na modré nebe. Doufala jsem, že působím uvolněně, i když uvnitř mě všechno vřelo nadšením.

„Je ti snad jasné, že to je jediný důvod, proč jsi mě dostal ven.

Dneska stojí za to být někde u vody." Rozhodně mu to neusnadním.

Vehementně přikývl a já jsem přemýšlela, jestli jsem to nepřehnala. Nechtěla jsem si s ním zahrávat, ale potřebovala jsem, aby věděl, jak mě včerejšek zasáhl.

„Promiň, že jsem si vypnula telefon a neodpověděla ti na zprávy. Nikdy jsem v podobné situaci nebyla, ale prostě nesnesu být ta druhá. Jen chci, abys to věděl. Chci všechno, nebo vůbec nic." Necítila jsem se v té roli vůbec dobře, přišlo mi to jako ironie osudu. Roky jsem otce odsuzovala za to, že od nás odešel. Že matku opustil kvůli jiné ženě. I když se mnou Sam neutekl, připadala jsem si jako v podobné situaci. Teď jsem ale musela myslet na to, jak se asi cítila otcova nová žena. Tušila vůbec, kolik zla způsobila? Nebo jí to bylo jedno?

„Já to chápu." Vzal mě za ruku. Jdeš na to dobře, Same. Až na to, že mi ho bylo zase líto. „Promiň, že jsem tě včera nechal odejít. Byla to naprosto nečekaná situace a já jsem to moc nezvládl. Už bych se tak nezachoval. Měl jsem tě odvézt domů."

„Přesně tak." Přikývla jsem a přemítala, jak bych se asi cítila, kdyby tam nechal Victorii jen tak stát a odešel se mnou. Změnila bych na něj názor? Nemohl z toho vybruslit v dobrém světle. „Dobře, půjdeme už?"

„To je všechno?" zeptal se opatrně.

„Jo. Pěkně jsi to včera zpackal, ale přiznal jsi to. Omluvil ses. Já už jsem trucovala. Jsme si kvit."

Překvapeně na mě hleděl, jako bych se před ním měla složit nebo mu začít nadávat.

„Same," poplácala jsem ho po rameni. „Uklidni se. Někdo známý kdysi řekl, že nemáš nechat minulost, aby pokazila tvoji budoucnost. Nebo tak něco. Tak si to přeber. Vezmeš mě teda někam, nebo ne?"

„Už jsi někdy pádlovala?" zeptal se mě opatrně a vedl mě za ruku k autu.

„Už nějakou dobu ne. Ale v létě jsem jezdila na tábory, chtěla jsem se vyhnout dovolené s mámou, tam jsem dělala spoustu věcí. Předpokládám, že když máš vlastní loď, tak už jsi asi párkrát na vodě byl."

„Půjčil jsem ji," opravil mě. „Budu se snažit nás nepřevrátit."

Loď se ladně pohybovala po hladině, kterou jen místy zčeřil Sam pádlem. Podle mého názoru pádloval jako mistr. Projížděli jsme kanálem dál od přehrady, která byla přeplněná k prasknutí. Bavili jsme se jako dva staří kamarádi. „Podívej, tamhle je volavka" nebo „dneska je ale vedro". Což nebylo náročné vzhledem k tomu, že ke mně byl Sam celou dobu otočený zády. Po chvilce jsme se dostali do zastíněné části, kde jsme byli skoro sami. Vnímala jsem šustění stromů, šplouchání vody i zvuky ptáků. Den jako vymalovaný.

I když moji pozornost mělo co rozptýlit, můj pohled neustále přitahovala Samova záda, pevné paže pohybující se rytmicky nahoru a dolů i zápěstí svírající pádlo. Kdybych byla ten typ, který hledá lovce, splňoval by moje požadavky. Uculila jsem se. Co by asi tak udělal, kdybych mu stáhla tričko a olízla mu zezadu krk? Dělalo se mi z toho pekelně horko. A vůbec za to nemohl jen slunečný den.

Když jsme konečně zastavili, nemohla jsem popadnout dech. Jako by ho to nestálo žádnou námahu, zaplul s loďkou ke břehu a ladně vyskočil. Pak nohou zajistil loď, aby se moc nekolíbala, a podal mi ruku, abych vystoupila. Což se mi nakonec podařilo, aniž bych se při první příležitosti vymáchala ve vodě.

Pak loďku přitáhl ke břehu a přinesl proutěný koš, který měl celou dobu uložený v přídi.

„Hezký výběr," prohlížela jsem si skleničky s olivami, sušenými rajčaty a mozzarellou, krabičky s luxusními krekry a výběr mini sendvičů. „Někdo si ráno přivstal."

„Došlo mi, že si budu muset dát záležet, abych ti vynahradil ten včerejšek," řekl a zatvářil se provinile. „Čekal jsem, že tě dneska ráno potkám v parku. A když jsi tam nebyla, došlo mi, že si musím pospíšit. Měl jsem strach, abys už neměla na dnešek plány. Dostal jsem od mámy Lynnino číslo a zavolal jí, abych zjistil tvoji adresu."

Usmála jsem se. „Musím se přiznat, že jsem dnešní běh vynechala schválně. Včera jsem se rozhodla, že…," prstem jsem ukázala někam mezi naše těla, „že mi to za to nestojí."

Samovi po tváři přeletěl stín. „Znovu musím potvrdit, že se ti nedivím. Je mi to fakt líto. Prostě jsem najednou nevěděl, co mám dělat. Nikdy by mě nenapadlo, že se tam Vic ukáže. Nemám ponětí, jak zjistila, kam jdeme."

„Nesleduje tvůj telefon?" zeptala jsem se. „Shelley mi to jednou provedla, myslela si, že to byl výborný vtip. Celé týdny mi posílala podezřelé zprávy, aspoň jsem si to teda myslela, třeba že mám něco koupit, když jsem zrovna byla v obchodě. Prostě mi poslala nákupní seznam s dodatkem *kdyby ses náhodou pohybovala někde kolem obchodu, nemohla bys mi vzít pár věcí?* Jednou, když jsem byla v Aylesbury, mi napsala, jestli bych jí tam nemohla něco vyzvednout. Pak se ukázalo, že když viděla, že tam jsem, objednala si něco online a rovnou mě poslala, abych to vyzvedla. Trvalo mi dost dlouho, než jsem ji odhalila."

Sam se hlasitě rozesmál. „To je skvělý nápad!"

„No jasně, dělat jí poslíčka, to se jí hodilo." Kroutila jsem hlavou.

„Jestli ale nakonec nebudeš mít pravdu." Pak dlouze vydechl. „Nechápu, co to do ní vjelo. Nejdřív vypadala, že se s tím rozchodem nějak vyrovná."

Očividně nesledoval její příspěvky na Instagramu. „Vážně?"

„No dobře, ne že by se s tím hned vyrovnala, ale nějak to akceptovala. Rozchod se nedá prostě jen tak přejít. Snažil jsem se to udělat nejcitlivěji, jak to jen šlo, ale… je to těžké. Jak se můžeš od někoho odloučit, aniž bys mu na rovinu řekl, že jsi potkal někoho jiného?" Prohrábnul si vlasy. „To by ji zabilo. Takže jsem jí to neřekl. Ale asi jsem měl."

„Co jsi jí teda řekl?" zeptala jsem se opatrně a všimla jsem si, že zaťal prsty.

„Staré známé nejde o tebe, můžu za to já." Poškrábal se na krku a zadíval se na vodu. „Někdy se klišé prostě hodí, líp to říct nejde. Teď si zpětně uvědomuju, že jsem prostě měl být upřímný. Asi jsem jí dal naději, že když jsem schopný po čtyřech letech tak rychle změnit názor, dokážu ho během pár týdnů zase rychle vzít zpátky."

Jeho pozorovací schopnosti mě opravdu překvapily.

„Vím, že to nemá jednoduché. A uvědomuju si, že to já jsem ten zlý. Snažil jsem se ji nijak nepopudit, nečeřit hladinu. S nikým z našich přátel jsem se celý měsíc neviděl. Můj nejlepší kamarád Mike chodí s Victoriinou nejlepší kamarádkou Paige. Ta se mnou nechce vůbec mluvit a Mikeovi dává pěkně zabrat, když mě jen kontaktuje. Já to chápu, to já jsem to pokazil. Všichni si teď myslí, že jsem pěkný hajzl. Možná i kluci." Vypadal jako zraněné štěně. „Jsem teď oblíbený asi tak jako prd v kosmické lodi."

Samova nespokojenost se sebou samým mě přinutila pohladit ho po koleni, když nervózně poklepával nohou. Slunce mu pražilo na kůži, kterou prosvítaly světlé chloupky. Vypadal nádherně, plný života, přesto zlomený na duši.

Nevěděla jsem, co na to říct. Sobecká Jess nic z toho vlastně ani nechtěla slyšet. Ale ta skutečná Jess, dcera svojí matky, se musela kát za to, že se stala ženou, kvůli které Victoria takhle trpí.

Chvilku jsem mezi námi nechala rozhostit ticho a pak jsem se tak klidně, jak jen to bylo možné, zeptala na věc, která mi už nějakou dobu ležela na srdci. „Nemyslíš si, že by bylo lepší se k ní vrátit? Nelituješ toho?"

Tady to máš. Jeden perfektně zformulovaný únikový manévr. Když se ho chytíš, můžeš z toho ještě vycouvat jako hrdinka. Ale bude to sakra bolet.

Sam se mi bez váhání zadíval do očí. „Ne, chci být s tebou. Nehodil bych za hlavu čtyři roky života, kdybych si nebyl jistý." Jeho modrý pohled se prohluboval. „Jít zpět nemůžu. Chci být s tebou, ať už to vypadá jakkoliv. I když se ještě ani pořádně neznáme. Ale můj šestý smysl prostě neklame."

Najednou všechno okolo změklo, hrany se obrousily. Věděla jsem naprosto přesně, co to znamená. Všechno do sebe krásně zapadlo, ten pocit úplnosti, který jsem neuměla nijak definovat, mi rozechvěl konečky prstů.

Zvedla jsem ruku, chtěla jsem se ho dotknout, ale on propletl svoje prsty s mými. Mezi našimi těly nastalo tiché souznění, vzduch se zatetelil, jako by všechno okolo nás ustalo v němém úžasu.

„Nikdy dřív jsem nic takového necítila… Trochu mě to děsí. Ten smutek, který tím ostatním působíme." S bodnutím u srdce jsem si vzpomněla na svoji matku.

„Nebuď smutná, jsme v tom společně, Jess." Stisknul mi povzbudivě ruku. „Nemáme se za co stydět."

Měl pravdu. Neudělal nic špatného. Opakovat si to v hlavě bylo mnohem jednodušší než tomu věřit.

11

Když jsme před domem vystoupili z auta, unavení sluncem a celí vysmátí, našla jsem na dveřích přilepený vzkaz načmáraný Shelleyiným písmem.

Buď ses zbláznila a chodíš po ulicích s šíleným úsměvem na tváři, nebo ležíš někde pohřbená. Hlavně si prosím tě konečně zapni ten posr... telefon a zavolej mi!

Sam se začal smát a já jsem zrudla, což nemělo nic společného s tím, že jsme strávili celý den na slunci. Strhla jsem vzkaz ze dveří.

Jednoho dne mi dojde trpělivost a uškrtím ji.

„Pojď nahoru," vedla jsem ho úzkým schodištěm do prvního patra, vědoma si toho, že za mnou celou dobu zadržuje další přívaly smíchu.

„Tohle je..." Sam se točil dokola jako holub a prohlížel si vysoký strop a obrovské okno v obýváku, za kterým se nacházel malý balkon.

„Důvod, proč jsem ten byt koupila," doplnila jsem jeho větu. „Dáš si pivo?"

Následoval mě do kuchyně, kam by se nevešla ani klec pro křečka, natož dva lidi. Možná jedině kdyby jeden z nich byl akrobat.

„Moc hezké," prohodil, když jsem se snažila otevřít lednici tak, abych mu nevyrazila dech, a vytáhnout z ní dvě piva.

„Myslíš tím zajímavé," oponovala jsem ironicky. Už jsem si na ten snížený strop v kuchyni a nedostatek poliček zvykla. Nebyl to zrovna nejpraktičtější pokoj, zbytek to však vynahradil. Trávila jsem v kuchyni tak málo času, že mi to vlastně bylo jedno. Moje kuchařské umění bylo asi na stejné úrovni jako moje taneční kreace.

„Hodí se k tobě."

„Hmm, budu to brát jako lichotku," hodila jsem po něm pohledem a vydolovala z dalšího šuplíku otvírák na pivo a sáček chipsů.

„Na zdraví." Sam cinknul skleničkou o tu moji. „Ten zvuk," usmál se a naklonil se ke mně, „mi vždycky bude připomínat, jak jsme se potkali." Otřel se o mě nohou a uculil se na mě jako blázen. Dívali jsme se dlouze jeden druhému do očí, až zaklonil hlavu a dlouze se napil piva. Kdo by to byl řekl, že někdo může být při pití piva tak sexy? Připadala jsem si jako puberťačka, celá jsem se vrtěla a bylo mi hrozně horko. Bez rozmýšlení jsem si přiložila chladnou lahev do výstřihu – nebo toho, co by se správně výstřihem mělo nazývat. Sam zpozorněl, takže jsem ji pomalu pousunula přes krk výš a nakonec se taky napila. Jedna kapka se mi mezitím spustila dolů po hrudi a hledala si cestu níž. Sam ji pomalu sledoval. Pak se ke mně přiblížil a okrajem svého trička kapku setřel.

Nedívej se dolů, Jess, soustřeď se na jeho oči. Na jeho obličej. Ale už bylo pozdě. Jeho odhalené tělo už se dávno vypálilo na moji sítnici, zřejmě už napořád. Takové břišní svaly opravdu existují? Myslela jsem, že je v reklamách dodělávají grafici. Konsternovaně jsem zírala na ten proužek chloupků ztrácejících se za lemem jeho kraťasů. Hormony se mi úplně splašily, hodná holka Jess byla tatam. Jemně mě hladil po hladké kůži ve výstřihu, což mi vysílalo tisíce voltů do rozkroku. Podívala jsem se mu do očí a pak jsem mu jedním pohybem přetáhla tričko přes hlavu. Nejdřív vypadal trochu překvapeně, ale pak mi vzal z ruky pivo a postavil ho na stůl.

Nepopíratelná přitažlivost mezi námi způsobila, že jsme se ani trochu nestyděli. Chtěla jsem ho a on chtěl mě. Jak jednoduché. Žádné chození kolem horké kaše. Jen starý dobrý obdiv k tělu toho druhého. A živočišný pud.

Nastalo mezi námi ticho plné očekávaní, až se jeden z nás odhodlá překročit neviditelný práh a umožní oběma zřítit se z útesu. Slyšela jsem venku zpívat ptáky, na zádech jsem cítila sluneční paprsky a uvědomovala si tlukot svého srdce, když mě Sam probodával pohledem. Věděla jsem, že si tenhle okamžik budu navždycky pamatovat.

Sam jemně přejel svými prsty po mém tílku a pohladil mi kůži na břiše. Podle směru jeho dlaně jsem jasně poznala, že bude mířit výš, po žebrech až k mým směšně malým prsům, která ale zřejmě považoval za vzrušující, protože zavřel oči a palci se mazlil s mými bradavkami. Pak se ve mně všechno vzbouřilo a já jsem pod návalem vzrušení málem upadla. Začala jsem ho líbat.

Líbali jsme se, ochutnávali ústa toho druhého, nemohli jsme se toho nabažit, protože jsme po tom oba toužili už od chvíle, kdy jsme se potkali. Jeho ústa na těch mých. Moje na jeho. Tělo tisknoucí se k tomu druhému. Snažící se splynout v jedno. Pak mi Sam stáhl tílko přes hlavu a já jsem zápasila se zipem na jeho šortkách. Couvali jsme z kuchyně přitisknutí jedem k druhému, odhazující další kousky oblečení, až jsme se na chodbě zastavili úplně nazí. Prásk. Bouchla jsem se loktem o dveře, Sam mě k sobě přivinul a pak jsme se svalili na postel.

Jeho tíha na mém těle byla naprosto neodolatelná. Jak dlouho už jsem nic takového necítila? Zavrtěla jsem se na peřinách s čerstvě vypraným povlečením a uvědomovala si těžký dech vycházející z jeho hrudníku, jeho dlaně prozkoumávající každý centimetr mého těla a ten pocit, že po mně někdo touží. Vdechovala jsem jeho vůni, utápěla jsem se v ní, zatímco mě lechtal prsty na vnitřní straně stehen. Sjela jsem rukama po jeho pevných zádech a přitáhla ho k sobě. Pořád jsme se líbali.

Pak se dlaní přiblížil k mému rozkroku a já jsem cítila, jak mě zaplavuje vlna vzrušení, zhmotněná teplou vlhkostí hromadící se na jeho prstech. Zavrněla jsem blahem a prohnula se, abych si ten pocit líp užila. Sam do mě proniknul prstem a jemným pohybem zjišťoval, co se mi líbí nejvíc. V hlavě mi šumělo, zasténala jsem a roztáhla nohy od sebe, zatímco jeho prsty kroužily uvnitř jako zběsilé a přiváděly mě k šílenství. Otevřela jsem oči a zjistila, že se na mě celou dobu dívá, pohled zastřený vlnou vzrušení, spokojený tím, jak se oddávám potěšení.

„Same, ještě, ještě prosím." Nemohla jsem si pomoct.

Dlaní jsem nahmatala jeho penis, vzrušený do úctyhodné velikosti. Okamžitě zareagoval hlubokým zamručením a ještě víc se ke mně přitiskl. Pak se mi hlavou opřel o čelo a zavzdychal. Jeho dech mě teple hladil na řasách. Znovu se ke mně přisál rty a rytmicky kroužil pánví v mém klíně.

Probudilo se ve mně svědomí a rychle jsem se natáhla k nočnímu stolku.

Sam se na chvilku zarazil, znovu se ujistil, že se vážně chystáme udělat to, co se chystáme udělat, a já jsem bez rozpaků vytáhla krabičku, která mi samozřejmě vyskočila z ruky a kondomy se rozsypaly všude kolem nás. Nervózně jsem se zasmála a svalila se zpátky na postel.

„Jak jinak," okomentovala jsem svoji nešikovnost.

Sam vůbec nereagoval, vzal jeden kondom, zuby roztrhl obal a natáhl si ho na penis. Opřel se o loket, znovu se na mě dlouze podíval a pak do mě pronikl.

Strávili jsme v posteli celé odpoledne. Povídali jsme si, milovali se, zase si povídali a znovu se milovali. Jednou pomalu, objevovali jsme zákoutí, která nás vzrušují, a lechtivá místa. Podruhé zběsile, vášnivě, jako zvířata. Uspokojila jsem ho pusou, on se vyřádil jazykem mezi mými stehny (jak v tomhle může být někdo tak setsakramentsky dobrý? Myslím, že jsem několikrát křičela na celý dům), vystřídali jsme několik poloh a prožili orgasmy, o jakých se mi ani nesnilo. Sam zjistil, že mě přivede k vyvrcholení pouhým kroužením prstů po vnitřní straně stehen. A já jsem si všimla, že okamžitě ztvrdne, když mu přejedu nehty po tříslech.

Ve čtyři hodiny jsme se vykopali z postele a nacpali se do mojí miniaturní sprchy s cílem se umýt, což samozřejmě skončilo tím, že mě Sam po masáži mýdlem přitlačil na studené kachličky a přivedl mě k dalšímu dechberoucímu orgasmu. Nakonec jsme se už oblečení posadili na balkon a užívali si vlahé letní odpoledne.

„Máš nějaké plány na zítřek?" zeptal se Sam a dopil zbytek piva na dva loky. Pozorovala jsem jeho krk a uvědomovala si, jak jsem k němu připoutaná, jak mi už teď chybí jemná kůže na jeho krku, kterou jsem ještě před pár minutami pokrývala polibky.

Zavrtěla jsem hlavou a užívala jsem si pohled na jeho dokonalost, kterou jsem byla omámená do té míry, že se moje tělo na slunci rozpouštělo jako gumový medvídek.

„Hlídám zase našim dům. Mají krásnou zahradu, mohl bych hodit na gril nějaký steak."

„Dostal jsi mě už tou krásnou zahradou. Steak to jen zpečetil. A jestli budeš hodný, možná přinesu salát."

Podíval se na hodinky a pak si odfrknul. „Dneska večer musím bohužel na jednu svatbu."

„Musím? Kdyby tě slyšela nevěsta, asi by neměla moc velkou radost."

Ušklíbnul se. „Není ze mě úplně nadšená. Prý jsem jí pokazil zasedací pořádek, takže moji pozvánku změnila jen na večerní párty."

Když se zavrtěl na židli, došlo mi to. „Měl jsi tam jít s Victorií?"

„Přesně tak. Nevěsta i ženich jsou naši společní kamarádi."

„Takže teď na tebe čekají jen zbytky od oběda?"

„Myslíš si, že se ženu někam, kde na sobě budu muset mít oblek? V takovém počasí bych byl mnohem radši s tebou někde u vody než oblečený jako tučňák."

„Chápu." Zasmála jsem se.

Znovu se na mě zkoumavě podíval o vteřinu dýl, než bylo nutné. „Fakt ti to nevadí? Že tam bude i Vic?"

„Same, já tě přece nevlastním. A tohle jste určitě měli naplánované už měsíce předem. Nebuď blázen." Nežárlila jsem.

Pokrčil rameny. „Je to jejich svatba. Jejich den. A taky Victoriin, vsadím se, že si ho bude chtít užít. Nevadí mi, když tam budu jen večer. Aspoň se potkám s pár lidma, které už jsem dlouho neviděl." Nebylo těžké uhodnout, co tím myslí. Viděla jsem ty fotky na Instagramu. On i Victoria byli součástí velké skupiny přátel. Oblíbená dvojice. Tím, že ji opustil, přišel i o společné přátele.

„Doufám, že… to bude OK."

„Bude to v pohodě, neboj se. Zatím se můžu těšit na zítřek. Co kdybys přišla už na oběd? Víš, kde naši bydlí, že?"

12

„Do pr…!"

Když Sam odešel – po nekonečně dlouhém loučení, kdy se ani jeden z nás nemohl odlepit od toho druhého –, zapnula jsem konečně telefon. Rozezněl se všemi možnými tóny, aby mě upozornil na to, jak dlouho jsem ho nepoužívala. Snažila jsem se všechno rychle dohnat, Beliny narážky na to, jak jsem strávila den i noc, a prosba o odpověď i pořádná nálož od Shelley. Bylo vtipné sledovat její gradující netrpělivost. Budu ji muset ignorovat častěji. Její poslední zpráva ale moc vtipná nebyla.

Au, Facebook. To je mrcha! Viděla jsi to? Seš v pohodě? Mám vodku, gin, prosecco i zásobu lehkých drog. Ozvi se!!!

A pak přidala odkaz.

Vážně??? Pod absolutně nevhodnou fotkou, na které se Samem vycházíme z restaurace, já s otevřenou pusou a on se zakloněnou hlavou, přidala Victoria popisek *Netušíte někdo, kdo je ta svině, která mi ukradla přítele?*

No pěkně!

Pod ní se nastřádalo přes padesát komentářů, ani jeden z nich nebyl příjemným čtením.

Já tu hnusnou krávu rozhodně neznám. Tento erudovaný příspěvek připsala Naomi Kitchenerová.

Doufám, že dostane přesně to, pro co si přišla. Genitiální herpes a kapavku. Slečna s dysgrafií bude asi odbornicí na pohlavně přenosné nemoci.

P**a. Tu ani nechci znát! Paige Whiteová.

Aha, to bude ta její nejlepší kamarádka. Hezký slovník, Paige.

Samovi asi někdo vymyl mozek. Hnusná jak noc. Co ho to napadlo? Od Marry Weston-Hayesové. K tomu nemám co říct, Marry.

Doufám, žes jí jednu flákla, ta štětka si nic lepšího nezaslouží. Svině! Nenávidím holky, co tohle dělají. Teresa Whiteheadová asi nepochytila ironii ve Victoriině příspěvku.

Zatnula jsem pěsti a dočetla komentáře až do konce.

Podívej se na ten zadek! Jsi desetkrát hezčí než ona. Logika Isabel Merryweatherové mě doslova srazila na kolena.

Opravdu jsem se snažila si z těch slov nic nedělat, což se mi dařilo jen do té doby, než v nich padlo moje jméno.

Vypadá jako Jessica Harperová, hrozná kráva. Chodila s náma do školy, že jo, Flizzy Outhwaiteová? Ať už byla Nicole Andrewsová kdokoliv, nikdy jsem se s ní nepotkala.

Jo, je to ona. Je ve formě. Vždycky holkám kradla kluky. Flizzy Outhwaiteová byla pěkná lhářka. Nikdy jsem nikomu kluka nepřebrala. Takhle přesně vznikají drby.

Vrátila jsem se nahoru k naší fotce a zhluboka se nadechla. Tohle nebylo fér.

Nebudu brečet. Já nebrečím. Nikdy. Pláč je jen pro slabochy. Když se něco pokazí, prostě jen musíš víc zabrat. Sakra, knedlík v krku se začal zvětšovat. Nebudu brečet. Polkla jsem. To není dobré. Posadila jsem se na postel a složila hlavu do dlaní. Nebudu brečet.

Kde se vzala všechna ta nenávist? Jednou rukou jsem zmáčkla povlečení a druhou se snažila zachytit slzy sklouzávající po mých tvářích. Vždyť mě nikdo z nich nezná. Posuzují mě podle smyšleného příspěvku bláznivé holky. To je tak nespravedlivé! Nemohla jsem se z toho vzpamatovat. Jak se ty holky mohly takhle hrozně chovat? Copak neviděly tu ironii? Ani jeden příspěvek nebyl namířený proti Samovi. Ne že by si to zasloužil, ale copak jsem si to zasloužila já? Já jsem přece za nic nemohla.

Telefon se rozezvonil, což mi připomnělo, že na něm bylo třináct zmeškaných hovorů od Shelley. Teď jsem potřebovala slyšet přátelský hlas.

„Ahoj," řekla jsem hned.

„Jess, seš v pořádku? Panebože! Moc mě to mrzí. Určitě bych ti ten odkaz neposílala, kdybych tušila, že se to zvrhne v přehlídku nízkého intelektu. Nemůžu tomu uvěřit."

„Čti a plač," pronesla jsem a snažila se zamaskovat, že jsem ještě před pár vteřinami plakala do polštáře.

„Co se stalo? To fotila ona? Co tam vůbec dělala?"

„Špehovala Sama."

„Cože? Přišla na vaše rande?"

„Čekala venku, když jsme vyšli."

„To je fakt psycho!"

Byla jsem ráda, že mi zavolala, už teď jsem se cítila trochu líp. Pořád jsem se ještě třásla zlostí, ale to nejhorší jsem měla za sebou. Nestává se příliš často, že se tak rozohním, jsem jako Hulk, až na tu zelenou barvu a svaly. Když to na mě přijde, nejde to zastavit. Bohužel to většinou končí slzami. Když už jsem v ráži, řeknu často věci, kterých pak lituji. A když mě ta zlost přejde, zpytuju svědomí.

„Ještě včera bych o ní prohlásila, že je smutná a usoužená bolestí, bylo mi jí líto. Cítila jsem se provinile. Teď je to labilní blázen. Nevěřila bych jí už ani slovo."

„Pojďme si ji podat. Vezmu s sebou mámin nůž, ten velký od Jamieho Olivera." Shelley zněla nadšeně a pak temným hlasem dodala: „Pusť mě na ni." Musela jsem se zasmát.

„Vážně tě miluju, Shel."

„A já tebe, Jess, na to nezapomeň. Dělá se mi z toho špatně. Jak můžou být lidi tak zlí? Takže se nic nestalo? Doufala jsem, že to spolu budete dělat celou noc."

Z hrudníku se mi vydral hluboký sten. Victoria zničila celý ten sluncem zalitý den.

„Jess?" Shelleyin hlas vibroval sounáležitostí.

„Jsem v pohodě," řekla jsem rychle. „Budu v pohodě." Ale nebyla jsem. Jako by někdo prasknul moji bublinu štěstí, plnou sexu, úsměvů a doteků. Všechno, co se zdálo být tak dokonalé, přirozené a správné, se nakonec proměnilo ve zlo a nenávist. I když si to možná nechtěl připustit, velká část Sama stále patřila někomu jinému. Část jeho života, na kterou jsem neměla nárok.

„Udělala jsem hroznou chybu, že?" Zamrazilo mě na hrudníku. Rozdělila jsem dva lidi, kteří k sobě patřili. Rozsekla jsem je na dvě poloviny, zničila jejich minulost, vzpomínky a vztah. Nechtěla jsem být tou druhou ženou. Moc dobře jsem věděla, co to znamená.

„Shell, nevím, jestli to zvládnu." Tak, řekla jsem to nahlas.

„Přece ji nenecháš vyhrát!" Shelleyin hlas vyletěl o tři oktávy výš. „To nemůžeš. I máma si všimla, jak to mezi váma jiskřilo, když jste se poprvé potkali. A to si ještě ani nevšimla toho tetování, co jsem si pořídila před třemi týdny. I když nebylo skutečné. Dvakrát jsem to přemalovávala."

„Shell, všimla si ho. Jen to ignoruje." Pozastavila jsem se nad sestřenčinou naivitou. Nechtěla jsem ty lebky obepínající její pravý kotník vůbec komentovat.

„No dobře. Ale ty a Sam… Táta se z něho může zbláznit. Víš, že je to dobrý chlap. Není to jeho vina."

Já jsem si to rozhodně nemyslela.

„Je to dobrý chlap. Vlastně… je úžasný, ale…"

„Ticho! Nesnaž se to hned vzdát jen proto… že předtím s někým chodil. Ona ho vydírá. A tebe ztrapňuje. To se přece nedělá. Tohle je šikana. A co v takovém případě uděláme? Postavíme se jí. Šikaně se musíš postavit. Co na to říká Bel?"

„Ještě jsem s ní nemluvila." Ani se mi do toho nechtělo. Bel byla jiná, citlivá, určitě by se rozplakala, což by mi moc nepomohlo.

„Slib mi, že to jen tak nevzdáš."

„To nemůžu, Shel," nechtěla jsem jí lhát.

„Kdy se s ním máš znovu vidět?" zeptala se.

„Zítra." Všechno moje natěšení najednou povadlo.

„Nedělej ukvapené závěry," prosila mě. „Takoví chlapi nerostou na stromech. Je jich málo. Už jsem ti řekla, co provedl Sean?"

„Nevěděla jsem, že se ještě vídáte," uvítala jsem změnu tématu, i když jsem se nemohla pořádně soustředit.

„Mám pro něj slabost."

Zvedla jsem obočí, až mi málem vyletělo z čela. „Shel!"

„No co?"

„Dobře, co ti provedl tentokrát?"

„Vzal mě na večeři a zapomněl si peněženku. Zase. Vidíš, co musím řešit?"

„Rozdíl mezi náma dvěma je v tom, že já radši budu sama, než bych byla s blbcem."

„No právě, Sam není blbec. Není. Fakt. Prostě vypadáte jako…"

„Jestli řekneš *ramalamadingdong*, už nikdy s tebou *Pomádu* sledovat nebudu," varovala jsem ji.

„Už ani slovo, slibuju."

Za to jsem jí byla vážně vděčná.

13

Přišlo mi divné jen tak procházet kolem místa, které mi bylo druhým domovem, a aspoň se nezastavit mezi dveřmi a nepozdravit se s tetou a strejdou. Když jsem se zastavila přede dveřmi domu Samových rodičů a chystala se zmáčknout zvonek, ohlédla jsem se rychle doleva přes nízké křoví, kde se nacházela zahrada mých příbuzných. Mohli dokonce právě teď sedět na patiu jen pár desítek metrů ode mě. Zvláštní pocit.

Prohlédla jsem si dům včetně závěsného květináče překypujícího fialovými a bílými květy petúnií a menších květináčů s bylinkami rozestavěných podél schodiště. To vše jen potvrdilo sdělení tety Lynn, která Samovy rodiče považovala za tu nejlepší náhradu předchozích vlastníků, které přezdívala děsivá dvojčata. Měli totiž odpor vůči všemu živému, což teta Lynn prostě nemohla přenést přes srdce.

Když jsem konečně zazvonila, nastalo krátké ticho podobné tichu před bouří a pak se domem rozezněl dusot po schodech se zběsilým štěkotem psa.

„Tiggy, ticho!" uslyšela jsem Sama, ještě než otevřel hlavní dveře. Kolem krku měl přehozený ručník, z vlasů mu kapala voda a šortky mu sotva držely na bocích. To nám to pěkně začíná.

„Ahoj Jess. Promiň, byl jsem zrovna ve sprše." Začal si ručníkem sušit vlasy a vesele se na mě usmál. Všechny včerejší pochybnosti se najednou rozplynuly jako pára a já jsem jen tupě hleděla na jeho odhalenou hruď. No tak, Jess, uklidni se!

„Ahoj," odpověděla jsem a upřela pohled na jeho obličej, jinak by mě odsud museli odnést na nosítkách. „Trochu si o sobě myslíš, ne?" poškádlila jsem ho a odpovědí mi byl pohled plný slibů. Pak se po mně natáhl a přitiskl mě k sobě. „Nápodobně. Dneska ráno je na tebe víc než příjemný pohled."

Dobře, kolena se mi podlomila ještě víc a všechna moje dosavadní předsevzetí držet si od něj odstup byla tatam. Chtěla jsem ho svléknout a celá se mu oddat. Nevím, kdo se odhodlal jako první, ale ten polibek s příchutí zubní pasty ve mně probudil totální chaos. Pustila jsem tašku se salátem a lahví vína, které jsem před chvílí koupila. Sam couvnul, aby zkontroloval, co se stalo, a shodil přitom ze stěny obraz.

Během několika vteřin jsem měla nohy kolem jeho boků a jeho dlaně mi dráždivě mačkaly zadek. Jak jsem se sem sakra dostala?

Bez dechu a trochu stydlivě jsem sjela z jeho hrudníku a postavila se zpátky na nohy. Opřela jsem si čelo o jeho a on mě hladil po zádech.

„Hmm. Takhle by měl začínat úplně každý den." Ještě jednou mě políbil na koutek rtů.

„Co by na to asi řekla tvoje máma?" Zvedla jsem ze země obraz a podala mu ho. Pak jsme strávili pár minut snahou pověsit ho rovně.

„Nikdy se to nedozví," vzdal to Sam nakonec. „Pojď, seznámím tě s Tiggy."

Sehnula jsem se a zvedla tašku, která mi vyklouzla z ruky. „Přinesla jsem salát a víno."

Chytil mě za ruku a vedl mě vstupní halou do stylové kuchyně s velkými francouzskými okny. Kolem mě okamžitě začal poskakovat zlatý retrívr a vrtěl ocasem.

„Tohle je Tiggy, úplně neškodná, praštěná a asi i nejhloupější fena na světě."

Moje nová kamarádka si mě nejdřív pořádně očichala, olízla mi ruku a pak mě několikrát obešla, aby pokryla moje nohy světlými chlupy. Pak odkráčela do rohu kuchyně, kde se svalila do pelechu jako lavina. Jestli se někdy říká, že páníčci si podvědomě vybírají psy stejného vzhledu, tady to platilo dvojnásob. Tiggy byla světlá, skotačivá a plná sil, stejně jako Sam. Zachichotala jsem se a Sam obrátil oči v sloup.

„Já ti aspoň hned u dveří nečichám k rozkroku," řekl a začal se smát, když si uvědomil, že zřejmě dokonale odhadl, co si myslím.

„Slíbil jsi, že připravíš něco k jídlu." Rozhlédla jsem se znepokojeně po čisté kuchyni a dala si ruku v bok.

Sam se zasmál, otevřel lednici, nacpal do ní míchaný salát, rajčata a okurky spolu s lahví bílého novozélandského vína, které jsem po doporučení prodavače vybrala.

„Neboj se," ujistil mě a mávnul rukou k obsahu lednice. „Mám to všechno pod kontrolou. Dva steaky." Píchnul prstem do červeného masa na spodní polici. „Kukuřice." Ukázal na úhledné balíčky alobalu a pak ztišil hlas. „Na to jsem se teda musel zeptat mámy. A jako dezert budou francouzské větrníky. A ne, nepekl jsem je, máma mi poradila, že je mám vytáhnout z mrazáku."

„To zní výborně. Říká se o mně, že nepotřebuju žádnou pozornost. Stačí mi jídlo."

Sam zavrtěl hlavou, přistoupil ke mně a zastrčil mi za ucho uvolněný pramen vlasů. Zapletla jsem si ho zpátky do culíku, teplota zase dosahovala rekordních výšek. Dnes jsem to opravdu nechala osudu, neměla jsem na sobě ani moc make-upu. Zaprvé byl víkend a make-up používám jen v pracovních dnech, zadruhé by se na mně dneska roztekl. A taky jsem chtěla, aby bylo vidět, že se zas tak moc nesnažím. Ta facebooková aféra mi ještě pořád problikávala hlavou. Na nic jsem si tady nehrála. Sam mě buď bude chtít takovou, jaká jsem, nebo tady nemám co dělat.

„Popisovat se jako někdo, kdo nepotřebuje moc pozornosti, se mi moc nelíbí. Jako bys říkala, že se nemám moc snažit." Odmlčel se a podíval se mi do očí. „V tomhle případě bych si dovolil říct, že za tu snahu fakt stojíš."

Zalechtalo mě v břiše. To se zvedlo hejno motýlů společně s kolibříky a snažili se dostat ven.

„Same…" Proč vlastně něco takového vůbec říká? Povzdechla jsem si a on se jen usmál.

Studenou dlaní hladil moje holé rameno, prstem přejížděl po klíční kosti těsně u mojí brady, což bych od kohokoliv jiného považovala za vražedný pohyb, Sam však vypadal trochu sklíčeně a taky trochu překvapeně.

„Já vím, že se to seběhlo hrozně rychle," jeho prst teď hladil můj krk, „ale není to žádný trik nebo hra," dodal rychle. „Včera večer… Je to hloupé, ale hrozně jsi mi chyběla. Na té svatbě mě pořád napadalo, co bych ti chtěl říct. Věci, kterým by ses zasmála. Písničky, na které bychom si společně zatančili."

„To je jednoduché, určitě bychom spolu tančili na *Hi Ho Silver Lining*," řekla jsem vesele a snažila se působit, že jsem naprosto v pořádku, i když jsem se cítila jako na horské dráze. To, co se právě mezi námi odehrávalo, bylo skutečné. Přesně takové situace jsou zachycené v knihách a filmech, když se člověku zadrhne dech v krku a srdce se mu rozbuší jako zběsilé. Bylo to děsivé. Moje matka by si určitě zakryla oči a odvlekla mě pryč. Přesto jsem s ním potřebovala mluvit o té aféře na Facebooku.

114

Teď, jen pár centimetrů od něj, jsem se cítila v bezpečí, ale obavy tam pořád byly, jen schované pod povrchem momentálního pobláznění.

„Že mě to nepřekvapuje," pošťouchl mě Sam.

„I když vlastně nemám ani páru, kdo tu písničku zpívá. Hráli ji tam?"

„Samozřejmě. Je na každém svatebním seznamu písniček. Na straně pětadevadesát, patnáctá shora." Rozvíjel dál svoji teorii.

„Dáš si víno? Nebo pivo?"

„Pivo by bylo super. Šla jsem pěšky a venku je hrozné vedro. Prý takhle bude celé léto."

„Já si nestěžuju. Kriket se v dešti nehraje moc dobře. Navíc neruší zápasy."

„Někdy se přijdu podívat." Vzala jsem ho za slovo. „O kriketu nic nevím kromě toho," zčervenaly mi tváře, když jsem si vzpomněla na jeho fotku na Facebooku, „že někteří chlapi vypadají v tom dresu vážně k nakousnutí."

No, tak teď jsem se prozradila.

Sam poznámku přešel a pak zpozorněl, jako by si na něco vzpomněl. „Jess… kriket je pro mě důležitý. A taky mi zabírá spoustu času. Být holkou hráče kriketu je někdy pěkná otrava."

Victorii to asi problémy nedělalo.

„V létě hrajeme každou sobotu a nekončíme před osmou večer. A pak se někdy scházíme v hospodě, většinou je to dost sranda."

„To je v pohodě. Asi by to byla otrava, kdybych neměla na práci nic jiného než čekání na to, až mi můj kluk zavolá," dodala jsem.

„A teď jsem přesně tam, kam patřím." Sam se opřel zády o kuchyňskou linku a překřížil nohy. Nevypadal mojí poznámkou vůbec vyvedený z míry.

„Tak jsem to nemyslela," opravila jsem se. „Chtěla jsem tím říct, že nejsem ten typ, který se na někoho přilepí. Mám svůj život a svoje plány. Nemusím sedět doma a čekat na tebe. Už je to dost dlouho, co jsem s někým chodila."

„To je pro mě překvapení."

Přísně jsem se na něj podívala. „Mám to brát jako kompliment?"

„Samozřejmě, jinak jsem to ani nemyslel. Prostě jsem si myslel, že s někým chodíš."

Zavrtěla jsem hlavou. Nechtělo se mi vysvětlovat, jak na tom jsem.

„Já mám zase každou čtvrtou sobotu službu, většinou se držím doma, abych mohla hned vyjet do práce nebo zvednout telefon v soukromí."

„Já jsem přece neřekl, že se nebudeme o víkendu vůbec vídat. Můžeš se přijít podívat na zápas nebo se se mnou potkat po něm."

„To bych ráda," zopakovala jsem. „I když budu potřebovat procvičit kriketový slovník. Jak můžete hrát zápas, co trvá pět dní, a nakonec ho nikdo nevyhraje?"

„To je dlouhý příběh," ušklíbnul se. „Nechci tě unudit hned na začátku."

Vytáhl z lednice dvě piva, rychlým pohybem je otevřel a jedno mi podal. Krátce jsme se na sebe usmáli. Věděli jsme své.

„No teda, tady někdo tráví dlouhé hodiny na zahradě," uznala jsem, když jsem prosklenými dveřmi vykoukla ven a spatřila tam záplavu barev.

„Táta. Máma miluje kytky. Proto tenhle dům koupili, kvůli zahradě. Máma má spoustu nápadů, některé jsou teda dost nereálné, ale táta jí chce i tak dopřát možnost realizovat se."

Veranda přecházející mezi záhony vypadala jako vystřižená z časopisu pro zahrádkáře. Pohodlný zahradní nábytek s barevnými polštáři doplňoval velký proutěný stůl, lehátka a obrovský slunečník.

„Vypadá to moc krásně," řekla jsem, když sebou Sam hodil na jedno lehátko. Přidala jsem se a opatrně se položila na to vedlejší. „Tak velký gril jsem snad ještě nikdy neviděla," kývla jsem k obrovskému černému monstru s vlastní plynovou bombou. „Nemusí se na to dělat bezpečnostní kurz?"

„To je tátova pýcha." Sam zvedl oči k nebi. „Nejnovější model, má to úplně všechno, můžeš dělat na plynu i na dřevu z ořechovce."

„Dřevo z ořechovce, říkáš?" zamumlala jsem si pro sebe. „Jsem ohromená."

Pohladil mě po paži. „Dodává to prý masu chuť. Já nevím."

„Budu se v tomto případě chovat přesně jako teta Lynn a to monstrum ignorovat. Grilování je čistě chlapská záležitost."

Další hodinu jsme si jen tak povídali, popíjeli pivo, až se Sam rozhodl konečně pohnout s večeří.

„Potřebuješ pomoct?" zeptala jsem se, když se vydal do domu.

„Můžeš jít se mnou a připravit salát. Máma má určitě v lednici spoustu exotických dresinků."

„Kde najdu mísu na salát?" zeptala jsem se a odolala nutkání začít se prohrabovat kuchyňskými skříňkami. Přišlo mi to nepatřičné.

„Někde tady," ukázal na dveře. „V jídelně je skříňka, někde na polici to tam bude."

Za dveřmi se nacházela jídelna, která předčila moje představy, se stolem pro minimálně dvanáct lidí a dalšími okny vedoucími do zahrady. Vše doplňovaly dvě zrcadlově umístěné sedací soupravy. Přešla jsem k několika dvířkám, otevřela ta první a hned z první police vzala salátovou mísu. Pak mi pohled spočinul na fotkách pokrývajících vedlejší stěnu.

Sam na nich postupně vyrůstal. Jeho oči zářily radostí na každé z nich. Ať už zřejmě poprvé držel kriketovou pálku v ruce nebo jel na červeném kole zářícím novotou. Nebo měl paži kolem ramen mnohem mladší a jemnější verze Victorie. Takových společných fotek tam bylo víc, jedna vypadala jako z rodinné sešlosti, další z formální večeře, další zobrazující smějící se Victorii se ženou, která musela být Samova matka. Obě svíraly v ruce skleničky se šampaňským. Znovu se mi udělalo zle. Victoria byla nesmazatelnou součástí téhle rodiny.

Znovu jsem přejela očima po obrázcích, dokud jsem se nezastavila na jednom, který měl kvůli velikosti a stříbrnému rámu zřejmě největší význam. Sam s Victorií tam byli společně se ženou s blond mikádem a mužem, který měl v očích stejnou radost jako Sam. Jeho rodiče. Sam byl jejich dokonalou kombinací.

Co si asi budou jeho rodiče myslet o mně? Najednou jsem si přála, abych jejich dům neokupovala v jejich nepřítomnosti. Připadala jsem si jako narušitelka.

Popadla jsem mísu a vrátila se do kuchyně. Neměla jsem tam vůbec šmejdit.

„Kdy se vaši vracejí?" zeptala jsem se a zarazila se, když jsem uviděla, jak si Sam uvazuje zástěru.

„Až zítra," odpověděl a otočil se, abych si mohla přečíst nápis na zástěře. *Rozpal mě.* „Dobrý, co?"

„Podala bych ti hasičák," řekla jsem ironicky, položila mísu a pustila se do přípravy jednoduchého salátu. Docela jsem si oddechla, že se nevracejí už dneska. Podivných setkání jsem si už užila dost. Pořád jsem na ten Victoriin příspěvek nemohla zapomenout.

„Jsi v pohodě?" zeptal se Sam, zase to na mně poznal.

„Jo, jsem OK," řekla jsem a usmála se. „Musím se na ten salát soustředit."

Otočil se a přes otevřené dveře zahlédl fotografie.

„Bude to v pohodě, Jess."

„Vážně?" zaváhala jsem a trochu couvla, když se ke mně natáhl a chtěl mě vzít do náruče. „Jaké to bylo včera večer?" Jinými slovy, jak se chovala Victoria. Nechtěla jsem vypadat jako žárlivka, ale už jsem toho mlčení měla dost.

Jeho pohled trochu zjihl. „Bylo by to mnohem lepší, kdybys tam byla se mnou ty."

„Nejsem si jistá, že by to něčemu pomohlo."

Všimla jsem si – no dobře, zase jsem projížděla její Instagram –, že se pochlubila několika fotkami s přáteli. Na všech vypadala dokonale, na míle daleko té zhrzené, nešťastné postavičce, která nám zničila rande. Růžové šaty zdůrazňovaly její pleť. Proud obrázků se někdy uprostřed večera najednou zastavil, což mě překvapilo. Její poslední příspěvky doslova zvonily mottem *Já to zvládnu, jsem silná*. Čekala jsem, že se podobného večera zhostí ve stejném duchu, zdůrazní, o co všechno Sam přišel a jak mu to bude chybět.

„Asi ne." Sam zatnul čelist. Úplně poprvé se v jeho výrazu objevily obavy a zlost. Podlomila se mi kolena.

„Stalo se něco?"

Zvedl obočí a hlasitě vydechl. „Snažím se zjistit, jestli jsi ten její příspěvek na Facebooku viděla a předstíráš, že ti to nevadí."

„Viděla jsem ho. A rozhodně mi to vadí." Opřela jsem se o kuchyňský pult.

„Sakra. Mrzí mě, že jsi to viděla. A chápu, že se zlobíš."

„Nezlobím. Jsem vážně naštvaná. Tvoje holka překročila všechny meze."

„Není to moje holka." Sam stiskl zuby a naoko ležérně si založil paže na prsou. Až na to, že bylo nadmíru jasné, že na tom pohybu není vůbec nic ležérního.

„No, ta skutečnost není asi úplně každému jasná. Chová se, jako bych jí tě ukradla." Nemohla jsem si pomoct a taky jsem si založila ruce na prsou. Vypadali jsme jako dva zápasníci, kteří se chystají na rozhodující bitku.

Sam najednou prudce popadl lahev piva a zhluboka se napil. Ten pohyb mě vyděsil. „Jsem na ni pěkně naštvanej." Jeho slova, vibrující zlostí, mě přinutila se napřímit a pohlédnout na něj s respektem. Ten ležérní Sam, kterého jsem dosud znala, zřejmě nebyl tak ležérní.

„Dneska ráno jsem ji přinutil ten příspěvek smazat," procedil skrz zuby.

„Přinutil?" zeptala jsem se. To slovo se mi nelíbilo. Viděla jsem příliš mnoho žen, které byly k něčemu přinuceny. „Jak?" Snažila jsem se znít nenuceně.

Sam se na mě překvapeně podíval. „Ne násilím, jestli tě něco takového napadlo."

Povolila jsem ramena. „Cos jí řekl?" zeptala jsem se tiše.

„Že už s ní nikdy nepromluvím, jestli to okamžitě nesmaže." Z jeho výrazu bylo jasné, že myslel vážně každé svoje slovo.

Trochu jsem se uvolnila. Z ramen mi spadla tíha, která se tam usadila už od chvíle, co jsem se do tohohle hororu nechtěně zapojila. Jako by mi z nich slezla nějaká potvora z filmů o Harrym Potterovi.

„Myslíš, že toho teď nechá?" zeptala jsem se a v hlavě už mi naskakovaly představy, jak Victoria, převlečená za královnu černé magie, páchá další zlo. No dobře, možná nebyla tak ďábelská, ale už jen tím, co za peklo dokázala rozpoutat na Facebooku, jsem tak nějak očekávala, že tomu všemu není konec. Na druhou stranu, její chování mi umožňovalo nadále se vídat se Samem. Už z ní nebyla oběť, což mi trochu ulehčovalo situaci. Mohla jsem si o to víc vychutnat náš postupující vztah. Vlastně mě to přinutilo přemýšlet, jestli se moje máma vůbec někdy pokusila dostat tátu zpátky. Vybavuju si jen tu beznaděj, když odešel. Máma přestala fungovat, což v mém osmiletém já vyvolalo naprostý zmatek.

„Už je na tom líp," prohlásil Sam podezřele. „Nenechám ji, aby to mezi námi zničila, Jess." Pokud to bylo u tak světlého a blonďatého člověka vůbec možné, jeho kůže potemněla a v jeho tváři se usadil výraz rytíře odhodlaného tasit meč.

A ano, podlomila se mi kolena, protože ruku na srdce, kdo by netoužil, aby o něj někdo takhle bojoval. Samovo odhodlání zpečetěné hlubokým polibkem mě přesvědčilo, že my dva jsme prostě neporazitelní.

14

„Dáš si ještě?" zeptal se Richard a dolil skleničku prosecca až po okraj, aniž by čekal na moji odpověď.

Další slunečný den jsem se rozhodla strávit na zahradě svých příbuzných, abych trochu doladila svoje opálení. Vedle mě se povalovala Shelley a znuděně projížděla mobil. Nekončící vysoké teploty doprovázené nebem bez mráčku v lidech probouzely dobrou náladu. Dokonce i v práci nebyla tak pochmurná nálada a děti si mnohem častěji hrály na zahradě bez doprovodu matek.

Malý Jake, který k nám přišel nedávno, už se pyšnil několika pihami a téměř zahojenou modřinou. Cathy, jeho matka, se ještě stále držela v jeho blízkosti, v obličeji už však neměla takové napětí. Několikrát jsem si všimla, že se při pohledu na svého syna, spokojeně kopajícího do míče s dalšími dvěma dětmi, trochu usmívá. Mně už se podařilo najít pro něj místo ve škole, Cathy však s nástupem otálela. Popravdě jsem zatím netušila, kdo z nich se nastávajícího odloučení bojí víc. Nechat ho pobíhat po zahradě byl pro Cathy velký krok. A já jsem byla vděčná za teplé počasí, které ho vylákalo ven.

„V kolik tě ten tvůj frajer přijde vyzvednout?" zeptala se Shelley, čímž odsunula moje myšlenky na práci.

„Až po zápase," odpověděla jsem a zkontrolovala čas na telefonu. „Říkal něco kolem osmé."

„Já bych asi nevydržela být takovou kriketovou paničkou. Stačilo mi jít na jedno rande s Davem, pamatuješ, ten hrál každý víkend golf. Hrůza."

„Užiju si Sama dost přes týden."

„To se vsadím," uculila se Shelley. „Máš nohy skoro do O. No taky je z čeho, že? Je to vážně kus."

„Rodiče. Hned vedle tebe," zvolal strejda Richard a zakryl si uši. Teta Lynn se jen zasmála.

„Je všechno v pořádku, zlato? Sam vypadá jako velmi příjemný mladý muž."

Přemýšlela jsem, jak moc by se držela popisu *příjemný mladý muž*, kdyby viděla, čeho všeho je v posteli schopný. Jen jsem si na to vzpomněla, musela jsem se na lehátku zavrtět. Včerejší noc plná šampaňského a jahod v čokoládě na počest našeho třítýdenního výročí byla vážně vydařená. Kdo by řekl, co všechno se s těmi jahodami dá dělat… Sex se Samem byl plný nečekaných odhalení. Ještě nikdy jsem se u milování tolik nenasmála ani nekřičela tak hlasitě. Ale ne že bychom všechen společný čas trávili v posteli.

„Já jsem si toho výrazu všimla!" vyprskla Shelley.

Ignorovala jsem ji a otočila se, abych odpověděla na tetinu otázku. „Je moc milý," řekla jsem, protože zkrátka takový byl.

Ten neuvěřitelný sex byl obrovský bonus. Všechno ostatní prostě fungovalo přesně tak, jak by ve vztahu s tím pravým fungovat mělo. Nemohla jsem to líp popsat, aniž bych nezněla pateticky, prostě jsme si opravdu sedli. Sdíleli jsme spolu všední věci, smáli jsme se, mazlili se, jednou si ke mně přinesl sešity na opravu, a jak byl skloněný nad stolem v obýváku, měla jsem pocit, že nic přirozenějšího na světě snad ani neexistuje.

Někdy jsem měla pocit, že se známe už celou věčnost, jindy mě bavilo odhalovat další a další tajemství, která jsem o něm ještě nevěděla. Nesnášel pomazánku Marmite, což bylo samo o sobě dost hrozné, ale stejně mi ráno dal pusu po tom, co jsem spořádala dva tousty pokryté silnou tmavou vrstvou. Zdálo se, že spotřebuje třikrát víc toaletního papíru než obyčejný člověk. Řidičské schopnosti se neřadily mezi jeho silné stránky a jít s ním nakupovat potraviny bylo čirým utrpením. Koupil všechno, co mu přišlo pod ruku, takže mi servíroval různé nevhodné kombinace jako například vepřové kotlety s čerstvými těstovinami tagliatelle. Taky byl velkým fanouškem seznamovacího pořadu *Take Me Out* a nesmrtelných hlášek moderátora Paddyho McGuinnesse.

„Tak to mám velkou radost,“ řekla teta Lynn. „Mám ráda jeho rodiče. Sally je hrozně vtipná. Už jsi ji poznala?“

„Ještě ne. Zatím nějak nebyla příležitost.“ Naše setkání pro nás byla ještě pořád natolik vzácná, že jsme se o ně nechtěli s nikým dělit. Za poslední dva týdny jsme spolu strávili deset ze čtrnácti nocí, většinou u mě doma, odkud jsme to měli oba blíž do práce.

„Bude se ti líbit,“ pronesla Lynn spokojeně. „A jejich pes… je úžasný.“

„Tiggy už jsem viděla,“ řekla jsem na vysvětlenou. „Když Sam hlídal rodičům dům. Mají krásnou zahradu. Někdo se tam pořádně nadřel.“

„To byl Miles. Připravuje ten prostor na oslavu. Snad jim vyjde počasí,“ prohlásil Richard. „I když jestli aspoň trochu nezaprší, tak všechna ta tráva brzy shoří. Prý za chvíli zakážou lidem zalívat.“

„Sally to plánuje už několik týdnů,“ dodala Lynn.

„Jakou oslavu?“ zeptala se zvědavě Shelley.

„Slaví pětatřicet let od svatby. Bude to velkolepé. Asi tě tam taky pozvou, že?" zeptala se Lynn.

„Asi jo," řekla jsem naoko ledabyle a napila se prosecca.

„Musím jít nakupovat. Když najdu nějaké hezké šaty, můžu si je vzít na Gladysinu svatbu. Ty taky potřebuješ něco nového," kývla Lynn ke svému manželovi. „To hnědé sako už na tobě nechci nikdy vidět."

„Co je na něm špatného? Je jako nové!" zeptal se škádlivě strejda a teta Lynn jen zamručela a vrtěla hlavou.

„Tati, vypadáš v něm jako učitel zeměpisu. Záplaty na loktech už se prostě nenosí."

„Gladys by to určitě nevadilo," odvětil Richard, což byla pravda vzhledem k tomu, že na sobě nejradši měla martensky a stříbrnou kabelku na řetízku. Když jsem byla malá, myslela jsem si, že pracuje jako vesmírná badatelka.

„Zeměpis byl navíc vždycky můj oblíbený předmět," zaprotestoval a mrknul na mě.

„Co si oblečeš na Sallyinu a Milesovu oslavu, Jess?" zeptala se zvědavě Lynn.

„Ještě jsem nad tím nepřemýšlela," odpověděla jsem a Shelley po mně střelila vševědoucím pohledem. Špatná odpověď, Jess. Vždycky vím, co si vezmu na sebe. Nenechávám nic na poslední chvíli. Shelley to moc dobře věděla. Taky moc dobře věděla, že mě na tu oslavu nikdo nepozval. Zatím.

Tohle byl zřejmě můj nejoblíbenější zvuk na celém světě. Samovo vzrušené mumlání naplňující moji ložnici, když jsem jazykem divoce kroužila kolem žaludu jeho penisu. Shelley, se kterou jsem se zhruba před hodinou rozloučila, si stěžovala na nudnou sobotu a poručila mi, abych si užila sexuálního skotačení i za ni, protože se podle jejích slov její vagínou začínají prohánět chuchvalce prachu. Strejda ani teta naštěstí nic z toho neslyšeli. Nejsem si jistá, co by někdo z nich řekl na můj atak na Samův zip hned po tom, co jsme překročili práh mého bytu, ale věděla jsem, že Shelley by mě spokojeně poplácala po zádech. Díky občasnému popisu té zlé holky Jess jsem očividně stoupla v jejích očích.

Když se přede mnou unaveně protáhl, musela jsem odolat pokušení olíznout každý centimetr té zlatavé kůže. Jeho lačný pohled, kterým klouzal po mém nahém těle, mě doháněl k šílenství. Byla jsem tak vzrušená, že jsem nakonec jazykem přejela z jeho břicha k bradavce, pak jsem se rozkročila a nasedla na jeho rozkrok. Na několik vteřin se mi zatmělo před očima, až pak jsem začala reagovat na jeho pravidelné přirážení a uvědomovala jsem si jeho velikost uvnitř vlastního těla. Pak mě otočil a znovu do mě proniknul, tentokrát mnohem rázněji, začali jsme závodit, kdo bude v cíli dřív. Celí upocení a unavení jsme se na sebe podívali, jeho modré oči zastřené vzrušením. Smyslně jsem polkla a z úst se mi vydral hluboký sten. Sam si přitáhl můj obličej a políbil mě na rty. Svět se na chvíli zastavil a pak už jsem jen slyšela jeho „už budu, už budu". Jen o vteřinu později jsem uvnitř sebe ucítila jeho pulz, zatnula jsem ze všech sil svaly a pak už jsem o sobě nevěděla.

Složil se na mě, cítila jsem celou jeho váhu, hrdá na to, že je můj. Sevřela jsem ho zezadu nohama a nechtěla ho za žádnou cenu pustit. Tohle byla naše společná chvíle. Jen my dva a zapadající slunce zakončující další krásný letní den. Dech se nám zpomaloval. Nakonec jsem se zpod jeho těla musela vymanit, jinak bych se udusila. Nechtěla jsem, ale Sam mi byl naštěstí nápomocný. Nadzvedl se na loktu, dal mi pusu a omluvil se: „Jsem moc těžký, promiň." Přetočil se na bok, podložil si hlavu dlaní a hleděl na mě. Měla jsem tyhle chvíle ráda. Občas jsme na sebe jen tak koukali nebo se pomalu líbali. Někdy mě hladil, kopíroval moje křivky, obkroužil ňadra, projel kolem oblých boků, pak se vrátil zpátky na krk a lícní kost. Něco tak romantického jsem znala jen z filmů. Někdy jsme však na sebe jen zírali, oba překvapení intenzitou citů, které jsme k sobě měli. Už jsem v životě pár vztahů měla. Prožila jsem zajímavý sex. Nikdy ale nic tak dokonalého, co by smazalo to, co jsem dosud prožila. Nenapadlo by mě, že někdy něco takového prožiju. Skutečnou lásku jako z románu. Láska byla v mém podání ryze praktická věc – dobře fungující vztah mezi dvěma lidmi, který přinášel oběma stranám radost. Ne něco tak kouzelného, na co byli i motýli v břiše krátcí.

„Ani jsem se tě nestihla zeptat, jak dopadl dnešní zápas," zamumlala jsem konečně a on se na mě usmál, v očích měl stále úžas z prožitého orgasmu.

„V pohodě," odpověděl, „dal jsem další stovku." Na to jsem i já, absolutní kriketový analfabet, musela zareagovat zavýsknutím.

„Tomu náhodou rozumím. Velká věc. Nebo ne?"

Mírně přikývnul, ale někde vzadu jsem viděla klukovskou hrdost, za kterou jsem ho chtěla pochválit. Tohle jsem na něm milovala, tu jeho skromnost. Měl obrovský talent, který ale vůbec nedával najevo.

„Dávám si o volných chvílích lekce kriketové terminologie," zasmála jsem se, „i když něco z toho pro mě pořád zní jako španělská vesnice. Třeba *googly* nebo *long arm silly mid off*."

Sam se zasmál. „*Long arm silly mid off* je teda velká novinka i pro mě."

„Vyhráli jste?" Kriket byl pořád věcí, do které se mi nedařilo proniknout. Ne že by pravidla a vše kolem bylo tak nepochopitelné, ale jako by mezi mnou a jeho oblíbeným sportem stála nějaká bariéra.

„Jo." Odvrátil konečně oči od mého těla. „Vyhlásili mě hráčem dne," dodal tiše.

Můj nejoblíbenější pálkař. Victoriina slova se mi prohnala myslí jako hurikán. Něco mě píchlo u srdce. Něco není v pořádku.

„Zatím jsme v tabulce na prvním místě."

Pamatovala jsem si ty vtípky na Facebooku. Komentáře Samových kamarádů. Tenkrát mi to nedávalo takový smysl jako teď. Sam mluvil o něčem velkém. A nepřikládal tomu takovou důležitost, jakou si ta situace zasloužila. Něco se tady dělo.

„Neměl bys slavit?" zeptala jsem se ho a všimla si, jak mi naskakuje na pažích husí kůže.

Aniž řekl jediné slovo, zřejmě si uvědomil chlad, který se mezi naše těla začal pomalu a nenápadně vkrádat, přehodil přes nás peřinu.

Pak se zamyslel a nakonec promluvil. „Chtěl jsem být s tebou." I když jeho pohled hladil, přesto jsem v něm rozpoznala jistou ostražitost. Všimla jsem si taky jeho semknutých rtů.

„Není to jednoduché, co?" Nechtěla jsem vyslovit Victoriino jméno. Poslední dva týdny jsme se pohybovali v naprosté bublině, jen my dva, nikdo jiný. Bavili jsme se o práci, věděl všechno o Holly, včetně jejích poznámek o tom, že pravidelný sex ze mě dělá úplně jiného člověka a že bych měla přestat zářit jako maják, protože ji to hrozně rozčiluje. Věděl o Slaterových, o Cathy a Jakeovi. Věděl, jak jsme na štíru s financováním, jak škemráme o každý koberec, šampon, oblečení, hračky nebo knížky pro děti. A já jsem zase věděla, jak se jmenují všechny děti v jeho třídě, jaké jsou jejich slabiny i oblíbené předměty.

Po té události na Facebooku – ano, zkontrolovala jsem to, abych si byla jistá, že Victoria ten ohavný příspěvek smazala – jsem pochopila, jaký vliv mají sociální sítě.

Zatvářil se utrápeně. „Je to složité. Ten kriketový klub… je…"

„Victoriino místo…," prohlásila jsem tiše a vyrovnaně, i když se mi v hlavě ozýval hlas, který trval na tom, že tohle prostě není fér. Nic z toho nebyla moje vina. Nemohla jsem za to.

Zavrtěl se. „Bude to nějakou dobu trvat. Je to ještě čerstvé."

Nechtěla jsem znít jako žárlivka. Ani jsem na Victorii ne-žárlila. Neměla jsem na co. Ten úžasný chlap teď ležel v mojí posteli, ne v její. Se mnou sdílel většinu snídaní, mně posílal přes den bláznivé zprávy. „Byla tam dneska?"

Přikývl a všechna ta záře, která ho doposud obklopovala, byla najednou pryč.

Stiskla jsem mu ruku. „Mrzí mě to."

„A co přesně?" Trochu jsem se jeho slov lekla, i když mě z ničeho neobviňoval. „Nic z toho není tvoje vina, Jess."

„Mrzí mě, že se tak zlobí. A že to s ní musíš řešit."

„Nechtěl jsem jí ublížit. Neodpustím si to. A mrzí mě, že tě teď nemůžu vzít s sebou na zápas."

Jako když se člověk snaží strhnout náplast z čerstvé rány. Moc dobře ví, že to bude bolet. Přesto jsem se zeptala: „Jak na tom dneska byla?"

Nemusela jsem se vůbec ptát, to byla další věc, kterou jsem na něm milovala. Už dávno jsem to na něm viděla. Ale chtěla jsem tu krutou pravdu slyšet nahlas.

„Chtěla si promluvit. Trochu jsme se prošli. Pořád chce vědět, co udělala špatně. Proč už ji po čtyřech letech nemiluju. Co se změnilo. Točili jsme se v kruhu, pořád se v něm točíme. Plakala. Chce mě zpátky." Jeho útržkovité věty se do mě zařezávaly jako skalpel. „Prosila mě, abych tě s sebou nebral."

„Aha," řekla jsem jen.

„Jess." Obličej se mu zkřivil bolestí. Nebyl zvyklý být tím špatným. Ta role mu neseděla. Ani mně se to nelíbilo.

„Jsem hajzl, ať udělám cokoliv. Ublížím ti, když jí dám šanci se z toho dostat. Ale ona je tak… zničená. Tvrdí, že to prostě nezvládne." Odtáhl se ode mě a položil hlavu na polštář. „Proč to musí být všechno tak komplikované?" Škrábal se na čele.

„Co na to říkají vaši kamarádi?"

Znovu se zatvářil provinile, takže už nemusel vůbec nic vysvětlovat.

„Všichni… no… známe se už strašně dlouho."

Instagramové fotky jejich společného štěstí doprovázeného obličeji přátel mi znovu probleskly hlavou. Společná minulost. Provázaná přátelství a loajalita. Jak jinak, jeho kamarádi byli předurčeni k tomu, aby mě nenáviděli. Neznali mě. Zčeřila jsem hladinu, zničila součást jejich fungujícího, dobře promazaného stroje. Chápala jsem to a neměla jsem v plánu dělat ze sebe někoho, kým nejsem. Nechtěla jsem dělat scény. Ale maličká část mě, tam někde vzadu, byla celou tou nastalou situací rozhozená.

„Spraví se to, Jess, až tě potkají a poznají, jak jsi úžasná. Musíme tomu dát čas."

„Já vím." Objal mě a já jsem mu věřila, chtěla jsem věřit, že to tak vážně bude.

„Tento týden má narozeniny Jen z práce, po škole to chce jít někam oslavit. Šla bys se mnou? Chtěl bych tě několika lidem představit."

„Jasně," odpověděla jsem a bylo mi jasné, že to je jen útěcha.

„Nebuď smutná, Jess. Celý ten kriket je prostě choulostivá záležitost." Pak mě lehce políbil na rty a přejížděl mi těmi svými po celém obličeji. Byla v tom omluva. A slib. „Myslím to vážně. Ještě nikdy jsem se s nikým necítil jako s tebou." Pak se zasmál. „Kdybych jen mohl nějak vysvětlit," přitiskl si moje dlaně na hruď, „jak se s tebou cítím. Nemůžu najít vhodná slova, a když je najdu, zním jak totální pako. Mike se mě dneska ptal, jestli mi to stojí všechno za to. Za to drama s Victorií. Nerozumí tomu. Jeho přítelkyně Paige mě nemůže ani vidět. Je to složité. Dneska jdou všichni ven, ale já," zarazil se, „jsem chtěl být s tebou."

„Co máš v plánu na zítřek?" zeptal se Sam, když jsme seděli na balkoně, v ruce vychlazené pivo, nohy propletené na podlaze. Na sobě jsem měla jeho tričko a boxerky. A když jsem tak hleděla na jeho zlatavou kůži, znovu se mi vybavil okamžik, kdy jsem ho poprvé potkala. „Copak?" zeptal se, když zachytil můj úsměv.

„Když jsem tě potkala, myslela jsem si, že jsi zbloudilý surfař."

„Když jsem tě potkal, napadlo mě, že máš ty nejvíc sexy nohy na světě. Pořád si to myslím," zvedl nohu a přejel mi po chodidle až nahoru ke stehnu.

„Chovej se slušně, Same. Sotva jsme se dostali z postele."

Ušklíbnul se na mě, zamžoural očima a zatvářil se rošťácky.

„Zítra musím za mámou. Už jsem ji pár týdnů neviděla. Musím se jí pochlubit. Bude nadšená," doplnila jsem ironicky. „Určitě se jí bude líbit, že jsi učitel, navíc hvězda kriketu. Má patent na testování mých budoucích partnerů."

„To zní jako fajn máma."

„No… zkusím to říct takhle. Moje máma a teta Lynn jsou pravý opak. Proto se po každé nedělní návštěvě u matky musím jít uklidnit k tetě a strejdovi."

„Budu se muset stavit doma, mám tam hromadu přípravy do školy a mám pocit, že to mléko, co jsem nechal v ledničce, už samo odpochodovalo do popelnice. Taky bych se měl ohlásit rodičům, že ještě žiju. Budu muset zůstat na večeři, ale…," podíval se na mě s nadějí v očích, „mohl bych se stavit k večeru."

„Budu u Shelley, můžeš mě tam vyzvednout a zavézt mě domů."

„To zní dobře. Musím si sem přivézt pořádný strojek na holení." Přejel si po nahrubo oholené bradě a prstem se zastavil na místě, kde se mojí žiletkou z balíčku deset za cenu pěti pořezal. Usmáli jsme se na sebe. Jeho kartáček už měl dávno svoje čestné místo v mojí miniaturní koupelně. Líbilo se mi, jak se pomalu, ale jistě nastěhovává ke mně do bytu. Každý ten krok byl naprosto přirozený, bez vyhroceného dohadování.

„A i když tu vůni na tobě miluju, myslím, že když se budu dál sprchovat tvým sprchovým gelem Jo Malone, v rozkroku se mi to všechno scvrkne."

„To se dřív scvrkne můj bankovní účet, když ho budeš tolik spotřebovávat," zasmála jsem se. Společné sprchování rozhodně trvalo dýl, než na co jsem byla zvyklá.

„Rád se vždycky ujistím, že jsem nevynechal ani kousíček tvojí kůže."

„To by ti šlo."

„Užívám si každou minutu." Zvedl pivo, aby si se mnou přiťuknul. Jeho silueta se mezitím jasně vyrýsovala na tmavé obloze. Vypadal jako antický bůh. Tohle byla ideální chvíle k tomu udělat si fotku a ve slabém okamžiku ji celému světu ukázat na internetu.

15

Hned co Sam následující ráno odešel, začala jsem pobíhat po bytě jako zběsilá a snažila se dát do pořádku domácnost, kterou jsem v jeho společnosti zanedbávala. Umyla jsem koupelnu, převlékla povlečení a vysála všechny koberce. Taky jsem se potřebovala trochu zušlechtit. Sam nemusel vědět, že bez pravidelné péče se moje obočí mění ve dvě chlupaté housenky a moje paty připomínají pásovce.

Taky jsem udělala chybu, že když jsem si na chvilku sedla a připravila si sendvič k obědu, proletěla jsem Victoriin profil na Facebooku a Instagramu. I když jsem sama sobě dávno slíbila, že už to neudělám. Hned jsem toho litovala. Navzdory krásnému slunečnému poledni jsem se cítila, jako by nade mnou visel černý mrak plný deště.

Hleděla jsem na úplně jiného Sama než toho, který ode mě před chvilkou odešel.

Sam s pálkou v ruce, chystající se k odpalu. *Sam a jeho kriket.*

Sam běžící směrem k jejímu foťáku, v ruce helmu, kterou si právě sundal z hlavy. *To byla ale směna. Další stovka v kapse.*

Sam s půllitrem piva v ruce obklopený dalšími třemi vysmátými kluky, jeden z nich byl Mike. *Zaslouží si to, kluci. Oslava v plném proudu.*

Záběr s Victorií v rohu, za ní Paige, Mike, Drew, Izzy a Sam, všichni se skleničkami v rukou. *Celý náš gang.* *#milujusvujzivot #milujusvojekamarady #nejlepsipratele*

Znala jsem je všechny jen ze slídění na internetu.

To mi samozřejmě nestačilo. Musela jsem se prohrabat Victoriiným Instagramem. Dýka nebyla v mém srdci ještě dostatečně hluboko. Na jejím profilu vyskočila rok stará vzpomínka, soukromý moment, který zvěčnil někdo bez jejich vědomí. Victoria v červených minišatech a Sam s černou kravatou společně u stolu, hleděli jeden na druhého a bylo naprosto očividné, že okolní svět pro ně vůbec neexistuje.

„Vypadáš dobře," utrousila máma, když si mě jako obvykle prohlédla od hlavy až k patě. Dnes jsme porušily tradici a posadily jsme se na terasu do stínu slunečníku.

„To je tím sluníčkem," vysvětlila jsem, mávla jsem rukou a nemínila vysvětlovat, že za všechnu tu spokojenost, co ze mě čiší, může sex.

„Je krásně, to uznávám, ale pro starší generaci už je to trošku moc. Operační sály jsou úplně přetížené. Spousta lidí má problémy s dýchacím ústrojím a všichni vyžadují okamžité vyšetření." Semkla rty do úzké linky a pohledem zkontrolovala slunce pražící na zbytek terasy, jako by jí snad mohlo ublížit. „Všichni si stěžují, protože na ně doktoři nemají čas."

I když už tu práci dávno nedělala, kdysi sedávala na recepci s odhodláním ochránit doktory před otravnými, nemocnými pacienty.

„Lidi dneska nemají žádnou trpělivost."

„Možná proto vyžadují schůzku s doktorem, aby netrpěli," mrkla jsem na ni se smíchem, ale pak mi hned došlo, že máma nikdy na podobný humor nebyla.

„To mělo být vtipné, Jessico?"

„Ano, mami. To měl být vtip," usmála jsem se znovu.

Obrátila oči v sloup, ale ve tváři jsem jí viděla lehký náznak úsměvu.

„Přišla ti už pozvánka na Gladysinu svatbu?" zeptala se a pochybovačně kroutila hlavou.

„Jo." Uculila jsem se. „Celá Gladys." Tmavě modrá pozvánka s uzlem na přední straně nesla na zadním listu jednoduché oznámení: *Budeme se brát. Přijďte, anebo ne, jak chcete. Gladys Wimpolová spojí svůj život s Alastairem Tanem. Přijďte si ten mejdan užít. A vezměte si s sebou taneční boty. Po obřadu se přesuneme do Rose Bowl Housu. Šampaňské poteče proudem.*

„Jde to s ní z kopce. Už ani neumí plánovat věci s dostatečným předstihem."

„Vždyť ti o té svatbě říkala už dávno."

„A co je tohle za pozvánku? Co to vlastně znamená? A proč se vůbec rozhodla ve svém věku zase vdávat, to opravdu nechápu. A proč zrovna v Cornwallu?" Matka se zašklebila. V jejím světě byl Cornwall spojený s mým otcem. „Vždyť přece bydlí v Twickenhamu. Budeme tam muset jet den předem a zůstat do dalšího dne, abychom se dostaly domů. Ona to prostě nemůže nikdy mít jednoduché."

„Je šťastná a chce se s námi o ten pocit podělit. Tak jí to přej," prohodila jsem tiše a opřela lokty o zahradní stolek.

„No jo," odpověděla máma. „Našla jsem hezký útulný penzion jen kousek odtamtud, přece nebudeme spát v tom Rose Bowl Housu. Jak znám Gladys, bude tam strašný randál. Co to vůbec může být za podnik? Zní to dost pochybně. Udělám nám rezervaci."

„Mami," odmlčela jsem se a byla jsem vděčná, že mám konečně skutečnou výmluvu, proč nechci spát s ní a chci mít vlastní pokoj v tom podle jejího názoru pochybném podniku, „přemýšlím, že bych s sebou někoho vzala."

„Koho?"

„Jmenuje se Sam. Nějakou dobu se vídáme. Zeptám se ho, jestli by tam nechtěl jít se mnou."

„Nikdy ses o něm nezmínila. Jak dlouho to trvá?" Ať už se snažila jakkoliv, uraženost a vzdor cloumaly celou její postavou, od načesané hlavy až po černé botky, které vlastně doma vůbec nemusela nosit.

„Ne moc dlouho," odpověděla jsem. „Potkala jsem ho u tety Lynn na grilovačce. Je to syn jejich sousedů."

„Aha." Zněla jako soudkyně. „A nenapadlo tě, že bych toho mladého muže chtěla taky poznat?"

Sakra, proč jsem to vlastně řekla? Jasně že si máma vezme osobně, že ho teta Lynn poznala dřív než ona.

„Já jsem je s ním neseznámila, už ho vlastně dávno znali. Vždyť říkám, že jeho rodiče bydlí hned vedle."

„Ještě pořád bydlí s rodiči?"

Proboha. Samozřejmě že si z toho musí vydedukovat to nejhorší.

„Ne," odpověděla jsem co nejsrdečnějším hlasem, i když mi začala docházet trpělivost. „Jen jim hlídal dům, když byli pryč."

„Proč ho chceš brát na tu svatbu?" zeptala se a já jsem za tou otázkou viděla jasné pochyby, že to do té doby nevydrží. Jak jí mám vysvětlit, že Sam a já... že je to prostě Sam a já.

„Je to vážné."

Zvedla upravené obočí. To byla její tajná zbraň. Uměla tím obočím i zesilovat zvuk. Jedním pohybem dokázala místnost naplnit nepochopením, nesouhlasem a cynismem.

„Skoro ho neznáš."

Jak tohle může říct?

„Co vlastně dělá?" Nervozitou celá zbledla.

Protože na tom všechno záviselo, ne na tom, jestli jsem s ním šťastná. Jestli se o mě dobře stará. Jestli mě miluje.

„Je to učitel."

Narovnala se a její pohled zbystřel. Pak naklonila hlavu stranou, začalo jít do tuhého.

„Co učí?" Ten náhlý zájem a pozornost v jejím hlase mě zaujaly. Bude zklamaná, jak jinak. Určitě si začala představovat ulízaného, brýlatého kantora s naleštěnýma mokasínama a vlněným sakem. Ach jo, Sam ani ve dnech, kdy na sobě musí mít sako, její očekávání nikdy nesplní.

„Děti," odpověděla jsem, aniž by mi to přišlo vtipné.

„To tak nějak předpokládám, Jessico."

„Pracuje na základní škole." Podařilo se mi udržet vážný tón, i když se všechno uvnitř mě sevřelo a chtělo se stavět na jeho obhajobu.

„Ne na střední?"

„Ne, mami, řekla jsem na základní," zopakovala jsem a na chvíli jsem zapřemýšlela, jestli mi stojí za to upozornit ji, že se jedná o speciální školu.

„Jak dlouho už se vídáte? Zatím to moc jako vážný vztah nezní."

„Bože, mami," zvolala jsem naštvaně, tak jako pokaždé, když mi dojdou nervy a musím nějak zareagovat na její odsuzující komentáře. „Kdo definuje, jak dlouho spolu musí dva lidi chodit, aby se jejich vztah dal považovat za vážný?" A co to vlastně znamená vážný vztah? Milovat se každý den do posledního dechu? Společně snídat? Nebo jen prostě vědět, že ten člověk, včetně svých negativ i pozitiv, ti přesně zapadne do života?

„Jen se ptám. Mám o tebe strach. Nechci, aby ti někdo ublížil…"

Věděla jsem, co tím chce říct… *tak jako mně.* Ta slova visela ve vzduchu jako zlověstná hrozba.

„Co o něm víš?"

Vím, že je to dobrý člověk. Uvědomuje si, že zranil svoji bývalou přítelkyni. Umí mě rozesmát.

„Vím, že je to můj kousek lega. Pasujeme k sobě."

Matka vypadala vyděšeně. „To si teď ze mě asi děláš legraci, Jess. Položila jsem ti naprosto jasnou otázku. Četla jsi ty příběhy o ženách, které potkaly na internetu muže, kteří předstírali, že jsou někým, kým vůbec nebyli? Často jsou to muži, co mají rodiny a děti, vedou dvojí životy."

„Jsem si naprosto jistá, že Sam nevede dvojí život."

„Nechtěla jsem naznačit, že by to tak mohlo být. Chci jen, abys byla opatrná. Jak bys mohla vůbec někoho blíž poznat, když se vídáte jen pár týdnů?"

Samozřejmě že můžeš, i když před půl rokem bych s ní asi souhlasila.

„Podívej se na tu nešťastnou Shelley. Střídá ty chlapy častěji než ponožky. Neukradl jí ten poslední nějaké peníze?"

Technicky vzato mu je Shelley dala. Jen nečekala, že je rovnou odevzdá svojí ženě, aby se postarala o jeho tři děti.

„Ne," zalhala jsem, i když jsem věděla, že je to k ničemu, protože matka vždycky znala pravdu. „Můžeš někoho znát celé roky, a stejně se může zachovat tak, jak bys to do něj nikdy neřekla."

Matčin obličej se zkřivil bolestí, jako by ji někdo uhodil pěstí do břicha. „Jestli tím myslíš svého otce, choval se naprosto normálně, dokud nepotkal tu… ženu a nezavrhl kvůli ní celý svůj dosavadní život včetně manželky a dítěte."

Otcova nová manželka – i když bych ji zrovna nenazývala novou, musejí být svoji už dobrých patnáct let – byla mojí matkou vždycky označována jako *ta žena*. Nikdy jí neřekla Alicia, jak se skutečně jmenovala. Byla trestem, padouchem, který zničil naše životy.

I když mi bylo jen osm, když odešel, ten pocit zmatku a neštěstí stále rezonoval mým tělem. Matka celé měsíce nevstala z postele a já jsem tu dobu strávila u tety Lynn a strejdy Richarda. Společnost mi dělala Shelley a neustálý klid a mír v jejich domě. Byla jsem tam spokojená, i když mi svědomím občas probleskl závan viny. U tety a strejdy bylo všechno tak, jak by mělo v normální rodině být. Večeře v daný čas, dospělí se starali o děti, nemusela jsem se tam potulovat po prázdném domě, jak jsem to dělala doma. Nemusela jsem z nudy rozsypat krabici s knoflíky po podlaze v obýváku, jen abych slyšela nějaký nový zvuk, nemusela jsem škrtat v kuchyni zápalkami jen proto, že jsem mohla.

Rozhlédla jsem se po přesně zorganizované zahrádce. Řádky zeleniny a květin matka vysázela spíš s jasným smyslem pro pořádek než pro radost. Po těch nesnesitelných měsících chaosu dala řád každé činnosti, kterou vykonávala. Aby se ujistila, že její vlak už nikdy nevykolejí. Myslela jsem na Victorii a její instagramové posty, zdála se být nad věcí, ale jak mohl někdo z nás vědět, co se jí skutečně honilo hlavou?

Hleděla jsem na ty barevné květiny a zlomyslná myšlenka se mi zavrtávala hlouběji do mysli. Byla jsem Victoriina Alicia.

Alicia Harperová. Vdaná za mého otce. Měly jsme stejné příjmení, já jsem však na ni nikdy nemyslela jako na skutečnou osobu. Vždy to byla jen nějaká žena v mlze, rozmazaná postava bez jasných kontur. Nikdy jsem se neobtěžovala ji poznat. Byla nepřítel číslo jedna, tak proč bych to dělala? Nevěděla jsem, jestli byla malá, vysoká, blond, nebo tmavovlasá, štíhlá, nebo při těle. Uměla mého otce rozesmát? Pracovala někde? Vařila mu doma? Byli spolu šťastní? Jak jejich společný život vlastně vypadal?

Tušila jsem, že je mladší než můj otec. O hodně mladší. Když mi bylo šestnáct, poslal mi dopis s fotkou. O dva roky později další, se dvěma fotkami. Jeho obsah proměnil matčin obličej v čiré utrpení. Myslela jsem, že jí budu muset zavolat sanitku. Oba dopisy jsem v náhlém záchvatu zodpovědnosti spálila. Nemohla jsem se však přinutit spálit ty fotografie, jako by se jednalo o nějaké zvláštní voodoo. S matkou jsme už o těch fotkách nikdy nemluvily. Ani jednou. Nebyla jsem si jistá, jestli ví, že je pořád mám. Byly zahrabané na dně prvního šuplíku mého starého stolu, pevně zalepené v hnědé obálce, takže nikdo neměl právo ji otevřít. Neřekla jsem o ní ani Shelley.

Matka se postavila. Přestože jsme spolu seděly na zahradě, rozhodla se, že musí uklidit šálky od čaje. Byla taková přesně od doby, kdy se otec vytratil z našeho života. Nikdy ani chvilku neposeděla, pořád musela něco dělat. Náš dům se proměnil v naleštěnou vitrínu bez jediné zbytečné věci, kde člověk musel v obývacím pokoji sedět pěkně s koleny a kotníky u sebe. Kdykoliv na zem spadl jediný drobek, matka už tam stála s ručním vysavačem a hned byl znovu pořádek.

„Tak kdy mi ho představíš?" zeptala se a zastavila se přesně na konci slunečníkem zastíněné části terasy. Šálky se jí zatřásly v dlani, jako by snad tahle veledůležitá otázka musela být zodpovězená ještě před tím, než se vydá přes děsivé slunce zpátky do kuchyně.

Po všem, co jsem se jí snažila vysvětlit, jsem jí teď nemohla říct, že je ještě brzy.

„No…"

Znovu se ozvalo cinkání porcelánu. „Nemá doufám tetování nebo něco podobného."

„Mami, dneska má tetování každý, ale ne, Sam ho zrovna nemá." Lhala jsem, protože bylo jen málo pravděpodobné, že by někdy viděla lva vytetovaného na jeho levé půlce. Když říkám lev, nemyslím tím krále džungle. Mluvím o roztomilém lvíčeti z dětské knížky. Měnil téma pokaždé, když jsem se zeptala na jeho význam. Ale já z něj tu historku jednou dostanu.

„Hraje kriket."

Zabijte mě. Kéž bych to nikdy neřekla nahlas. Máma se usmála, dokonce položila šálky zpátky na stůl.

„Opravdu? Pálkař, nebo nadhazovač?"

Můj nejoblíbenější pálkař.

„Odpaluje," odpověděla jsem, aniž bych pořádně věděla na co.

„Za co hraje?"

Uf. Aspoň něco jsem věděla. „Za Meadows Way v Tringu."

„Ti teď přece vedou. Hrají vážně dobře. Ten musí vědět, o co v té hře jde. Jak se jmenuje?"

„Sam. Sam Weaverham. Včera zahrál sto bodů," řekla jsem a skoro zalapala po dechu. Nenapadlo mě, že právě na tohle se máma chytí. To abych ho přinutila obléct se do dresu, až se s ní setká. Možná by mu odpustila i tetování nebo piercing.

„Zajímavé. Těším se, až ho poznám." Pak si povzdychla a zadívala se na hodinky na drobném zápěstí. Pořád ještě se špinavým nádobím v ruce tam chvíli stála a pozorovala mě.

Naše schůzka byla zřejmě u konce. Když jsem se postavila, naznačila hlavou, abych ji následovala do kuchyně. Tam složila nádobí přímo do myčky a konečně vyslovila větu, která dávno visela ve vzduchu: „Předpokládám, že teď míříš na večeři k Lynn a Richardovi."

„Chci se vidět se Shelley. Neměly jsme na sebe celý týden čas a měla by se tam možná objevit i Bel. Tu jsem neviděla, už ani nepamatuju." Přiznání, že moje sestřenice je taky moje nejlepší

141

kamarádka, snad trochu zmírnilo fakt, že je mi teta Lynn bližší než vlastní matka.

„Aha, Bel. Jak se má? Jak pokročila s plánováním svatby?" Matčiny rysy v tu ránu trochu změkly. Bel u ní byla na žebříčku oblíbenosti docela vysoko. Zřejmě proto, že už jako malá holka nosila poslušně dva culíky a nikdy neprotestovala, když si měla obléct školní uniformu. Její sukně byla vždycky správně dlouhá a nikdy si nevyhrnovala rukávy košile vysoko nad lokty. Její přátelství mě drželo naživu právě ve chvíli, kdy se matka znovu zapojila do každodenního života a stala se z ní nedůvěřivá, paranoidní a sterilní osoba.

„Doufám, že ano. Neviděla jsem ji aspoň měsíc. Dělá na nějakém auditu v Yorku."

„Taková profesionální práce ti určitě umožní spoustu cestování. Moc ji ode mě pozdravuj," prohlásila pak s mírumilovným výrazem. K Shelley se, což mě vlastně nepřekvapovalo, ani slovem nevyjádřila. „Podívej, kolik už je hodin." Znovu se teatrálně zadívala na zápěstí. Když jsem nad tím tak přemýšlela, dneska sledovala čas mnohem urputněji než jindy. Pak znovu nasadila ten omluvný výraz a já jsem byla vypovězena ke dveřím, ani jsem nevěděla jak. „Asi bys už měla jet, nechceš se přece zaseknout v dopravní zácpě."

Prosím? Vždyť byla neděle. Čtyři odpoledne. Měla jsem před sebou přibližně pětikilometrovou cestu po dálnici, která mi zabrala asi deset minut.

Poprvé po dlouhé době jsem vyloženě nespěchala domů. Naopak, měla jsem pocit, že mě tam už nechce. „Máš na dnešek nějaké plány?" zeptala jsem se a ke svému překvapení jsem sledovala, jak matce zčervenaly tváře.

„Má se tu stavit Douglas. Jen na jeden gin s tonikem. Koupil někde nějakou dobrou lahev ginu a chtěl, abych ji ochutnala."

„To je od něj hezké," řekla jsem co nejvyrovnanějším hlasem. Ale málem jsem se u toho zadusila.

„Je to jen gin s tonikem, Jessico."

To bych si až tak jistá nebyla.

16

„Já se z tebe zblázním," prohlásila Shelley ve chvíli, kdy jsem vyskočila z křesla po zaznění zvonku. Sam přišel brzy. Předpokládala jsem, že je to on. Už jsem ale stejně byla rozhodnutá jít otevřít. „Jak umí rozhýbat ten svůj titěrnej zadek," prohlásila Shel a napodobila pohyb mých kyčlí. „Už jsem ti někdy řekla, že tě nenávidím?"

„Milionkrát," odvětila jsem a odstrčila ji, aby mě náhodou nepředběhla.

„Shelley, měla bys být k Jessice milejší," pokynula Lynn ke své dceři vidličkou a pak si vložila sousto do úst.

„Máš pravdu, mami. Měla bych se zlobit spíš na tebe, že jste na mě seslali tak nešťastný geny."

Jejich pošťuchování zmizelo za mými zády, když jsem se prohnala jídelnou až k hlavním dveřím. Shelley měla pravdu. Bylo to k zbláznění. Když jsem dorazila ke strejdovi s tetou, věděla jsem, že Sam je jen několik metrů odtud. Několikrát jsem dokonce měla pocit, že slyším z jejich zahrady jeho smích.

Před dveřmi jsem se několikrát rychle nadechla. Měla bych se trochu uklidnit, i když mozek přikazoval mému tělu něco úplně jiného. Bylo opravdu těžké ovládnout tu smečku nadšených štěňat v mém žaludku. Copak je něco špatného na tom, že se na

144

Sama tak těším, i když jsem ho naposledy viděla ani ne před čtyřiadvaceti hodinami?

Rozrazila jsem dveře, široce se na něj usmála a pozorovala, jak jeho oči okamžitě mění výraz, jako by viděly tu nejneuvěřitelnější věc na světě.

„Ráda tě vidím," pověsila jsem se mu kolem krku a naklonila tvář, ani jsem se nesnažila skrývat, jak nádherně se cítím.

„No ahoj," zabořil obličej mezi moje rameno a krk a rychle si mě přitáhl k sobě. Několik vteřin jsme si užívali jeden druhého.

„Same?" zeptala jsem se pak.

„Nebude ti vadit, když hned vyrazíme? Mám ještě nějaké věci do školy, co jsem nestihl přes víkend udělat."

Na chvilku jsem se zarazila. „No… dobře. Jen se s nimi rozloučím."

Otočila jsem se a snažila se ignorovat pocit zklamání, který se plížil celým mým tělem. Přišel tak brzo, že jsem si myslela, že mě možná bude chtít představit svým rodičům.

Když jsem se vrátila, kopal nervózně teniskou do rohožky, jako by ho něco rozčilovalo.

„Všechno v pořádku?" zeptala jsem se, když jsme si sedli do jeho auta.

„Jo, jasně," odpověděl tak, že to vlastně popřel, a pak se odmlčel. Neviděla jsem mu pořádně do obličeje, ten měl dneska téměř schovaný za rozpuštěnými vlasy. Jako by to snad udělal schválně. „Jedla jsi něco?"

„Vyzvedl jsi mě právě od tety Lynn. Tam nikdy nikdo netrpí hlady."

„Promiň, to byla hloupá otázka." Usmál se na mě.

„Ty jsi nevečeřel?" zeptala jsem se po chvilce ticha.

„Ne… neměl jsem…" Zatnul čelist a v jeho pohledu, upřeném na ubíhající silnici, jsem zahlédla podráždění. „Neměl jsem čas."

Cesta do mého bytu nebyla tak dlouhá, aby klimatizace v autě vůbec začala nahrazovat vyhřátý vzduch, takže jsme jeli s otevřenými okénky, oba tak nějak nahnutí na svou stranu ve snaze trochu se ochladit proudícím vzduchem.

Když jsme vešli, rychle jsem začala otevírat všechna okna. Dneska bylo takové dusno, že v bytě bylo jako v sauně. Něco v něm viselo, přesně jako ta nevyřčená konverzace, kterou jsme se zatím oba, i když dost neúspěšně, snažili ignorovat.

Sam se hned posadil ke stolu se stohem sešitů, zatímco já jsem se snažila trochu uklidit a poskládat prádlo, které jsem zatím posbírala ze sušáku na balkoně.

Když jsem se vrátila dovnitř, Sam seděl u stolu a upřeně hleděl do neznáma.

„Chceš si o tom promluvit?" řekla jsem tiše a posadila jsem se vedle něj.

„Jsem hrozně naštvaný na mámu." Podíval se na mě tím modrým pohledem a odhodil zelený fix, který používal k opravám, takže zanechal na papíru dlouhou čáru. Pak mi stiskl dlaň.

„Pořádají oslavu. K výročí jejich svatby."

„Já vím," přiznala jsem. „Pozvali Lynn a Richarda. To je v pořádku. Nemusíš si s tím dělat hlavu." Vyslovit tuhle větu nahlas mě stálo dost sil, ale zároveň to zmírnilo vztek, který jsem cítila od té doby, co se o té oslavě Sam zapomněl zmínit. Já jsem ho na Gladysinu svatbu pozvala už před týdnem. Mohl mi o svých rodičích říct už tenkrát, ale stejně to neudělal.

„Máma tam pozvala Victorii."

„Je to jejich oslava," pronesla jsem tiše. „Může tam pozvat, koho bude chtít."

„Přesně to řekla." Samův obličej se zbarvil dočervena. Palcem přejížděl po kloubech na mojí ruce. „Přijde mi neférř, že tě tam nemůžu vzít. Řekla mi, že je to příliš brzo."

„Rozuměla by si s mojí matkou. I když já jsem vytáhla eso z rukávu, řekla jsem jí, že hraješ kriket. Že jsi pálkař. Jsi pálkař, že jo?"

Sam se zasmál. „Jsem."

„Byla až nečekaně překvapená, což já teda taky, když jsem jí řekla, že jsi stovkař."

„Že jsem zahrál sto bodů." Znovu se zasmál, zavrtěl hlavou a přitáhl si moji dlaň ke rtům.

„Myslela jsem, že se takovým hráčům říká stovkaři."

„Nikdy dřív jsem to neslyšel, ale klidně mi tak můžeš říkat."

„V tom případě ti snad nebude vadit, když ji se mnou půjdeš příští týden navštívit. Trochu se zlobí, že tě teta Lynn poznala jako první."

Pobaveně vyprsknul, očividně nechápal, proč by v tom měl být nějaký problém. A já jsem se ani tentokrát nechtěla pouštět do vysvětlování naší rodinné tragédie.

„Jasně." Pořád ještě vypadal rozhozeně. „Omlouvám se za mámu."

„Není to tvoje vina. Nikdy mě nepotkala, nezná mě. Nemůžeš se jí divit." Nelíbilo se mi to, ale tak nějak jsem jí rozuměla. „S Victorií se znají už dlouho."

Sam se zamračil a nakrčil obočí tak, že jsem se hlasitě rozesmála. Naštvaný vypadal hrozně vtipně.

„Jak můžeš být pořád tak úžasná?" zeptal se a znovu se pomazlil s mojí dlaní. „Teď ses klidně mohla urazit. Vůbec bych se ti nedivil."

Pokrčila jsem rameny. „Popravdě s tím moc nezmůžu. A rozhodně nechci být příčinou nesvárů mezi tebou a tvými rodiči."

„Už tak to bude trapné, až tam tvoje teta a strýc uvidí Victorii, a ne tebe."

„To neřeš."

„Hrozně se na mámu zlobím.“

„Pohádali jste se?“

Zamručel. „My spolu… nemluvíme.“

„Same, to jsem nechtěla.“ Po tom, co jsem o ní slyšela, a z fotek, co jsem viděla, jsem si o ní poskládala milý obrázek. Rozhodně byla jiná než moje máma, kterou jsem nechtěla rozčílit už z jednoho prostého důvodu. Kdybychom se pohádaly, zůstala by úplně sama. Snaha ochraňovat ji od všeho zlého se nesla celým mým dospíváním. Vždycky jsem se strachovala, že se jí udělá hůř a vrátí se zpátky do postele. A když v ní tehdy celé týdny ležela, nechtěla jsem jí být na obtíž. Takže jsem každé ráno vstala, oblékla se, vzala si něco k snídani a hleděla z okna, dokud nezačaly děti sousedů odcházet do školy. Pak jsem věděla, že je čas jít. Někdy jsem však měla pocit, že to čekání trvalo celé hodiny.

„Zavolej jí. Řekni jí, že tě to mrzí. Že na tom nezáleží. Nevadí mi, že tam nebudu.“

„Ale mně jo,“ znovu vypadal naštvaně. „Victoria by to měla odmítnout. Přijde mi, že mámu využívá, to proto tu pozvánku přijala.“

V tom měl rozhodně pravdu. „Asi je to na ni ještě příliš brzo. Hodně toho ztratila. Nejen přítele, ale taky všechno, co s tím souvisí.“

„Jess. Ty jsi prostě úžasná. Vic je v pohodě. Zůstali jí všichni naši společní přátelé.“

„To ano, ale…,“ pak jsem se na něj zamilovaně usmála, „ty máš mě.“

Objal mě kolem pasu a přitáhl si mě na klín. „To je svatá pravda.“

„A já mám tebe,“ doplnila jsem a schoulila se na jeho hrudník. „Chápu, že ji to trápí.“ Vždyť znám Sama jen pár týdnů, ona ho znala čtyři roky. To muselo zanechat obrovskou díru v jejím srdci. „Zavolej mámě. Vidím na tobě, jak tě to mrzí."

„Vždycky se ti podaří všechno napravit?" zeptal se a prsty mi přejížděl po krku.

„Kéž by to byla jen trochu pravda," odpověděla jsem a v hlavě mi vyskočilo několik žen z našeho domova. A pak spousta těch, které se k nám vůbec nedostaly.

„Jsi dobrý člověk, Jess Harperová."

„Ty taky. Nehádej se kvůli mně s rodiči, prosím."

„Proboha, Jess, už jdi domů!" Holly mi vytrhla z ruky prázdné hrnky od kávy. „Já to umyju." Byl čtvrtek večer a já jsem se měla potkat se Samovými kolegy z práce. Ale jako bych měla na poslední chvíli potřebu všechno uklidit.

„To je v pořádku," řekla jsem, ukořistila nádobí a utekla do kuchyňky, kam mě Holly následovala. Nebyla jsem z toho setkání nervózní. Ani trochu, vážně. Možná jen trošičku.

„Poslouchej tetu Holly." Svraštila tmavé obočí, což měl zřejmě být její vážný obličej.

„Mám snad na výběr?" zasmála jsem se jejím snahám. S tmavě podmalovanýma očima a zvýrazněnými lícními kostmi vypadala spíš jako rozlícený kočkodan. Jak jsem ji mohla brát vážně?

„Budeš se jim líbit, Jess. Protože jsi prostě úžasná."

Dobře, věděla naprosto přesně, co se mi teď honí hlavou. Ještě nikdy jsem se tak nebála setkání s novými lidmi jako teď. Úplně mě to zaskočilo, protože takhle se většinou nechovám.

„Co když ne?" zakňourala jsem, což byl v mém případě dost neobvyklý zvuk. Shelley by se toho zvuku lekla a pak by mě naoko praštila po hlavě. Holly byla trochu jemnější. „Ta šílenost na Facebooku mě úplně rozhodila. Co když… tam někdo z nich bude?" řekla jsem tiše a začala urputně drhnout hrnky. Pak jsem je pečlivě osušila a nakonec se setkala s Hollyiným překvapeným výrazem, protože jsem nádobí vždycky nechávala osušit na odkapávači.

„Jess, zapomeň na to. Víš, jak to na sociálních sítích chodí. Lidi tam píšou věci, které by nikdy nahlas neřekli. A kdyby jo, lekli by se, že se nechali zatáhnout do cizích problémů. Sociální sítě dělají z lidí monstra. Nikdo z nich si tě vlastně ani nepředstavuje jako živou osobu. Jsi pro ně jen avatar, obrázek, v jejich mysli neexistuješ. Říkala jsi, že ty dvě holky, co tvrdily, že s tebou chodily do školy, vůbec neznáš.“

„Ale i tak...“ Ten příspěvek už Victoria dávno smazala, ale fakt, že se k němu vyjádřilo tolik lidí... mě pořád mrzel.

„Ve chvíli, kdy jeden člověk s něčím začne a další s ním souhlasí, dají nevědomky povolení ostatním vyjádřit sebenechutnější názor. Kdyby tě někdo z nich skutečně potkal, byl by v šoku. To ti garantuju.“ Jemně mi vykroutila utěrku z ruky a ušklíbla se. „Brzy si všichni z nich uvědomí, že máš do té zmíněné svině pěkně daleko.“

„Děkuji, doktore Freude.“ Narovnala jsem se. „Máš pravdu.“

„Tys o mně někdy pochybovala?“ poškádlila mě Holly.

Ne,“ usmála jsem se, „ty máš pravdu skoro vždycky.“

„Tak na to nikdy nezapomeň. Teď utíkej za tím svým fešákem. Užij si večer a vůbec nemysli na mě, jak tady otročím a snažím se dokončit esej na téma kognitivně behaviorální teorie o poruchách příjmu potravy.“

„Nebudu,“ slíbila jsem a objala ji. „Díky Hol. Uvidíme se zítra.“

„Tohle je Jess.“

Jak jsem se mohla ještě víc nezamilovat do člověka, který dal třemi slovy najevo, že jsem pro něj výjimečná? Obzvlášť když to bylo úplně poprvé, co jsem se potkala s jeho kolegy z práce, kteří byli podle jeho popisu přehlídkou dokonalých vlastností? Pak sáhnul po židli, natlačil ji vedle kolegyně, která slavila narozeniny, a její sousedky s neuvěřitelně modrýma očima a spokojeně pokyvoval, když viděl, jak se všichni usmívají a mávají mi na pozdrav, ještě než jsem ze sebe stačila dostat rozpačité „ahoj".

„Ahoj Jess," modré oči se okamžitě začaly posouvat s celou židlí, aby mi uvolnily více místa. „Já jsem Erin a tohle je Jen, má dneska narozeniny, i když to asi poznáš podle té šerpy."

Sam odběhl k baru a já jsem si zatím prohlídla pásky, které si Jen hrdě upravila na hrudi. Jedna oznamovala, že jsou jí dva roky. Druhá devět.

„Devětadvacítku nikde neměli," vysvětlila Jen se silným skotským přízvukem a přehodila si blond vlasy z jednoho ramene na druhé. Asi jsem na ni několik vteřin civěla, ale její dokonalý úsměv jako z reklamy mě doslova fascinoval.

„Třicítku jsem v tom obchodě ale viděla, zlato," poškádlila ji Erin a mrkla na mě.

„Před dětmi nikdy nehodlám přiznat, že je mi třicet," řekla Jen a zasmála se. „Třicet je pro ně důchodový věk."

„Ve skutečnosti je jí dvaatřicet," naklonila se ke mně Erin a vůbec se nesnažila šeptat. „Jen si to nechce přiznat."

Jen se usmála a ve tvářích se jí objevily roztomilé dolíčky. Pak omluvně pokrčila rameny. „Jestli pořád vypadám pod třicet, budu z toho těžit, jak dlouho budu moct."

„Předpokládám, že ti to ještě pár let bude procházet," dodala jsem a znovu se zadívala do její andělské tváře.

„To doufám," usmála se a zvedla sklenici vína, aby si se mnou přiťukla. „Zatím to funguje, aspoň v mojí třídě. Učím předškolní děti, někdy je to jako ukočírovat tlupu surikat. *Cože, paní učitelko? Kde? Jé, hele!*" Těkala hlavou ze strany na stranu a opravdu v tu chvíli připomínala roztomilé zvíře. „Miluju je všechny, ale udržet je u nějakého projektu je vážně nadlidský úkol."

Erin se s ní zasmála a pak Jen ztišila hlas. „Takže Jess, řekni nám, prosím tě, co děláš a jak ses tu vlastně zjevila."

„A co jsi udělala s Victorií?" dodala Erin a rozhlédla se po restauraci, jako by snad mohla vyskočit zpoza rohu.

„To vám bude muset říct Sam," odpověděla jsem a píchlo mě u srdce. Přízrak bývalé přítelkyně už mě dost otravoval.

„Erin, neříkala jsem ti dneska něco o mezích slušnosti?" řekla Jen učitelským hlasem.

„Jen jsem se zeptala," pípla Erin, zvedla ruce nad hlavu, ale pak se stejně vrátila k tématu, které ji zajímalo. „Jak dlouho už spolu chodíte? A kde jste se poznali?"

„Dej té chudince aspoň prostor se nadechnout," Jen zaťukala dlouhými nehty Erin na paži, „jestli ji hned vyděsíš, už se tady taky nemusí nikdy ukázat. A to by byla škoda. Protože se nám líbí, že jo?" Pak zaklonila hlavu. „Vypadáš moc fajn. Rozhodně líp než…" Pak se chytila za pusu, jako by řekla něco zakázaného. „Dělej, že jsi to neslyšela, ale my jsme Victorii moc nemusely."

Erin smíchy zachroptěla. „Odkdy jsi tak diplomatická, Jen Warrenová? Musím s tebou nesouhlasit," pak zvedla obě dlaně v řečnickém gestu, „pamatuju si, že jsi o ní řekla, že se chová jako arogantní kudlanka nábožná a že má nos tak vysoko, že musí čichat podpaždí svatého Petra."

Nemohla jsem si pomoct a vyprskla jsem smíchy, to druhé přirovnání se vážně povedlo. Pak jsem si přiložila dlaně na uši a dělala, že nic neslyším.

„Už jsi ji potkala?" zeptala se Erin.

„Tak trochu," přiznala jsem a zavrtěla se na židli. Moc se mi nechtělo popisovat naše první, nepovedené rande.

„Chovala se jako kráva?" zeptala se Jen upřímně, když jsem dál mlčela.

Uf, nechtěla jsem se nechat do podobné konverzace zatáhnout, snažila jsem se najít Sama, ale ten sc ještě u baru ani nedostal na řadu.

Jen mě pohladila po rameni. „Nerozčiluj se, zlato. Jsi ta nová přítelkyně, musíš si zachovat chladnou hlavu." Pak se otočila na Erin. „My si můžeme říkat, co chceme. Možná si myslíš, že jsme zlomyslné, ale…," odmlčela se a udělala rošťácký obličej, „pravda je, že se nikdy nesnažila se s náma sblížit. Kdykoliv ji Sam přivedl, což teda nebylo moc často, dávala jasně najevo, že přišla jen kvůli tomu, že na tom trval, a celou dobu se očividně nudila. Párkrát jsem ji dokonce přistihla, jak vyvrací oči v sloup."

Erin na ten popud gesto zopakovala. „Mrzí mě to, ale Jen má pravdu. Bylo mi Sama trochu líto. Vždycky ji obhajoval, že se před námi cítí nejistě. Blbost."

„Prý nejistě. Vždyť to byla rozmazlená princezna."

Erin se na ni zadívala. „Co jsem ti říkala o tom, že děti jsou kopií svých rodičů?"

„Ale ona je přece už dospělá ženská."

„To pochybuju," trvala na svém Erin. „Moje sestřenice s ní chodila do školy. Její rodiče se prý rozvedli, když Victorii bylo patnáct. Byl to prý dost drsný rozchod, oba ji chtěli mít ve výhradní péči, takže se o ni začali přetahovat. Výlety do lyžařských resortů, dovolená na Bahamách, drahé kabelky a oblečení. Vážně, dostala všechno, co chtěla. Po pár letech tahanic soud rozhodl o střídavé péči, takže bydlela týden u otce a týden u matky. Přísun dárků prý nepřestal, bylo to ještě horší. Jeden se snažil toho druhého v jejích očích pošpinit, Victorii si dál kupovali až… si oba našli nové partnery. A z Victorie se stala druhá liga. Od té doby se prý jen snaží upoutat jejich pozornost."

Jen ji zastavila. „No jo, chudák Vic, to ale neznamená, že se musí chovat jako ta největší mrcha."

„Nebuď zlá, Jen."

Zasmála jsem se. „Takže není největší?"

Jen se zachechtala. „Myslím, že mezi nás skvěle zapadneš."

Než se Sam konečně vrátil s pitím, výborně jsem se bavila. „Tady máš," řekl, natlačil se mezi mě a Jen a podal mi pivo.

Vzhlédla jsem k němu a setkala se s jeho vřelým úsměvem. V tu chvíli jsme tady klidně mohli sedět sami dva. Nos měl posetý pihami od sluníčka a vrásky kolem očí mu prosvítaly světlými nitkami neopálené kůže. Mapovala jsem jeho obličej a snažila se přijít na to, co přesně mě k němu tak neuvěřitelně táhne. Pak se naklonil a políbil mě na koutek rtů.

„Díky, že jsi sem šla se mnou," zašeptal.

„Všichni jsou hrozně milí." A určitě jiní než kamarádi z kriketového klubu, od kterých mě zatím držel dál.

„To jsou." Přikývl a rozpuštěné vlasy se mu rozhoupaly kolem krku.

„Dlouho jsme takhle nikde nebyli. Když se s někým pořád vídáš v práci, ani moc netoužíš setkávat se i večer."

Skepticky jsem si ho prohlédla. S Holly jsme spolu mohly trávit hodiny v práci i mimo ni. Když jsem se rozhlédla, jeho kolegové mi nepřišli jiní.

„Všechno nejlepší, Jen," zvedl sklenici k přípitku. Všichni se k němu přidali.

„Díky, Same. A děkuju, že jsi dneska přišel. Jak se rodičům líbí v novém domě?"

„Je to paráda," řekl Sam a rychle po mně hodil pohledem. „Není úplně nový, bydlí tam už půl roku."

„Vážně? Ten čas letí." Erin stáhla rty do úzké linky. „To jen potvrzuje, jak dlouho jsi s náma nikde nebyl."

„Teď jsem tady." Ušklíbnul se.

„Ano, to jsi." Pohladila ho po rameni. „Jsme rádi, že tě máme zase zpátky." Její zářivé oči se usadily na mojí tváři. Ať už to znamenalo cokoliv, vnímala jsem to jako osobní souhlas.

„Myslím, že se jim líbíš," zašeptal mi pak do ucha.

„Brzo mi to vrátíš," připomněla jsem mu příští týden, kdy se měl setkat s Bel. „Bel je moje nejlepší kamarádka. Tam ti to tak lehce neprojde." Postrašila jsem ho.

Málem jsem se cítila provinile, když jsem viděla, jak se po jeho tváři přehnal náznak pochybností. Setkání s Bel a Danem byla předem vyhraná bitva. Tím jsem si byla jistá.

17

Bel zvedla hlavu. Když mě uviděla, celá se rozzářila. To je Bel, proboha, moje nejlepší kamarádka, tak proč se mi třesou kolena? Sam to na mně samozřejmě zase poznal.

„Bojíš se, že tě ztrapním?" poškádlil mě.

„Ne, jen bych byla ráda, kdyby ses jí... ses jim líbil."

„Většina s tím neměla problém," prohlásil sebevědomě, ale cítila jsem, že si až tak jistý není.

Chytila jsem ho za loket a dovedla ke stolu, kde seděla Bel s Danem. Tohle bylo úplně poprvé, co jsem Sama někomu oficiálně představovala. S dalšími důležitými lidmi už se setkal, Bel však byla dlouho mimo město. A matku jsem zatím odkládala. Možná proto, že jsem před ní chtěla Sama do poslední chvíle ochránit.

„Ahoj Jess." Bel vyskočila a rychle mě objala, aby mi připomněla, proč patří mezi moje oblíbence. „Ty musíš být ten slavný Sam. Hodně jsem o tobě slyšela. Neboj se, samé dobré věci."

„Uf, to jsem si oddychl," řekl Sam a podal ruku Danovi. „Sam Weaverham."

„Dan Hamilton. Rád tě poznávám." Pak po mně hodil pohledem. „Trochu se mi ulevilo, vypadá normálně. Měli jsme s Bel strach, že už jsi vyšla ze cviku."

„Děkuju, Dane, klidně Samovi popiš, že jsem měla poslední rande před několika lety."

„Dane!" okřikla ho Bel vysokým hlasem. „Takhle to přece není. Jess je jen trochu… vybíravá."

Dan se praštil dlaní do čela. „No jasně. Já jsem zapomněl."

„Jste hrozní, to si říkáte kamarádi?" Vrtěla jsem hlavou a hledala u Sama útěchu. „Ignoruj je. Známe se s Bel už od školky. Myslí si, že o mně může říkat, co ji napadne."

„To můžu," zaprotestovala Bel a pak tajemně dodala, „znám všechna její tajemství."

Zasmáli jsme se, a když jsem pohlédla Bel do očí, našla jsem v nich slib, že nikdy nic z toho neprozradí. Ona, Lynn, Richard a Shelley byli jedinými lidmi, kteří věděli o temném období mého dětství, kdy se moje matka psychicky zhroutila.

„Co pijeme?" Sam zkontroloval jejich sklenice.

„Něco přinesu," řekla jsem a pohladila ho po paži. Další věc, co jsem na něm milovala, byla jeho štědrost. Co vlastnil, i o to se rád podělil, i když ve skutečnosti vydělával desetinu toho, co Bel a Dan pracující ve finančním sektoru.

„Seš si jistá?" zeptal se mě.

Došla jsem k baru, a když jsem čekala na objednávku, zadívala jsem se k našemu stolu. Dan právě něco vykládal a Sam se tomu hlasitě zasmál, zaklonil přitom hlavu a otevřel pusu. Zatetelila jsem se blahem. Co na něm jen bylo, že mě to nutilo se do něj zamilovávat každý den víc a víc? Samozřejmě byl atraktivní, ale to nebylo zdaleka všechno. Jak bych se asi cítila, kdyby mě opustil? Trpěla bych jako Victoria? Zamrkala jsem, abych tu představu odehnala, a když jsem znovu zkontrolovala stůl, smál se naopak Dan a Bel měla na tváři shovívavý výraz, jaký mívají matky puberťáků. Zdá se, že Sama přijali bez problémů.

Když jsem se vrátila, Dan si povídal se Samem o kriketovém zápase, který oba viděli, takže jsem se posadila k Bel.

„Hezký," zamumlala. „Moc hezký."

„Děkuju," odpověděla jsem. „Takže mám tvoje svolení v tom pokračovat?"

„Samozřejmě." Bel zněla optimisticky. Nejoptimističtěji, jak jen dobrá duše jako ona mohla znít. Zadívala jsem se na Sama a snažila si ho promítnout Belinýma očima jako neznámého člověka. Dneska měl na sobě tmavě modré plátěné kraťasy a světle modré tričko s límečkem. Nic extra, ale člověk si nemohl nevšimnout, jak se mu tričko napíná na mohutné hrudi. Po tváři mu přebíhalo pobavení, údiv i smích, jak diskutoval s Danem a jako obvykle se nesnažil nikoho ohromit. Pak si všiml, že se na něho dívám, a usmál se.

Pokaždé mě dostal. Ten rychlý záblesk intimity, ten pocit, že o mně ví. Zahřálo mě to u srdce. Usmála jsem se a pak jsme se vrátili ke svým rozhovorům.

„Ach jo, ty první týdny zamilování," okomentovala můj výraz Bel.

Chtěla jsem zavrtět hlavou, ale nemohla jsem se ovládnout, štěstí a spokojenost prosakovaly každým mým pórem.

Bel na mě šokovaně hleděla. „No vážně, takhle jsem tě ještě nikdy neviděla." Pohladila mě po ruce a pak si složila paže na prsou. Její starostlivý výraz mě trochu rozhodil.

„Je úžasný," pronesla jsem tiše.

Pak se otřásla a pořádně mě objala. „Však taky bylo na čase. Už jsem měla strach, že se ti nikdy nikdo nedostane pod kůži."

„Co tím myslíš?" zeptala jsem se.

Zvedla obočí. „No tak, Jess."

Nerozuměla jsem jí. „V práci vidím, jak můžou vztahy skončit. Možná jsem trochu opatrná, nic víc."

„Byla jsi opatrná ještě dřív, než jsi tam začala pracovat. Vždycky jsem o tebe měla strach, bála jsem se, že tě máma… však víš, že tě její negativní pohled ovlivnil."

„Její negativní pohled? Myslíš její snahu zkazit každou radost?" opravila jsem ji a zasmála se jejímu diplomatickému postoji.

„Tak jsem to říct nechtěla. I když je vlastně obdivuhodné, že to na tobě nezanechalo žádné vážné následky. Vždycky sis muže držela stranou, ale," usmála se, „tohohle sis pustila pěkně k tělu." Stiskla mi ruku. „Mám z tebe radost. Jsi celá…," zatřepala rukama kolem hlavy, „prostě záříš. Líbí se mi to. Konečně."

„Díky, Bel. Příští víkend bych ho chtěla představit mámě."

Bel překvapeně vytřeštila oči, ale nic neřekla. Naštěstí. Samotná představa toho setkání mi už teď naháněla husí kůži.

Jako by Sam tušil, že holčičí řeči už máme za sebou, otočil se k nám. „Jess říkala, že jsi teď měsíc pracovala v New Yorku. Byl jsem tam minulý rok na stáži. Měla jsi čas projít se po městě?" Rukou mi sjel na koleno a pokračoval.

Když jsme si dali druhé pivo, dveře se otevřely dokořán a dovnitř vpadlo asi šest lidí. Koutkem oka jsem je zaregistrovala, byli dost hluční a posadili se k vedlejšímu stolu. Vtom jeden z nich zavolal: „Same?!"

Sam zvedl hlavu a zareagoval: „Miku?!"

„Hej, chlape, jak se máš?" Mike Sama poplácal po zádech, když se chlapácky objali.

Zvědavě jsem je pozorovala, projela mnou vlna nervozity. Mike byl Samův nejlepší kamarád.

Zbytek osazenstva se začal se Samem zdravit a já jsem najednou ustrnula v úžasu. Victoria. Seděla mezi nimi a usmívala se na Sama, oděná v bílých bavlněných šatech a obklopená dvěma kamarádkami, které na mě už teď vrhaly vražedné pohledy.

Super. Ze všech hospod v celém městě si dneska museli vybrat zrovna tuhle. Mrkla jsem trochu vyděšeně na Bel, ale nic jsem neřekla. Sam byl najednou na roztrhání, dva další kamarádi ho objímali a ty dvě holky ho políbily na tvář a demonstrovaly, jak dlouho už se neviděli. Victoria se držela stranou, vypadala trochu ostýchavě, ale rozkošně, to jsem musela uznat. Naštěstí se nijak neprojevovala. Její kamarádi k ní vysílali ostražité pohledy a ona jim je oplácela statečnými úsměvy. Jedna z holek si sedla přímo k ní a objala ji kolem ramen.

Bel si odfrkla a přiškrceně se mě zeptala: „Ty je znáš?"

Victoria mě sledovala ostřížím pohledem, takže jsem se snažila ovládnout veškerou nenávist. „Ne, ale… nedívej se tam a nijak nereaguj, protože se na nás zrovna dívá, ale ta holka v bílých šatech je Samova ex."

„Cože? To si děláš srandu?" Belin obličej zčervenal rozčílením, celá se napřímila.

„Pssst, prosím."

„Ale…"

„Ignoruj ji."

Sam se ke mně otočil a zvedl ruku. „Jess." Chytila jsem jeho prsty a postavila se. Se sebezapřením jsem se usmála, abych udělala dobrý dojem.

„Jess, tohle je Mike."

„Ahoj," dostala jsem ze sebe a usmála jsem se na tmavovlasého kluka. Byl to Samův pravý opak.

„A tohle je Paige, Mikeova přítelkyně," prohlásil Sam trochu moc horlivě a představil mě dívce po Mikeově boku. Paige vůbec nevypadala nadšeně, že mě vidí. Chvilku to vypadalo, že se na mě ani nepodívá. Naštěstí její trápení ukončila Victoria, která se najednou objevila u našeho stolu a chytila Paige kolem pasu. Měla jsem dojem, že ten pohyb byl trochu moc majetnický, jako by snad chtěla Paige naznačit, že za sebe umí bojovat sama.

„Ahoj Jasmíno, jmenuješ se tak, že?" Victoria převzala iniciativu s blahosklonným úsměvem, s jakým vrchnost zdraví své poddané.

Přinutila jsem se k úsměvu. „Ne, to je princezna od Aladdina, já jsem jen obyčejná Jess."

V Paigeiných očích problesklo něco jako obdiv, což mi dodalo odvahu.

Victoria zamrkala. Překvapila jsem ji a potřebovala pár vteřin, aby se dostala zpátky do svojí role. V tu chvíli jsem si uvědomila, že je mistryní taktiky, ale tahle konverzace nejde podle jejího plánu. Došlo mi, že tuhle přepadovku naplánovala a já jsem jí do toho vnesla zmatek.

„No jasně… nevypadáš jako princezna od Disneyho."

Paige cuknul koutek, ale dobře to skryla. Odhadla jsem Victorii naprosto přesně, nechtěla ztratit svoji tvář. Musela za každou cenu vyhrát a já jsem jí stála v cestě. Mohla jsem ten problém vyhrotit, nebo se střetu vyhnout. Nikdy z nás nebudou kamarádky, ale nemusíme přece být rivalkami.

„Sam nám toho o tobě moc neřekl," prohlédla si mě od hlavy až k patě. „Co vlastně děláš?"

Pokrčila jsem rameny. „Sekretářku." Rozhodně nebudu skákat tak, jak ona bude pískat.

„Dobře, ale pro koho? Kde pracuješ?" Victoria znovu zatlačila. Proboha, chovala se jako vzteklý pes.

„Není to nic zajímavého." Zvedla jsem ramena, abych jí naznačila, že jí víc neřeknu. Krávo zvědavá! „Pracuju v kanceláři, zvedám telefony, domlouvám schůzky a zakládám papíry. Co děláš ty?" Držela jsem si přátelský tón. Měla jsem tu svědky a chtěla jsem si být jistá, že cokoliv, co řeknu, nebude nijak použito proti mně. Moje otázka ji měla navést jinam. Doufala jsem, že se začne chlubit vším, co dělá, což bude na hony vzdálené nudné práci sekretářky. Pamatuju si, že Sam říkal, že pracuje ve firmě svého otce.

„Organizuju akce, jsem influencerka na sociálních sítích a tak," řekla Victoria. „Pomáhám Sally s jejich oslavou výročí. Slyšela jsem, že tam taky budeš." Na chvilku se odmlčela. „Je toho spousta, co se musí zařídit, chtějí to oslavit se všemi nejbližšími přáteli a rodinou. Sally na tom moc záleží, bude to velkolepá párty… Už v jejich starém domě pořádali úžasné večírky, že jo, Paige? Pamatuješ na to grilování, kde Sam málem podpálil trávník?"

„Bože, no jasně! Chudák Tiggy se snažila co nejrychleji sežrat všechny klobásky."

Tiše jsem poslouchala jejich rozjařené vzpomínky a byla jsem vděčná, když mě Sam chytil za ruku. Bavil se s někým po své pravé straně, ale moc dobře věděl, že stojím vedle něho. Usmála jsem se, naprosto neúmyslně, a všimla jsem si, že moje gesta zachytil Victoriin radar. Zatvářila se nasupeně. Až dosud jsem měla pocit, že si vedu docela dobře, navíc před skupinou lidí, kteří i když se chovali slušně, se mnou neměli moc soucitu. Paige se párkrát dokonce zasmála mému vtipu a Victoria se radovala z toho, že mi dala najevo, kdo to tady má pod kontrolou.

„Nevydrží vám to, to je ti snad jasné," zasyčela na mě. „Nikdo s tebou nechce mít nic společného. Samovi kamarádi o tebe nemají zájem. A oni jsou pro něj dost důležití, to ti snad nemusím vysvětlovat. Nikdy tě mezi sebe nepřijmou." Pak odtáhla Paige za ruku a posadily se ke stolu za námi. Nadechla jsem se, nasadila vyrovnaný výraz a zaposlouchala se do rozhovoru, který vedl Sam.

Mike na mě jemně kývnul a další větu už zase adresoval Samovi.

„Příští týden hraješ? Bude to těžký zápas."

Sam mě chytil kolem pasu a přitáhl si mě k sobě.

„Jo. Jejich nadhazovač je ve formě."

„To jo, ale ne vždycky mu to vyjde. Přijdeš v neděli na grilovačku?"

„Asi ne," odpověděl Sam.

„Nepracuješ přece. No tak, chlape. Snad si můžeš na jeden den od toho známkování odpočinout."

„To ne, budu s Jess." Vážně? O tom jsem zatím nic nevěděla. O příštím víkendu jsme se ještě nebavili. Zvykla jsem si na to, že skoro každou sobotu hraje, takže to nebylo překvapení.

„Jste k sobě přivázaní?" Jeho přiblblý vtip mi na náladě nepřidal. „Má tě pod palcem."

„Už máme plány," řekl Sam a zmáčkl mě v pase. Polkla jsem zklamání. Vymlouval se a já jsem tak trochu tušila proč.

„To je škoda, neviděli jsme tě už celou věčnost."

„Vidíme se každou sobotu," protestoval Sam.

„No není to samé. Vysmahneš po každém zápasu." Mike mě sjel chladným pohledem, i když na tónu hlasu to vůbec nedával znát. „Musíš mu to vodítko trochu povolit. Jsem si jistý, že pár hodin to bez něj zvládneš." Málem bych mu na ten bodrý tón naletěla, ale jeho oči po mně střílely blesky.

Cítila jsem na zádech Samovy prsty. Jeho postoj se změnil.

„V ničem mu nebráním," řekla jsem tiše a zvedla bradu, ještě než Sam stačil něco říct. „Sam se rozhoduje sám za sebe. Tohle není žádná pohádka bratří Grimmů. Nejsem zlá čarodějnice, která mu zamotala hlavu." Přejela jsem si dlaní po džínových šortkách. „Jsem úplně obyčejná holka." Chtěla jsem ještě dodat, že to Victoria se mezitím proměnila v saň plivající oheň, ale byla jsem si vědoma toho, že každé moje slovo může být překrouceno.

Neviděla jsem za Mikea, ale věděla jsem, že nás od stolu se zájmem pozoruje několik párů očí, takže jsem se snažila vystupovat uvolněně a co nejvíc jsem ovládala řeč svého těla.

„Miku, nech toho, chováš se jako blbec," napomenul ho Sam tiše. „Jess a já si to prostě užíváme, proč z toho nemůžeš mít radost? Jestli ti to vadí, je to tvůj problém, ne můj." Pak mě políbil na čelo. „Uvidíme se později." Otočil se ke kamarádovi zády a dovedl mě ke stolu, kde seděla Bel s Danem. „Seš v pohodě? Omlouvám se. Nikdy dřív se takhle nechoval."

Natáhl se mi po ruce a propletl svoje prsty s mými. Srdce se mi znovu splašilo a cítila jsem, jak mi rudnou tváře.

„Nic se nestalo. Chybíš jim, chápu to. Není to vůbec jednoduché."

„Tak to není. Choval se jako debil." Sam druhou dlaň sepjal v pěst. Cítila jsem, jak mě Victoria sleduje, ale rozhodla jsem se nevěnovat tomu pozornost.

„Nehádej se s ním. Zajděte si spolu někdy na pivo, sami dva. Určitě se to zlepší."

Sam zavrtěl hlavou, povolil pěst a políbil mě na rty. „Seš ten nejlepší člověk na světě."

„Na světě jsou důležitější věci. Jsme spolu šťastní, ne?"

Přejel mi prstem po nose a znovu mě políbil. „To jsme…"

No dobře, věděla jsem, proč to dělá. Protože to Victoria musela všechno vidět. Což mi dělalo moc dobře.

„To bylo zajímavé," prohlásila Bel. S Danem celou tu scénku sledovali a oba zřejmě čekali dramatičtější konec.

„Omlouvám se. Je to teď všechno trochu složité," vysvětlil Sam zamyšleně.

Viděla jsem Belin naježený výraz. „Nic se nestalo," řekla jsem. „Pořád je to ještě čerstvé… Časem se to spraví. Navíc Tring je malé město."

„Čerstvé?" Sam se zamračil, když Bel zvedla překvapeně obočí. „Vždyť spolu chodíte už dýl než měsíc, ne?"

„Pět týdnů," přiznala jsem.

„Nikdy by mě nenapadlo, že by Mike nebo někdo z nich někdy zašel do téhle hospody," řekl Sam a projel si prsty ve vlasech. Jasně tak dal najevo, že restauraci vybíral právě podle toho. „Většinou po zápase zůstávají v klubu nebo jdou k Akemanovi."

„Prostě smůla," řekl Dan a na jeden lok vyprázdnil půllitr.

Vyměnili jsme si se Samem pohledy. Pokud Victoria ráda vyvolávala podobné konflikty, bylo jasné, že jít sem byl její nápad. Měla prostě talent na drama.

„Zvedáme se?" Dan se zadíval na hodinky. „Večeře je zarezervovaná na půl osmou. Jestli ještě nebudou mít volný stůl, můžeme si dát něco k pití tam."

18

„Mám jí vzít ještě nějakou čokoládu?" zeptal se Sam s obličejem ukrytým za obrovskou kyticí. Tváře měl trochu zrůžovělé, to kvůli svetru, který si oblékl přes svoje nejlepší bílé tričko s límečkem, i když bylo venku čtyřiadvacet stupňů, a to bylo teprve ráno.

„Ne, kytka bude stačit. Byla by naprosto spokojená s obyčejnými růžemi," okomentovala jsem ohromující vůni linoucí se z růží, lilií a gerber, které držel v ruce.

„Nechci, aby si myslela, že jsem nějaký skrblík. Červené, bílé, nebo prosecco?"

„Asi nechceš, aby jí došlo, že spíš s její dcerou, ale moje máma není hloupá. Kytka je naprosto dostačující. Stejně ti nic neulehčí, na to tě musím rovnou připravit." Na světě snad nebyl nikdo skromnější a praktičtější než moje matka. „Bude dělat, že se nic neděje, aby sis náhodou nemyslel, že se na to setkání nějak extra připravovala."

„To je jedno, víno vezmu i tak, to se prostě sluší."

Odsunula jsem ten ohromný puget a políbila ho na tvář. „Jsi dobrý člověk, Same."

„Já vím," odpověděl se sebevědomým úsměvem, který mě vždycky dostal. Pak položil kytici do vozíku a rozjel se dál.

„Jen někdy ti to trošku stoupne do hlavy,“ připomněla jsem mu se smíchem. Po cestě k pokladnám jsme do vozíku házeli vše, co jsme běžně nakupovali: slaninu na víkendové snídaně, které se staly naší rutinou, dva balíčky sýru, toust se sýrem se stal naší jednoduchou večeří v pracovních dnech. Hummus s okurkou, mrkví a paprikou už ležel v košíku. To byla snaha o zdravou svačinku, i když jsem si byla jistá, že hned za rohem mezi nákupem přistanou i dva balíčky chipsů.

„Co ti na to mám říct? Přece nebudu své kladné povahové rysy schovávat.“

„Tak to učíš ty nebohé děti?“ Rázně jsem se zastavila a pak sáhla po krabici trvanlivého mléka, zatímco Sam do vozíku přihodil krabici nanuků Magnum.

„Nebohé děti, jo? Jeden kluk mi tento týden řekl, že jsem úplně marný, protože jsem neuměl vyjmenovat všechny členy Anglického kriketového týmu za posledních deset let.“

„A on to uměl?“ Snažila jsem se sundat z horní police skleničku s pestem. Když to Sam viděl, natáhl se a položil mi ji do ruky.

„Samozřejmě že uměl. Aspergerův syndrom. Chystám se ho přihlásit do vědomostní soutěže o kriketu, ten kluk má paměť jako slon.“

S nákupem jsme byli téměř u konce a před námi už byly jen regály s alkoholem.

„Prosecco?“ zeptal se Sam.

„Tak dobře. Myslím, že to mámu mile překvapí. Ale měl by sis sundat ten svetr. Jinak se brzo uvaříš.“ Nadzvedla jsem lem jeho svetru a on to konečně vzdal a přetáhl si ho přes hlavu.

„Uf, hned se cítím líp.“

„No vidíš,“ prohlásila jsem, „hoďme sebou.“

„To bylo jen kvůli prvnímu dojmu, víš.“ Sam si otřel čelo, kde se mu světlé kudrny začínaly lepit potem.

„Seš blázen."

„Blázen do tebe," opravil mě, položil obě ruce na moje, kterými jsem právě svírala vozík, a políbil mě na krk.

„No podívejme se, není to nádhera?" zazněl před námi přehnaně sladký hlas. „Společné nakupování."

Srdce mi poskočilo, to snad ne. Kde se tady Victoria vzala? Sebevědomě jsem se napřímila, projela si čerstvě umyté vlasy a pro jednou jsem byla vděčná, že mám na sobě sváteční oblečení určené pro návštěvy matky.

Sam vzhlédl a pak klidně pažemi přejel po držadle tak, že mě mezi svými rameny celou schoval. To ochranitelské gesto mi vehnalo úsměv na rty a byla jsem schopná ignorovat narůstající nervozitu. V jejím přísném, i když usměvavém pohledu bylo něco znepokojivého, když rychle přejela očima po mých bavlněných květovaných šatech, v duchu je kriticky sežvýkala a pak s pohrdavým smíchem vyplivla.

„Victoria," řekl Sam, ale nic jiného nedodal.

„To vypadá na romantickou večeři ve dvou," přejela očima obsah vozíku, „ale naprosto nutričně nedostatečnou." Slyšela jsem dobře? Náš nákup sice vypadal, jako by se obchodem prohnalo pětileté dítě, ale co je jí do toho?

„Copak nevíš, že cesta k mužově srdci vede přes žaludek? Tady s tímhle mu brzy pořídíš tak akorát žaludeční vředy. Je to sportovec, víš? Měla bys mu dávat zeleninu, kvalitní maso a celozrnné pečivo." Ušklíbla se. „Moc dobře se o něj nestaráš, co?"

Po tom, co jsem se při její předchozí přepadovce tak ovládala, jsem už neměla snahu hrát milou holku. Bylo načase, aby nás konečně nechala na pokoji.

„To je moje práce? Bože, a já si myslela, že žijeme v jednadvacátém století, kdy si žena může dělat, co chce, a její přítel je sám zodpovědný za nutriční hodnoty svojí večeře."

Victoria mírně zrůžověla, a aby si udržela pozici, okamžitě změnila svůj výraz na postřelenou laň. „Same, ty jí dovolíš, aby se se mnou takhle bavila?" Semkla rty v bolestivou linku. Cítila jsem, jak Sam znejistěl.

„Myslím, že Jess dala jasně najevo, že jsem sám zodpovědný za to, co jím. A že i ona je dospělý, samostatný člověk." Překvapeně jsem se na něj podívala. Nečekala jsem ten tón. Zněl naštvaně. Většinou byl uctivý a slušný, a to i k téhle bláznivé ženské. Věděla jsem, že se stále cítí provinile, že jí ublížil. Tohle bylo poprvé, kdy jeho slova švihala vzduchem jako bič. „Snažil jsem se k tobě chovat slušně, ale už nás nech na pokoji."

Victoria zalapala po dechu a její rty vykouzlily překvapené O. Její tvář vypadala jako maska z *Vřískotu*, když se konečně nadechla a zavřeštěla: „Tohle je konec! Skončil jsi!"

Lidi se na nás začali otáčet, někteří zvědavě, jiní nejistě, někteří se rychle klidili pryč, protože se nechtěli stát součástí našeho dramatu.

„Nedělej scény, Victorie," varoval ji Sam klidným hlasem a nenápadně do mě šťouchnul, abych se dala do pohybu.

„Neříkej mi, co mám dělat," zakřičela Victoria a obličej jí hořel vztekem. Vypadala jako komiksová postava z marvelovky, která najednou vzplane rudými plameny, ze kterých vystupují jen černé oči.

„To stačí," prohodil Sam a společně jsme se dali do kroku, dál od Victorie.

„Neopovažuj se teď někam jít, ty a ta tvoje… chudinka." Poslední slovo vyslovila s opravdovým opovržením, vyloženě z ní prýštila nenávist. Uhodila však hřebík na hlavičku a mě zaplavila vlna ponížení. Nadechla jsem se a uvědomila si, jaké je kolem nás najednou ticho. Obecenstvo očividně čekalo na velkolepé finále.

Sam se zastavil, já jsem se na něj podívala a najednou se mi rozklepala kolena. Pustil vozík, oči mu nezvykle ztmavly a vykročil zpátky k Victorii.

„Už nikdy, opakuju nikdy, si nedovoluj Jess takhle říkat. Byl jsem k tobě slušný, ale došla mi trpělivost. Drž se od nás dál!" Vrátil se ke mně a veřejně mě políbil na tvář, aby tak dal všem najevo, komu patří.

„Omlouvám se, Jess." Oči mu konečně zase zesvětlaly. „Pojďme pryč." Vydali jsme se opačným směrem. Ramena jsem měla celá ztuhlá překvapením a děkovala jsem svým nohám, že mě donesly tak daleko. Než jsem si oddechla, že je to za námi, Victoria musela všemu nasadit korunu. Bez té by to přece nešlo.

„Tohle není konec. Však ty si uvědomíš, jak velkou chybu jsi udělal, a pak za mnou přilezeš po čtyřech jako pes." Trhla jsem sebou. Slyšela jsem svoji matku, šílenou a poníženou, jak podobná slova křičí za mým vzdalujícím se otcem. *Děláš největší chybu svého života. Jestli teď odejdeš, už nikdy Jessicu neuvidíš.*

Chovala se moje matka jako Victoria? Nikdy dřív mě to nenapadlo. Ale co když to byla ona, kdo se choval nerozumně? Co když si to zasloužila? Můj otec měl právo odejít. Stejně jako Sam. Já jsem o otcově důvodech nic nevěděla. V mých raných vzpomínkách vystupoval jako někdo, kdo mi četl pohádky, bral mě do parku a na nákupy. Pak mi došlo, že než odešel, trávila jsem s ním relativně dost času. S ním, ne s matkou. A vůbec jsem si nepamatovala, že bychom někde byli všichni společně. Co když ho k tomu donutilo matčino chování? Co když se i on snažil udělat správnou věc? Co když se mě snažil kontaktovat? Umožnila by mu to matka?

Tohle byly věci, které mě nikdy dřív nenapadly.

Nikdo neprohodil ani slovo, dokud jsme se neposadili do auta. I tam jsme několik vteřin seděli bez hnutí a hleděli ven. Ještě pořád se mi třásly nohy a srdce mi bušilo tak hlasitě, že rozeznívalo každou část mého těla.

„Jess, moc mě to mrzí," Sam mě objal a přitáhl si mě k sobě. Naše objetí vypadalo hrozně směšně, jak jsme se snažili vyhnout řadicí páce a ruční brzdě. „Omlouvám se." Pohladil mě po vlasech a já jsem mohla cítit jeho splašený tep i třes rukou. „Nechápu, co se to s ní stalo…"

Snažila jsem se soustředit na jeho prsty a uvolnit se v jeho náruči. Zavřela jsem oči a představovala si něco příjemného, pláž, teplý písek, slunce. Odřízla jsem se od reality. Ignorovala jsem pocit, že nevím, co mám dělat, jak pomoct. Jako by mi zase bylo osm, hleděla jsem na svoji trpící matku a nevěděla jsem, co si počít.

„Vždyť už se jí nedá vyhnout. Nejde mi to do hlavy." Zněl frustrovaně a zničeně. Pak klidnějším hlasem dodal: „Chci žít vlastní život, s tebou."

Navzdory všem šíleným emocím, které se mi proháněly hlavou, jsem se u poslední věty uklidnila, vzala ho za ruku a přitiskla si ji na svoji dlaň.

S tebou.

Byla jsem rozervaná, vina a naděje. Pralo se to ve mně. Jeden dílek skládačky jsem však uměla vyřešit velice snadno.

„Dej mi telefon," řekla jsem unaveně. „Myslím, že ti sleduje telefon."

„Cože?"

Pak jsem venku uviděla Victorii a ztuhla mi krev v žilách. Rázovala si to na svých čapích nohách přes parkoviště a její vysoké podpatky klapaly na všechny strany. Prošla kolem nás, aniž by si nás všimla, a nasedla do mercedesu zaparkovaného asi tři řady za námi. Zhluboka jsem vydechla a nechtěla to nijak komentovat, dokud jsem si nevšimla poznávací značky VIC29.

„Asi si nevede špatně, když může řídit takové auto," poznamenala jsem. Dělat influencerku očividně vynášelo víc, než jsem si dokázala představit.

„Tatínek – i když tohle asi zrovna byla maminka. Už jsem se v tom ztratil. Hrozně ji rozmazlují, aby zamaskovali fakt, že mají nové rodiny." Ušklíbl se. „Myslím, že proto teď tak vyvádí. Byli jsme spolu čtyři roky a najednou o všechno přišla. Proto jsem se k ní snažil být milý. I když tak nevypadá, je neuvěřitelně nejistá. Touží být pro někoho středem vesmíru." Složil si hlavu do dlaní. „Jess, cítím se strašně provinile. Na druhou stranu se na ni ale hrozně zlobím."

Věděla jsem přesně, jak se cítí. Určitě si to nezasloužil. Snažil se vždycky udělat jen to nejlepší.

„Same, její nejistota je její problém. Ty to za ni přece nemůžeš vyřešit."

„Nikdy nebyla centrem mého vesmíru. Teď to vím. Myslel jsem si, že ji miluju, ale…," odmlčel se a otočil se ke mně, zvedl dlaň a pohladil mě po tváři, „nedá se to vůbec srovnat s tím, co cítím k tobě."

Polkla jsem a zadívala se mu do jeho hezké tváře, srdce se mi rozbušilo a najednou jsem viděla jen modř jeho očí.

„Miluju tě, Jess. Mnohem víc, než jsem si kdy myslel, že budu schopný milovat. Proto se cítím provinile. Jestli ke mně Victoria cítí jen desetinu toho, co já k tobě, musí to pro ni být hrozně těžké."

„Same." Sevřela jsem jeho dlaň a snažila se zahnat slzy. V krku se mi usadil obrovský knedlík a chvilku mi trvalo, než jsem se dala dohromady a neromanticky chraplavým hlasem dodala: „Taky tě miluju."

„Victoria nás nerozdělí, to ti můžu slíbit.“

„Ne, nenecháme ji. Vím, jak je možné, že přesně ví, kde jsi. Podej mi telefon. Najdi svoje přátele. Pamatuješ, už jednou jsem se o tom zmínila.“

„A já jsem na to zapomněl. Sakra.“ Sam rychle vytáhl mobil z kapsy. „Chtěl jsem to už dávno vypnout a pak jsem úplně zapomněl.“ Sklonil hlavu a začal projíždět obsah telefonu. „No jasně. Pořád aktivní.“ Rychle zašermoval prsty po displeji, dokud se mu nepodařilo aplikaci vymazat. „To proto na nás pořád tak náhodně narážela. Přišlo mi to divné, když jsem ji viděl v restauraci, kde jsme byli s Bel a Danem. Nikdo z nich tam nikdy nechodil. Nikdy. Bože, Jess, odpusť mi to! Měl jsem to vymazat už dávno.“

„Nebyla to tvoje chyba.“

„Ale byla. Měl jsem být trochu drsnější, ale pořád jsem se obával, jak se asi bude cítit. Už toho nechám.“

„Jen ses cítil provinile.“ To já taky, ale události posledních dní mě donutily spoustu věcí přehodnotit. Jako ten záblesk vzpomínky na matku křičící na otce, že už mě nikdy neuvidí. Měla na tom všem mnohem větší vinu, než jsem si myslela? Stejně jako Victoria, která jen zbytečně komplikovala Samův vztah s jeho matkou i přáteli?

„Cítil, ale teď jsem už fakt naštvaný. Je posedlá, ale nevlastní mě, nemá na mě právo. Ale stejně si myslí, že to tak je.“

„Smutek prožívá každý jinak, na to nezapomínej,“ řekla jsem a znovu jsem si vzpomněla na mámu, jak seděla u kuchyňského stolu s výrazem plným zoufalství. Ale vztek, zuřivost a spalující nenávist, jaké dneska projevila Victoria, mě překvapily. Zatřásla jsem hlavou, abych její tvář konečně zahnala. Nechtěla jsem se jí zabývat už ani vteřinu.

Jak by asi Sam popsal moji matku, která se po otcově odchodu sesypala a její stav neměl daleko k šílenství?

„Nebuď na ni moc tvrdý. Pořád ještě trpí. Nic se nám nestane, když budeme trpěliví."

Sam hlasitě zaúpěl.

„Budeme," trvala jsem na svém, i když jsem o tom v duchu trochu pochybovala.

„Nikdy jsem nikoho jako tebe nepotkal. Jess Harperová, jsi milá, soucitná a silná žena. Nejlepší člověk, jakého znám. A to je jen jeden z důvodů, proč tě miluju."

Když jsme zastavili před matčiným úhledným domečkem, cítila jsem se unaveně. Pohled na macešky vysázené podél betonového chodníku mě nějak rozlítostnil. Vypadaly tak bez života. Přesně jako moje matka, když ji opustil manžel. Květiny přece měly člověku přinášet radost. Jako ta ohromná kytice, kterou jí koupil Sam.

„To já bych měl být nervózní," zašeptal mi do ucha a zašustil celofánem. „Ne ty."

„Promiň, jsem v pořádku, jen trochu otřesená." V práci jsem přece byla na podobné situace zvyklá. Byly jsme trénované k tomu, abychom řešily konflikty s chladnou hlavou. Ale tohle bylo jiné. Osobní… I když někteří z těch mužů se snažili o to samé. Po tom výstupu v supermarketu jsem se necítila moc dobře, jako bych celý večer flámovala a nestihla se pořádně vyspat.

„Já vím." Sam se zastavil, políbil mě na nos a vlažně se na mě usmál. „Cítím se, jako bych měl pořádnou kocovinu. Jako by nade mnou visel velký černý mrak."

Postavila jsem se na špičky a políbila ho na rty. „Proto tě miluju, Same Weaverhame. Jsi moje lego." Začala jsem se prohrabovat v tašce a vytáhla ten kousek, který jsem s sebou nosila od našeho prvního setkání v baru. Držela jsem ho mezi dvěma prsty a Sam je políbil.

Zalovil rukou v kapse a vytáhl druhý kousek.

„Ty jsi moje lego," odpověděl a secvaknul ty dva kousky k sobě. Pak mi je položil do dlaně. „Je to hloupost, ale nosím ho v kapse od té doby, co jsme se o tom legu bavili."

Usmáli jsme se na sebe a já jsem znovu ucítila ten zvláštní pocit čiré radosti.

„Dobrý den, vy musíte být Sam." Dveře se před námi rozletěly, jako by za nimi matka čekala už dobrých deset minut.

Usmála jsem se a zastrčila si ty spojené kostky do kapsy bavlněných šatů.

„Dobrý den, Jessina mámo," pozdravil Sam a vytasil kytici. „Tohle je pro vás."

„Děkuji," převzala ji a postavila se bokem ke dveřím jako stráž u Buckinghamského paláce. „Můžete mi říkat Joan. Jessinou matkou jsem přestala být už před několika lety."

Zamračila jsem se, to byla zvláštní věta na uvítanou. I když vlastně měla pravdu. Když jsem se po dlouhých týdnech u tety Lynn a strejdy Richarda vrátila do našeho domu, našla jsem ho vyčištěný do poslední pavučinky. Matka vstala z mrtvých, ale už nikdy nic pořádně neprožívala.

Zřejmě zachytila můj překvapený výraz, takže rychle dodala: „Myslím tím, že od té doby, co dokončila základní školu, mi *Jessina mámo* nikdo neřekl. Pojďte dál. Postavím vodu na čaj."

„A pak se pustíme do boje," doplnila jsem tiše a Sam mě šťouchnul do žeber.

Uculil se hned, jak vešel do obývacího pokoje.

„Co?" zeptala jsem se a cukalo mi v koutcích.

„Ty… nejsi moc po mámě." Rozhlédl se po místnosti. „Má tu opravdu uklizeno."

„Někdy jí tady schválně s něčím pohnu, pokřivím obraz, aby to nevypadalo jako v ordinaci. Hrozně ji to rozčiluje." Přesunula jsem se ke krbu s falešným ohněm a pohnula jsem zrcadlem, takže viselo trochu nakřivo. „Ona ale nikdy nic neřekne." Vlastně mi to vždycky vrtalo hlavou. Její snaha vyhnout se za každou cenu jakémukoliv konfliktu. Bylo jasné, že jsem se ji vždycky snažila tak trochu provokovat.

„Seš rebelka," poškádlil mě Sam.

„Spíš jedináček, co si to může dovolit," dodala jsem.

„To možná taky." Usmál se.

Pokrčila jsem rameny. „Matka ve mně vždycky probudí to nejhorší." Teď se zamračil on. Přes tvář mu přeletěl zmatek, jako by to snad mohl nějak pochopit. „Nejsme si tak blízké jako ty a tvoji rodiče."

„Dobře," uznal Sam a snažil se setřást neexistující smítko z kalhot.

Než jsem se ho mohla zeptat, co to dělá, dostavila se do místnosti matka s cinkajícím podnosem plným šálků, talířků a lžiček. Vypadala trochu jako pan Doyle ze seriálu *Otec Ted*, jak se snažila udržet mnohem větší náklad, než byla fyzicky schopná unést.

„Joan, pomůžu vám." Sam k ní přiskočil a převzal podnos.

„Děkuji, to je od vás moc milé."

Sam položil podnos na konferenční stolek, který se nacházel přímo uprostřed dekorativního kobečku přesně lícujícímu se sedačkou a dvěma křesly po stranách.

„Kávu, nebo čaj?" Matka vyskládala na stůl stříbrnou džezvu s kávou a porcelánový čajník a nedočkavě pohybovala dlaní nad oběma možnostmi, než se Sam rozhodl. Samozřejmě že byla připravená na všechno. Nemohla se jako normální člověk předem zeptat, co si dáme, a přinést jen plné šálky.

„Kávu, prosím."

Sledovala jsem, jak pohledem přejela přes jeho svalnaté paže. Dlouhé vlasy – minus, neviditelná tetování – plus.

„Běž si sednout," mávla matka rukou k pohovce, kam jsem se poskládala hned vedle Sama. Oba jsme seděli na jejím okraji, jako bychom se připravovali na pohovor, což nakonec tak nějak odpovídalo realitě.

„Jess říkala, že hrajete kriket."

Trochu jsem se uvolnila.

„Sam Weaverham, je to tak, že? Slyšela jsem o vás."

Zadívala jsem se na Sama. Matka se očividně na návštěvu dobře připravila.

„Několikrát jste hrál za Essex. Viděla jsem ten zápas s Yorkshirem. Skvěle jste odpaloval."

Sam se začervenal. „Děkuju."

„Proč jste s nimi nezůstal? Nechtěl jste? Jaký máte tuto sezonu průměr?"

„Pětasedmdesát."

Dokonce takový kriketový ňouma jako já mohl z matčina výrazu poznat, že šlo o skvělé číslo.

„To mě nepřekvapuje. Zvláštní, že to někdy trenéři nevidí. Copak nemají mozek? Jsem opravdu překvapená, že se o vás ještě nikdo nepopral."

Sam nervózně poposednul. „To víte, někdy jsou to věci mezi nebem a zemí."

Zkoumavě jsem pátrala v jeho profilu, zatnutá čelist, napjaté čelo, něco mi tady nehrálo. Ale ještě jsem netušila co.

„To je od nich opravdu krátkozraké. Byla jsem se podívat na zápas minulou sobotu a opravdu by potřebovali lepšího pálkaře. Nerozumím tomu, Douglas se mnou souhlasil. Myslí si…" Pak se zarazila a zavřela rychle ústa. „To jsem ale hostitelka, nezavřu pusu. Dáte si kousek koláče? Pekla jsem ho dnes ráno. Citronový. Jess ho měla ráda, když byla malá. Slízla všechnu citronovou polevu. Vždycky měla ráda sladké."

Sam se zasmál, lhostejný k jejímu nezvyklému proudu slov. „Já vím. Musím před ní schovávat čokoládu, jinak by na mě žádná nezbyla."

Z jejího jemného kývnutí jsem pochopila, že jí došlo, že spolu už prakticky bydlíme. Křížový výslech si zřejmě užiju sama, ale měla jsem slušnou munici. Zdálo se, že matka tráví spoustu času s Douglasem, měla jsem sto chutí se jí na to začít vyptávat, ale rozhodla jsem se nechat si to potěšení na příští návštěvu.

Sam si získal extra body za to, že požádal o další kousek koláče, a málem matce nabídl, že jí poseká trávník.

„Zdá se, že je to příjemný mladý muž," přiznala, když jsem jí pomohla odnést nádobí do kuchyně. Věděla jsem, že schválně použila spojení *zdá se*, protože ještě nebyla ochotná věřit tomu, co vidí. „Bydlíte spolu?"

Samozřejmě že se na to zeptala, nemohlo jí to ujít. Na chvíli jsem za jejími zády zavřela oči. Věděla jsem totiž, co přijde.

„Nepřijde ti, že je na to ještě brzy?"

„Nepřijde," odpověděla jsem. „Když jsem si jistá, jsem si prostě jistá." Přejela jsem dlaní po kapse, abych znovu ucítila kostky lega.

„To je ale hloupost." Matka už sahala po přípravku na nádobí a plnila dřez horkou vodou, v její domácnosti nemohlo nic špinavého přežít déle, než bylo nezbytně nutné. „Povídačky z červené knihovny." Sjela mě nesouhlasným pohledem a s kyselým výrazem pokračovala ve svém výstupu: „Pracuješ v azylovém domě. Ze všech nejlépe bys měla vědět, co muži dokážou."

„To vím, ale ne všichni jsou takoví, mami. Sam je slušný člověk."

Stáhla koutky ještě níž, ponořila šálky do horké vody a začala je drhnout houbičkou. „Jen tě varuju. Tvůj otec byl taky slušný člověk. A podívej, co udělal."

„Co udělal, mami? Nikdy jsme o tom spolu nemluvily." Moje nezvyklá otázka ji překvapila ještě víc než mě. Držela jsem to v sobě už moc dlouho, abych náhodou nerozvířila něco, co už se nebude dát vzít zpátky.

„Není o čem mluvit." Matčin hlas byl najednou vysoký a příkrý. „Jednoho dne se prostě rozhodl, že už mě ani tebe ve svém životě nechce. Sbalil si věci a odešel. Konec příběhu." Zmlkla a dál drhla šálky.

Tohle ale nebyl ten konec, který jsem chtěla slyšet. Proč odešel? Proč tak najednou? Jeden den tady byl a najednou byl pryč. Takhle přesně si to pamatuju. To se rovnou odstěhoval? Než jsem se stihla dál zeptat, matka vytáhla z šuplíku čistou utěrku a dala se do leštění porcelánu.

„Jen říkám, abys na něm nebyla moc závislá. Nech si svůj byt. Chraň si svůj prostor, protože až odejde, nic jiného ti nezůstane."

„Až odejde? To je dost pesimistická představa, mami."

„Realistická. Nic není navěky. Spoléhat můžeš jen sama na sebe. Nechci, aby sis prošla tím, čím jsem si musela projít já."

Naše oči se najednou setkaly. Další věc, o které jsme se nikdy nebavily. Její duševní trauma. Nikdy dřív vlastně ani nepřiznala, že by v minulosti nastal nějaký problém. Že byla nějakou dobu úplně mimo. Zadívala jsem se za její záda do zahrady, kde stály na vydlážděné terase spořádaně vyrovnané květináče. To jí to ale trvalo.

„Starej se sama o sebe. No a teď už asi budete muset jít, že? Chceš si s sebou vzít kousek toho koláče? Zdálo se, že tvému partnerovi chutná." Obličej jí najednou zjihl a trochu se pousmála. „Moc dobře víme, že pečení není tvoje silná stránka. Což mi připomíná. Jsi si jistá, že ho chceš vzít s sebou na Gladysinu svatbu?"

„Ano."

Hlasitě vydechla a zavrtěla hlavou. „Doufejme, že ho to nevyděsí. Nikdo netuší, co si ta ženská všechno připravila. Viděla jsi její poslední zprávu? Kdo to kdy viděl, brát si s sebou na svatbu gumáky?"

Cestou domů jsme v autě seděli v naprosté tichosti. Přemýšlela jsem nad věcmi, které bych radši vypustila z hlavy. Pak jsem z kapsy vytáhla kostky lega, oddělila je a jednu podala Samovi. Byl to náš talisman.

Vzal si ji, políbil mě na prsty a zasunul si ji do kapsy. „Bude mi tě připomínat."

Přikývla jsem a udělala to samé s tou svojí.

„Jsi v pořádku? Zvládl jsem to?"

„Na jedničku. Neřekl jsi mi, že jsi v kriketu tak dobrý. Měla jsem strach, že se z tebe máma rozskočí na kousky. Znala tvoje jméno. Proč jsi mi nikdy nic neřekl? Že jsi slavný, že ti to vážně jde?"

Sam se na chvilku odmlčel. „Co jsem ti měl říct? Že jsem hrál v první divizi v kraji?"

„Tohle na mě nezkoušej, víš, že ti nerozumím."

„Hrál jsem za nejlepší tým v kraji. Víš, co je třeba Premier League ve fotbale, ne?"

„Dobře. Takže to vážně umíš."

Pokrčil rameny, ale moc dobře jsem si všimla jeho polichoceného výrazu a zvednuté brady. Trochu se usmál.

„Vážně to umím, ale rozhodně neberu tolik jako fotbalisti. Bohužel jsem se nikdy neupsal žádnému týmu, jen mě párkrát zavolali na zápas. Trochu jsem… No možná jsem doufal, že se to tuhle sezonu změní."

„Takže jsi vážně dobrý."

Sam znovu lehce zvedl ramena. „Nemyslel jsem si, že to před tebou musím zmiňovat. Stejně by tě to neohromilo."

„To asi ne, byla jsem příliš zaneprázdněná civěním na tvoje svaly a ty blond vlasy, taky jsem si myslela, že si o sobě trochu moc myslíš. A hlavně jsem zaboha nemohla přijít na to, proč máš ty brýle."

Sam se na mě široce usmál. „Jsem rád, že jsem v tom nebyl sám. Já zase koukal na tvoje nohy a představoval si, jak asi vypadá tvůj zadek."

Oba jsme se zasmáli. Pak jsem dodala: „Takže když zestárnu a budu mít špeky a celulitidu, tak mě opustíš?" Myslela jsem to jako vtip, ale matčina ostražitost už si dávno našla cestu do mojí mysli.

„Jess, co se děje?" Sam mi položil dlaň na stehno, ale pohled držel na silnici. Chovala jsem se hloupě, věděla jsem přece, že Sam by se o mě vždycky postaral.

„Promiň. Přehnala jsem to. Za to může máma."

„Je trochu upjatá, co?" Samův bystrý úsudek mě překvapil. „Ne jako ty. Jsi spíš po tátovi?"

„Nemám zdání. Odešel, když mi bylo osm. Od té doby jsem ho neviděla. Moc už si na něj nevzpomínám." A to, co si pamatuju, bylo časem překrouceno.

„Nejste v kontaktu?"

„Ne."

Sam se na mě šokovaně podíval.

„To je dost kategorické."

„Kategorické, to může použít jen učitel."

Sam ignoroval moji snahu o změnu tématu.

„Kategorické neznamená, že k tomu tématu není co říct."

„Takže teď umíš číst cizí myšlenky, jo?" Zvedla jsem obočí, čehož si nemohl všimnout, protože se na mě vůbec nedíval. Jen svíral oběma rukama volant a hleděl na silnici před sebou. Vypadal jako kapitán, který bezpečně navádí loď přes rozbouřené moře.

„Znám tě, Jess."

Povzdechla jsem si, částečně potěšeně, protože mě vážně znal líp než kdokoliv jiný, částečně unaveně, protože jsem věděla, že musím s pravdou ven.

„Můj otec odešel ze dne na den. Aspoň jsem to tak tenkrát cítila. Nepamatuju si žádné hádky nebo nesrovnalosti. Prostě doma jednoho dne nebyl."

„To zní strašně. Byli jste si blízcí?"

Zvedla jsem rychle hlavu jako laň, která cítí nebezpečí.

„Ne." Vyplivla jsem to slovo tak rychle, že se na mě Sam otočil s otazníky v očích. Nikdo se mě na to dřív nezeptal.

Oplatila jsem mu pohled a pak to zkusila znovu, mírněji. „Možná?"

Pak nastalo ticho. Trvalo mi probrat se obrázky, které mi vyskakovaly v hlavě, než jsem mohla pokračovat. „Mám pocit, že jsme si byli blízcí. Kvůli matce jsem to zazdila, ale dneska jsem si vzpomněla, že mě brával do parku. A večer mi četl pohádky." V mysli se mi vynořila jasná vzpomínka, bez mlžného oparu nebo nejasných obrysů. Sedím zády opřená a tátovu hruď, oba jsme schoulení v křesle a on mi předčítá Harryho Pottera. Právě nasadil Dursleyho hlas a moji tvář zaplavila vlna radosti. Ke svému údivu zjišťuju, že stejný výraz má na tváři i táta. Vzpomínka je najednou tak jasná, že se ta situace mohla odehrát třeba včera. Táta mi četl. Byla to naše společná záliba.

„Odešel a najedou… Byla to ta nejhorší věc na světě." Až na to, že možná jen tak neodešel. Co když ho máma, tak jako dneska Victoria, prostě odehnala? Co kdyby za ním nic takového nekřičela? Chtěl by se se mnou vidět?

„Doma se pak… Matka měla to, co se dneska nazývá naprostý psychický rozklad. Tenkrát se tomu ale říkalo *nedaří se jí moc dobře*. Seš si jistý, že to chceš slyšet?" zeptala jsem se tiše Sama.

„Myslím, že bude dobře, když o tom budeš mluvit," odpověděl a pak se rozhlédl. „Co když zaparkuju u přehrady a trochu se projdeme?"

Dal mi tak možnost sesbírat všechny rozkutálené myšlenky a sestavit z nich přijatelný příběh. Srovnat si po tak dlouhé době věci. Bylo to jako přejíždět rukou po zmuchlaném papíru.

Slunce se opíralo do vodní hladiny a my jsme tiše našlapovali po vysušené trávě. Okraje přehrady lemovalo zaschlé bláto. Jasný důkaz toho, jak horké letošní léto opravdu bylo.

Sam mě chytil za ruku. „Tvoje máma. Říkala jsi, že se jí nedařilo moc dobře, když táta odešel."

„To je hodně opatrně řečeno. Nejdřív byla naštvaná. Hodně křičela a pak hodně plakala. Byla jsem většinu dne ve škole, takže to nebylo tak hrozné. Pak přišlo léto a my jsme najednou neměly žádnou rutinu. Nemusely jsme nikam chodit, nic dělat a ona se najednou zasekla. Prostě zůstala ležet v posteli. Přestala mluvit. Přestala se mýt. Prostě přestala dělat úplně všechno. Vůbec jsme nechodily ven. S nikým jsme se nevídaly. Pohádala se s tetou Lynn. Nevím proč, ale pamatuju si, že když volala, máma vůbec nezvedla telefon. Pak si teta asi uvědomila, že s ní nechce mluvit. Nikdy si moc nerozuměly. Lynn ani Richard neměli ponětí, jak zle na tom matka byla."

„A co ty? Co jsi celé ty dny dělala?"

„Snažila jsem se to nějak přežít. Trochu jsem zdivočela. Plížila jsem se domem, prohledávala skříňky a poličky, hrála si s věcmi, na které jsem dřív nesměla sahat. Hodně jsem se dívala na televizi. Chodila pozdě spát. Nejdřív jsem jedla jen to, co mi chutnalo. Sušenky, sladkosti a čokoládu. Kdykoliv jsem chtěla.

Pak přišly na řadu cereálie. Bez mléka, protože to došlo. Když došlo jídlo, prohledala jsem máminu peněženku. Vzala jsem, co tam bylo, a zamířila do obchodu. Nejdřív jsem nakoupila jen sladkosti, pak mi ale došlo, že musím sníst i něco jiného, takže jsem nakoupila fazole v konzervě a taky rajčatovou polévku. Tenkrát jsem se sama naučila, jak použít otvírák na konzervy."

„Proboha, Jess!" Sam se zastavil a vzal mě do náruče. „To zní hrozně. Jak dlouho to trvalo?"

Zamyslela jsem se a podívala se na něj. „Až do září. Asi třetí týden po začátku školy už jsem to nějak nezvládla."

„Sakra. Tak dlouho?"

„Myslím, že jsem byla celkem chytré a zvídavé dítě. Když začala škola, sledovala jsem, kdy ostatní děti vycházely z domu, a pak se rychle oblékla a šla s nimi. Podle toho jsem poznala, kolik je hodin."

„Kdy si toho konečně někdo ve škole všiml? Snad to musel někdo poznat, ne?"

„Došly mi peníze. A máma strašně zhubla. Snažila jsem se ji krmit. A pak mě chytili, jak kradu v obchodě konzervy. Odmítla jsem jim říct, kde bydlím. Majitel zavolal policii, měla jsem na sobě školní uniformu, podle toho mě uměli zařadit."

„Začátečnická chyba."

„Jo. Zavolali do školy a pak už se to vezlo."

„Jess, to je hrůza. Co se stalo pak? Sociálka? Vzali tě do dětského domova?"

„Přišli k nám domů a zjistili, že máma je nemocná…," odmlčela jsem se, pořád jsem ještě cítila vinu a taky stud, „pak ji odvezli do ústavu."

„A tebe?"

Hlasitě jsem se zasmála. „Já jsem měla štěstí. Šla jsem bydlet k tetě Lynn a strejdovi Richardovi. To bylo jako v ráji. Po těch pár měsících divočiny mi pravidelná strava a rutina dělaly moc dobře. Nemusela jsem už být za nic zodpovědná. Cítila jsem se jako znovuzrozená. Zůstala jsem u nich skoro dva roky, to proto s nimi mám doteď tak hezký vztah." Rozhlédla jsem se kolem sebe, jako by nás mohl někdo slyšet. „Jsou moje skutečná rodina. Lynn je jako moje opravdová máma, Richard jako můj táta a Shelley jako moje sestra. Moje mladší, otravná sestra."

„To jsem si všiml." Znovu mě vzal za ruku a pokračovali jsme v chůzi slunečným odpolednem. Pořád ještě bylo horko a k vodě to táhlo nejen lidi, ale i zvířata. Nedaleko nás se koupaly kachny. Viděla jsem racky míhající se nad vodou jako torpéda.

„Když se máma vrátila… byla jiná. Všechno muselo být v pořádku, uklizené, uspořádané, všechno musela mít pod kontrolou. Můj sklon k nepořádku je tak trochu reakcí na její změnu. Myslím, že v léčebně dospěla k názoru, že když bude mít všechno srovnané, bude mít svůj život zase pod kontrolou. Taky musela sociálním pracovnicím ukázat, že zvládne vést domácnost a starat se o mě. Už nikdy se pak neuvolnila. Přiváděla mě k šílenství, když jsem byla v pubertě. A přivádí mě k šílenství dodneška. Nikdy jsme spolu neměly blízký vztah."

„No teda. Po tom všem, čím sis musela projít… Jak se stalo, že jsi tak úžasná?"

„O tom nic nevím." Usmála jsem se na něj skromně. „Nemyslím si, že jsem něco extra."

„Jsi neuvěřitelná. A nemáš náhodou dobrý vztah s Lynn?"

„To jo. Ale máma… Prostě na ni žárlí. Zní to divně, ale je to tak, vždycky jí vadilo, že jsme si blízké, moc dobře to ví."

„Už nikdy jsi pak o tátovi neslyšela?"

Stiskla jsem rty a zadívala se na hladinu, kde právě jedna kachna proháněla druhou.

„Jen párkrát."

Sam čekal, až odpověď rozvinu. Byl by dobrý vyšetřovatel. Vždycky věděl, kdy mám ještě co říct.

„Mám dva bratry. Teda nevlastní bratry."

Šokovaně se na mě podíval. „Viděla jsi je někdy?"

Zavrtěla jsem hlavou. „Napsal mi dopis, když se ten první narodil, poslal mi fotku. Znovu se oženil, jeho žena se jmenuje Alicia."

„Jak je to dlouho?"

„Deset let. Jmenuje se Ben, je mu deset. Máma... to nevzala moc dobře. Měla jsem tehdy strach, že má záchvat paniky nebo mrtvici. Složila se a já jsem si myslela, že jí budu muset volat záchranku. Tolik jsem se bála, že se znovu zhroutí, že zase bude muset do léčebny, tak jsem ten dopis spálila. Ani si nepamatuju, co v něm bylo. O dva roky později jsem dostala další dopis a další fotku. Druhý kluk se jmenuje Toby. Tenkrát jsem matce radši nic neřekla, ale stejně jsem na něj neodepsala. Asi jsem neudělala dobře, co?"

„To nedokážu posoudit."

„Ignorovala jsem tátovy dopisy. Mám dva bratry."

„Chránila jsi svoji mámu. Tvůj táta odešel před osmnácti lety. Nikdy tě pak už nenapadlo ho kontaktovat?"

Očima jsem znovu vyhledala kachny. „Několikrát jo, ale myslím, že už je stejně pozdě."

„Nikdy není pozdě," řekl Sam a políbil mě na spánek.

19

„Skočím jen do Tesca pro pár věcí."

„Potřebujeme zubní pastu," řekl Sam a vyšel z koupelny s ručníkem omotaným kolem pasu. V ranním slunci vypadal jako to nejúžasnější stvoření na světě.

„Hmm," řekla jsem a na chvilku se zastavila, abych mohla v tichosti obdivovat jeho božské tělo. I po několika týdnech mi stále zatrnulo u srdce, že tohle všechno teď patří mně.

„Nedívej se na mě takhle, jestli chceš někam odejít," řekl drsným hlasem, chytil mě kolem pasu a dal mi mátový polibek, který mi znovu podlomil kolena.

Měla jsem si na jeho projevy lásky už dávno zvyknout, ale srdce mi poskočilo, kdykoliv jsem ho měla před sebou. Jako někdo, kdo nikdy nevěřil na lásku a romantické příběhy, jsem v tom byla až po uši.

Neochotně jsem o krok ustoupila a s pobavením sledovala ručník, který se přímo přede mnou začal nadouvat. Sam se ucukl. Moc dobře to věděl. Vždycky to věděl.

„Seš hroznej," prohlásila jsem. „Nemáme čas. Za hodinu musíme být na cestě."

„Já jsem hroznej, jo?" založil si ruce v bok a zvedl obočí. „Tak upaluj, lásko, jinak se do toho Cornwallu nikdy nedostaneš."

Popadla jsem klíče od auta, nákupní tašku a vycouvala z bytu. Celé tři dny na cestě, jen my dva. Teda kromě zítřejší Gladysiny svatby, kde budu obklopená příbuznými. Lynn, Richard, Shelley i máma cestovali společně vlakem dnes odpoledne. Druhou noc jsem záměrně zarezervovala v útulném penzionu s restaurací v malé vesničce nedaleko města Bude. Trvalo mi nějakou dobu, než jsem se konečně rozhodla rezervaci potvrdit, ale šlo v podstatě o jediné místo v Ottershaw, kde jsme mohli zůstat, takže bylo dobře, že pokoje vypadaly tak útulně a restaurace v přízemí doslova zvala k posezení. Když jsem nasedala do auta, pořád jsem si nebyla jistá, jestli jsem udělala dobře.

„Promiňte," oslovil mě starší muž na druhé straně silnice a omluvně se usmál. Znala jsem ho a jeho ženu jen od vidění, starali se o přední zahrádku před naším domem. „Máte píchlou gumu." Ukázal na přední kolo a já jsem spěchala na druhou stranu, abych to viděla na vlastní oči.

„Aha." Zatvářila jsem se zmateně. „To je jako naschvál!"

„Váš přítel vám s tím určitě pomůže."

„To ano, ale za chvilku jsme měli odjet do Cornwallu." Moje náhradní pneumatika však byla vhodná jen na krátké vzdálenosti. Měli jsme v plánu jet mým autem, Samův stařičký Nissan držel pohromadě jen silou vůle.

Kopla jsem do gumy špičkou boty.

„Vezměte to do Kwik Fit, pomůžou vám tam. To se teď v tom horku stává často."

„Opravdu?"

„No jistě," řekl muž z bytu číslo deset a pokyvoval u toho hlavou. „Teplé počasí rozpíná vzduch a pneumatika se pak roztrhne."

Znovu jsem se na gumu podívala. Zrovna v tu nejnevhodnější chvíli. Měli jsme vyjet tak brzo právě proto, abychom mohli ostatní vyzvednout večer na nádraží, i kdybychom tam museli jet dvakrát. Bude trvat pěkně dlouho, než to vyměníme a pak zajedeme pro novou gumu.

„To je zvláštní," prohlásil soused a kleknul si na jedno koleno. „Zatracení puberťáci. Někdo vám to rozřezal schválně, podívejte." Ukazoval mi díru po noži nebo šroubováku.

No samozřejmě. Udělalo se mi zle od žaludku.

„Nevím, kam ten svět spěje. Auto mého synovce včera večer někdo objel vrtačkou dole na Park Street. Proč to lidi dělají?"

„To netuším," odpověděla jsem nejistě. Ale věděla jsem. Minulý týden nám někdo do schránky nacpal zkažené krevety. O týden dřív nám někdo domů omylem objednal pět obrovských pizz. Jak dlouho ještě budeme muset se Samem přihlížet Victoriinu řádění? Nikomu jsme přece neubližovali. Budu na ni muset zavolat policii? To byla ta poslední věc, ke které jsem se chtěla snížit. Věděla jsem, že by to jen zkomplikovalo Samův vztah s jeho přáteli, protože se všichni samozřejmě postaví na Victoriinu stranu. Byly to všechno maličkosti, ale ona je dělala s cílem nám zničit život. A taky bylo dost těžké prokázat, že za tím vším stojí ona. Vždyť jsme to vlastně na sto procent nevěděli. Jak mohla tušit, že se právě dneska chystáme do Cornwallu? Nebo to byla jen náhoda?

Rozhlédla jsem se kolem sebe. Schovala se někde a teď mě pozoruje a náramně se u toho baví? Nebo jsem si to všechno vymyslela a máme prostě jen smůlu?

Uhnízdění v pohodlí strejdovy Mazdy CX5 jsme pluli po dálnici M5 a já jsem začala pociťovat nevolnost, protože jsem skoro sama spořádala balíček gumových bonbonů.

„Vypadáš spokojeně," řekl Sam a nabídl mi úplně poslední kousek.

„Asi jsem se přecpala." Přejela jsem si po břiše. „Jen mě tak napadlo, jestli to byla vážně Victoria, kdo mi zničil tu gumu. Moc se jí to nakonec nevyplatilo."

„Karma," odvětil Sam a hodil si bonbon do pusy. „Moc hezké auto."

Když jsem zavolala tetě a popsala jí, co se nám stalo, strejda okamžitě navrhnul, abychom si půjčili jeho auto. Přidal mě jako druhého řidiče na pojistku už před několika měsíci, když si zvrtnul kotník a já jsem ho vozila každý den do práce, protože odmítal jezdit vozítkem pro myšku Minnie, jak nazýval moje auto. Rozhodně jsem neprotestovala. Řídit tak luxusní vůz s vyhřívanými sedadly a parkovacím senzorem se mi moc často nepoštěstilo.

„To ale neznamená, že zapomeneme na to, co udělala."

„Pokud to byla ona," připomněla jsem mu.

„Zeptám se jí."

„Jestli je to ona, tak chce, abychom věděli, že se ti mstí."

„Tak jí řeknu, ať toho nechá."

„Ta tě tak poslechne."

„Až se vrátíme, zajdu za ní. Možná přestane, když si s ní promluvím z očí do očí."

„Hodně štěstí." Frustrovaně jsem se uchýlila k sarkasmu, který si Sam rozhodně nezasloužil. Věděla jsem, že ho to štve stejně jako mě. Možná ještě víc, protože se kvůli tomu nemohl vídat se svými kamarády.

„Tak co navrhuješ?" zeptal se naštvaně a já jsem se cítila dvakrát tak provinile.

„Hej." Zvedla jsem ruku a položila mu ji na stehno. „Schyluje se k naší úplně první hádce?"

Nervózně si projel vlasy. „Ne. Odmítám se hádat kvůli Victorii. Omlouvám se. Nikdy by mě nenapadlo, že to bude takhle komplikované. Zlobím se na ni. Nezamiloval jsem se do tebe naschvál a snažil jsem se zachovat správně. Bože, udělal bych tenkrát cokoliv, jen abych tě dostal z hlavy."

„Promiň, jsem jako klíště." Snažila jsem se zlehčit situaci.

„Neomlouvej se, budu se zlobit ještě víc." Zněl odměřeně.

„Nic jsi jí přece neudělala. A já jsem se jí snažil neublížit. Nikdo z nás nemá důvod se omlouvat." Zapřel se dlaněmi o stehna, až mu zbělely klouby. „Byla by hloupost pokračovat v tom s Victorií, když už jsem dávno věděl, že cítím něco k někomu jinému."

To už jsem věděla. „Mám ale pocit, že všechno je pořád hrozně zamotané. Doufala jsem, že bude už dávno klid. Nebavíš se kvůli ní s kamarády a pohádal ses s mámou."

„Nepohádal," řekl Sam trochu moc rychle.

„Vážně? Kdy ses s ní naposledy viděl?"

„Máme oba spoustu práce. Hodně s tátou cestují, užívají si důchod. Uvidím se s ní na té oslavě." Povzbudivě mi stiskl ruku. „Tam se mnou bude muset mluvit."

Nechala jsem ho být. I teta Lynn říkala, že jeho máma teď neví, kam dřív skočit. I když mě samozřejmě napadlo, že to má co do činění se mnou. Kdy už se to konečně všechno zklidní?

„A s kamarády se vídám."

„Když u toho nejsem já," doplnila jsem a snažila se neznít zahořkle. Už jsem toho měla dost. Victoriin nenápadný vandalismus na mě dolehl v plné síle.

Nastalo mezi námi prapodivné ticho. Soustředila jsem se na cestu a Sam hleděl ven bočním okénkem. Takhle to přece nemělo být. Kam se poděly ty šťastné dny, kdy jsme si užívali jeden druhého a na ničem jiném nezáleželo? Milovala jsem ho a Sam miloval mě, ale stačilo to, abychom se z téhle šlamastiky dostali? Chovala jsem se jako drama queen, což se mi vůbec nepodobalo.

„Nevadilo by ti, kdybys tamhle zastavila?" zeptal se Sam, když jsme míjeli ukazatel nejbližší odbočky.

„Samozřejmě," odpověděla jsem a nenáviděla tu slušnost, s jakou se oba vyjadřujeme.

Hned co jsem zaparkovala – a ještě před tím, než jsem vůbec vypnula motor – Sam vyletěl z auta a práskl za sebou dveřmi. Zachvěl se mi žaludek, odepla jsem si bezpečnostní pás a sledovala, kam jde. Zlobí se? Obešel auto, otevřel dveře na mojí straně, sehnul se a vytáhl mě ven. Zírala jsem mu do očí a v břiše jsem ucítila staré známé hejno motýlů. Pak mě k sobě přitiskl, pevně mě objal a vážně se na mě zadíval. „Nedopustím, aby cokoliv na světě pokazilo to, co mezi námi je. Miluju tě. Nějak to zvládneme." A pak mě začal líbat. Divoce dával najevo, že jsem jeho, a já jsem se cítila jako malá holka. Nebo možná jako opravdová žena. Vím jen, že jsem většinou takové pocity nedávala najevo, ale teď jsem si užívala ten pocit, že jsem středem něčího vesmíru.

„Zvládneme to. Mezitím se ale musíme zúčastnit té svatby. A ty by ses měl psychicky připravit na setkání s úžasnou tetou Gladys."

Zbytek cesty k Rose Bowl Housu jsem odřídila s rozechvělým žaludkem. Z hlavní silnice jsme sjeli už před dvaceti minutami a teď už jsem jen následovala úzkou alej lemovanou listnatými stromy. Skoro jsem čekala, že na nás ze strany vyskočí lesní víla a roztancuje se ve slunečních paprscích prosvítajících mezi zelenými listy. Znala jsem Gladys moc dobře, v jejím případě by spíš z kapradin vyběhla nahá wiccanská kněžka.

„Už jsem tě před Gladys jednou varovala, že?" řekla jsem, když motor zakvílel a já jsem musela podřadit, abych vyjela prudký kopec.

Sam se ušklíbnul. „Několikrát. Je hodně extravagantní."

„Mám jen hrubou představu o svatebním obřadu. Nemohla jsem nic najít ani o tom ubytování. Prý patří nějakým známým jejího snoubence a ten je stejně praštěný jako ona."

„Uklidni se, bude to zábava. Neodradí mě to, pokud máš zrovna z toho strach."

„Z toho má strach spíš moje matka. Byla vyděšená, když jsem jí řekla, že tě beru s sebou. Že si budeš myslet, že je celá naše rodina bláznivá." Pak jsem se kousla do rtu, protože jsem si uvědomila, co všechno jsem mu o matce řekla. Celé ty roky jsem se snažila o tom období mluvit neutrálně.

„Jess. Jsi ten nejrozumnější člověk, jakého znám. Přece nebudeš mít z něčeho takového strach. No tak. Pojďme na to všechno zapomenout, užít si společný čas. Teta Gladys se mi bude určitě líbit. Nezapomeň, že polovinu tvojí rodiny už vlastně znám. Lynn a Richard se zdají být při smyslech a Shelley taky, i když z ní mám teda někdy nahnáno." Samovi se rozsvítily oči, když o ní mluvil.

„Chudáčku."

„Je to kudlanka nábožná." Zatvářil se naoko vyděšeně.

„Tak to možná vypadá, ale ve skutečnosti se jen snaží najít toho pravého."

„Bůh ho ochraňuj, až ho konečně najde." Sam se otřásl a pak se rozesmál.

Projeli jsme poslední zatáčkou a před námi se otevřela široká štěrková cesta.

„No teda!" prohlásili jsme oba, když se před námi objevil výhled na moře. Na pravé straně se nacházel onen dům, který se kaskádovitě spouštěl z útesu až k pobřeží.

„To je teda výhled." Nemohli jsme si pomoct a rychle jsme vyskočili z auta, aniž bychom se po dlouhé cestě protáhli. Na tmavé hladině tancovaly sluneční paprsky, což působilo jako ohňostroj. Pod námi se nacházela malá pláž ohraničená z obou stran skalami. Sam mě vzal za ruku.

„To je neuvěřitelné. Myslíš, že je to jejich soukromá pláž?" Udělal pár kroků vpřed, aby prozkoumal prostor před námi. „Tamhle je dřevěné schodiště."

„Vypadá to tak. Nadechni se, cítíš ten vzduch? Nádhera." Jemný vánek mi cuchal vlasy a na jazyku jsem ucítila chuť moře.

„Jessico!"

Otočila jsem se a spatřila osobu v růžové tylové sukni, neonově zelených legínách a příliš upnutém svetříku, která se k nám hnala z otevřených dveří. Bez bot jí to na trávě nevadilo, ale když vběhla na štěrk, začala poskakovat jako malé dítě.

Zatahala jsem Sama za ruku. „Dovol, abych ti představila svoji tetu... Zdá se, že se dneska převlékla za Barbie." Slyšela jsem, jak se zasmál. „Ještě máš čas utéct."

„To by mě ani nenapadlo," zamumlal, když jsme se jí po štěrku vydali naproti, abychom zkrátili její utrpení.

„Miláčku, jsi tady!" Objala mě dlouhými hubenými pažemi. „Máme právě hodinu baletu. Tedy jen já a hospodyně. Nechceš se přidat?"

„Byli jsme pět hodin v autě, myslím, že se radši..."

„Výborně, aspoň se trochu protáhneš. Ty musíš být Sam." Gladys si ho pozorně prohlédla. „Vidím, že máš s pohybem dost zkušeností. To jsou ale svaly."

„To už jsem myslím někdy slyšel," zasmál se Sam. „Ale nejsem si jistý, že by mi šel zrovna balet."

„Pche, to si jen myslíš. Ale předpokládám, že si budete chtít radši vybalit věci a zabydlet se. Dala jsem vás úplně nahoru, abyste měli nějaké soukromí. A taky abyste byli na opačné straně než tvoje matka." Mrkla na mě.

„Děkuju, Gladys."

„Jen co vejdete, bude na vás čekat Hendricks. Komorník. Moc toho nenamluví."

„Komorník?"

„Je to Dodiin a Freddieho dům. Staří známí z Oxfordu. Pronajímají ho přes Airbnb. Už je na ně moc velký. Bydlí tamhle v domě pro personál." Mávla rukou k několika menším budovám za hlavním domem, které samy o sobě vypadaly úchvatně. „Hendricks je Freddieho bratranec, jeho žena tady pracuje jako hospodyně. Vlastně tady tomu velí. Je trochu děsivá, ale výborná balerína. To mi připomíná, že se musím vrátit na lekci. Potkáme se v pět a dáme si gin s tonikem."

Pak se otočila a zaběhla do budovy. Cestou si ještě vystřihla pár grand jeté.

„To je ale tornádo." Sam zamrkal a zasmál se.

„Přesně, tak tohle je naše Gladys. Je blázen, ale neškodný. Prostě jen chce, aby se každý v její společnosti dobře bavil."

„Co přesně má společného s tvojí matkou?" zeptal se Sam suše, což mě přimělo se zasmát.

„Já vím, tomu se jen těžko věří. Ale značná část padla aspoň do vínku tety Lynn, to musíš uznat. Gladys je sestra jejich otce."

„Co na to říct? Máš prostě zajímavé geny." Objal mě kolem ramen a políbil mě na tvář. „Myslím, že si to užiju."

„Budu doufat, že nezměníš názor, až odsud budeme odjíždět," dodala jsem. „Pojďme se vybalit. Za hodinu budu muset jet vyzvednout zbytek delegace na nádraží."

Hendricks – strnulý a naveželený jako správný komorník – nás vyzval, abychom zavazadla nechali v přízemí, a zavedl nás po ohromném schodišti do horního patra, které zřejmě dřív sloužilo služebnictvu. Celé patro očividně prošlo rekonstrukcí. Náš pokoj byl světlý a prostorný a přes střešní okna nabízel nádherný výhled na moře, který si člověk mohl vychutnat přímo z postele. Místnost byla vyzdobená námořnickou dekorací, kterou doplňovaly modro-bíle proužkované polštáře a obrázky majáků rozvěšené po stěnách.

Vybalili jsme si věci a dali si sprchu v koupelně s tak nízkým stropem, že se Sam musel sehnout. A pak už jsem se musela rozjet na nádraží pro zbytek rodiny.

Když se v půl páté vyvalili z vlaku, všichni už byli pěkně v náladě. Lynn totiž přibalila celou lahev ginu, ale s tonikem to nepřeháněla. Takže dokonce i matka trvala na tom, že budou celou cestu do Rose Bowl Housu zpívat písničku *Dneska se vdávám*.

V hale jsem je přenechala Hendricksovi a běžela nahoru vyzvednout Sama, protože jsem si uměla představit, jak dlouho bude tetě a strejdovi trvat se vybalit. A poslední věc, co bych chtěla, bylo nechat Gladys a Alastaira čekat. Měla to být relativně malá svatba, ale neměla jsem ponětí, kolik lidí tady nakonec přespí.

„Všechno v pořádku?" zeptal se Sam, když jsem vešla a ještě pořád jsem nevěřícně vrtěla hlavou.

„Všichni už jsou opilí. Dokonce i máma, a to na ni bylo vždycky spolehnutí."

„Lynn a Richard očividně umí vytvořit příjemnou atmosféru i ve vlaku." Postavil se a vzal mě za ruku. „Pojď, půjdeme dolů a zapojíme se."

Obávala jsem se zbytečně, protože malé patio přiléhající k salonku už bylo plné lidí a na trávníku před námi se odehrával hlučný kriketový zápas. Gladys už se stihla převléct a měla teď na sobě rozevláté růžové šaty, které by vypadaly dobře ve *Star Dance* při foxtrotu. Vedle ní stál Alastair, její snoubenec, který při této příležitosti vynesl luxusní kilt doplněný fiží na krku.

Vypadal by úplně jako Bonnie Prince Charlie, kdyby nebyly tak zřejmé jeho singapurské kořeny. Když nás se Samem zahlídl, okamžitě se odpojil od hloučku, se kterým se právě bavil, a drobnými krůčky, jež mu dovolovaly jeho černé lakované botky s dlouhými tkaničkami zavázanými kolem lýtek, se k nám rozběhl.

„Tohle je ta malá Jess?" Tmavé oči mu zajiskřily. Byl to starý vtip, protože jsem ho už nějaký pátek převyšovala o celou hlavu. „Moc rád tě vidím. A tohle je tvůj přítel, že ano?"

Viděla jsem Sama, jak překvapeně zaregistroval jeho výrazný yorkshirský přízvuk. Alastair měl originální geny. Narodil se v Singapuru místní matce a japonskému otci, ale vyrostl v Doncasteru.

„Ahoj Alastaire," pozdravila jsem ho a políbila ho na čerstvě oholenou tvář. „Tohle je Sam."

Potřásli si rukou.

„Hezký kilt." Ukázala jsem na žluto-černě károvanou sukni. „Netušila jsem, že v tobě koluje skotská krev."

„Ani kapka," přiznal Alastair a mrknul na mě. Vždycky vypadal, že má něco za lubem, což byl asi důvod, proč Gladys tak přitahoval. „Ale líbilo se mi to. Nejsem si teda moc jistý tím, že tu sukni nosí naostro. Trochu to profukuje. Drsňáci, ti Skotové, to je fakt."

Polkla jsem a přikývla, abych nějak zamaskovala výbuch smíchu. O to samé se právě vedle mě pokoušel Sam.

„Co vám mám přinést k pití? Něco tvrdého? Nebo ten růžový gin? Gladys si nechala namíchat speciální drink, aby jí ladil s šaty."

„Pro mě pivo," řekl Sam.

„Já vyzkouším ten gin. Ostatní právě dorazili, za chvilku budou dole." Zamyslela jsem se, jestli toho ginu už nebylo dost.

„Super. Gladys byla nadšená, že jste si všichni udělali čas." Pak ztišil hlas. „Mezi námi, trochu se strachovala, že dělat kolem svatby takový humbuk je v našem věku zbytečné." Protáhl obličej a z kapsy na vestě vytáhl kapesní hodinky, čímž mi připomněl bílého králíka z *Alenky v říši divů*. „Doufejme, že to Gladys přežije a propluje obřadem v jednom kuse." Teď jsem si připadala, že jsem spadla do králičí nory. Co tím myslel? Podívala jsem se na tetu, která byla ve svém živlu. Zrovna zběsile mávala na nově příchozí, zatímco si povídala se třemi mladými urostlými muži.

„Ale už ani muk. Mám zakázáno vám cokoliv prozrazovat."

„Právě jsem se chtěla zeptat, jak bude obřad probíhat."

„Všechno se brzy dozvíte. Zatím vám přinesu to pití."

Když nám za chvíli obsluha přivezla nápoje na krásném skleněném vozíku, vydali jsme se pozdravit samotnou Gladys.

„Drahá." Natáhla se ke mně a štípla mě do tváře. „Vypadáš úžasně. To dělá láska. A taky sex, nemám pravdu?" Rychle se natáhla a otočila se k Samovi. „Jsi opravdu zajímavý exemplář." Jeden z mužů se diskrétně vzdálil a další do sebe rychle kopnul růžový gin.

„Gladys, co jsme si říkaly o slušném chování?" prohlásila jsem a cítila, jak Sam začíná rudnout.

„Ale drahá, na to už jsem stará, nemyslíš? Mluvím tak, jak mi pusa narostla. A jsem si jistá, že Samovi to určitě nebude vadit, že ne?"

„Už mě, myslím, lidi nazvali i hůř," řekl Sam a dělal, že se ho to nedotklo. „Navíc je mi jasné, že po mně starší ženy jedou."

Gladys se na něj usmála a laškovně zavrčela. „Líbíš se mi. Vybrala sis dobře, Jess. Toho si nechej. Dávám ti svolení ji požádat o ruku."

„Gladys!" zavolala jsem a proti své vůli zrudla.

„Co? Od svojí matky se toho asi nikdy nedočkáš. Kde je ta bláznivá ženská?"

Šokovaně jsem na ni hleděla.

„No nedívej se na mě tak, holčičko. Já si za tím stojím. Joan potřebuje trochu rozproudit krev. A taky něco jiného. Měla by se konečně uvolnit. Tvůj otec odešel před osmnácti lety. Měla by na něj konečně zapomenout."

„Když jsem ji viděla naposledy, asi tak před půlhodinou, byla uvolněná až moc. Ve vlaku vypili celou lahev ginu."

„To zní mnohem líp. A jak se má ta jejich malá poběhlice?"

Vrtěla jsem nesouhlasně hlavou.

„Nejspíš pořád stejně. Mám tu holku ráda. A tady jsou." Kolem nás zašustil šifon a Gladys se konečně rozhodla utnout proud svých slov a přivítat se s Lynn, Richardem, Shelley a mámou, kteří právě vešli na patio.

„Ta se s tím nemaže," prohodil Sam.

„Je to chodící katastrofa," řekla jsem hořce a sledovala, jak Gladys objala Lynn i mámu.

„Nudné příbuzné nikdo nikam nezve. Vždycky spoléháme na strýčka Jeffa, že vnese na vánoční večírek trochu života. Každá rodina by měla mít takového Jeffa nebo Gladys."

„Jsem ráda, že si to myslíš."

„Vážně se mi líbí." Zvedl ruku a zadíval se na mě tím pohledem, který mě vždycky dostal do kolen. „A navíc mi už teď dovolila, že tě můžu požádat o ruku, takže to taky může být můj nejoblíbenější člen tvojí rodiny." Poťouchle se na mě podíval. „Nebudu tě samozřejmě žádat o ruku na něčí svatbě, ale možná bys o tom mohla přemýšlet."

Otevřela jsem pusu. A pak ji rychle zavřela. V hlavě se mi bouřily myšlenky jako stádo splašených koní. Sam mě pobaveně pozoroval a pak mi přejel palcem po rtech. Po několika vteřinách se mi podařilo znovu získat ztracenou rovnováhu. Když jsem se konečně přiměla něco říct, Gladys se posunula k další příchozí skupince a moje rodina zamířila naším směrem.

„Nevíš náhodou, kdo jsou tamhleti tři cukrouši?" zeptala se hned Shelley a ukázala na tři muže, kteří se před chvílí bavili s Gladys.

„Ne. Gladys nás bohužel nepředstavila." Což určitě udělala úmyslně, protože Gladys vždycky toužila po tom, aby se všichni se všemi znali.

„Asi proto, že viděla, že už jsi zadaná."

„Uklidni se," snažila jsem se ji napomenout, když jsem si všimla, jak se jí rozzářily oči.

„Přece mi to dneska nepokazíš."

„Ne, ale počkej aspoň, až bude po obřadu. Kdyby měli náhodou nějakou důležitou roli."

„Neměj strach." Shelley se zatvářila smutně. „Všichni tři jsou tak trochu mimo můj záběr. Vypadají jako slušňáci, zatímco já očividně prahnu po ztroskotancích a hajzlech."

Pohladila jsem ji po rameni a uvědomila si, že to bylo poprvé, co přiznala, že neměla při výběru partnerů šťastnou ruku. Než jsem stačila něco říct, okomentovala matka její větu vševědoucím „hmm", takže jsem v konverzaci radši nepokračovala.

„Neví někdo, co se bude dít zítra? Člověk by řekl, že Gladys už ve svém věku trochu dospěla. Je to tak dětinské. Nechápu, proč prostě nezašli na radnici a pak nám to neoznámili. Takový humbuk. A spousta peněz. Ten vlak stál skoro sto liber."

„To ano, ale jet první třídou bylo fajn, ne?" přidala se teta Lynn.

„Aspoň jsem si nemusela kupovat nové šaty. A gumáky!"

„Já jsem si náhodou koupila nové, barevné. Trochu jsem čekala, že to bude takový malý hudební festival," prohlásila vesele

Shelley, ale poznala jsem na ní, že má po náladě. „Doufala jsem, že budeme spát ve stanech a zahrají nám k tomu Florence and the Machine."

„Myslím, že Gladys by pozvala spíš Rolling Stones," zavtipkoval strejda Richard a upil piva. „Netvrdila, že se vyspala s Mickem Jaggerem?"

„Určitě, ona a stovky dalších. Proto má tak rozjeté nohy," poznamenala matka kysele.

Podívala jsem se na Sama a oba jsme vyprskli smíchy. Takhle máma nikdy nemluvila. Sjela nás pohledem a dodala: „Gladys má tendence trochu přehánět."

„Předpokládám, že se obřad bude konat na pláži," řekla teta Lynn. „Ten dům je nádherný, ta lokalita si o to přímo říká."

„Dobře, ale jaký obřad?" zeptala se matka. „Nemyslím si, že oddávající chodí běžně na pláž."

„Jak znám Gladys, jejich oddávající asi nebude úplně obyčejný," prohlásil Richard.

„Jak znám Gladys, bude oddávat sama sebe," doplnila matka.

Ozvalo se zazvonění, jak Alastair cinknul lžičkou do skleničky. „Dámy, pánové a vy další." Gladys se vedle něj postavila. Vypadali opravdu nesourodě, obzvlášť když ho o několik centimetrů převyšovala a v tom růžovém oblečku vypadala jako zmrzlinový pohár se šlehačkou.

„Proboha," zamumlala Shelley.

„Děkujeme, že jste nám všichni věnovali svůj drahocenný čas a přijeli jste na naši svatbu." Pak objal budoucí manželku, která všechny obdařila širokým úsměvem. „Rádi vás tady všechny vidíme a doufáme, že se k nám připojíte zítra přesně v devět hodin ráno tady na pláži. Začneme zlehka a uvidíme, jak se to všechno vyvrbí. Zatím si užijte pěkný večer." Zvedl skleničku k přípitku.

„Ne že někdo přijde pozdě," dodala Gladys přísně. „Jestli nechcete pít, přejděte rovnou do jídelny, kde se bude za chvíli podávat večeře."

„To nám toho moc neřekli," pronesla naštvaně Shelley. „A proč tak brzo ráno?"

„Mohlo to být horší. Vážně jsem měl strach, že uspořádá nějaký pohanský rituál a potáhne nás do lesů uprostřed noci," řekl Richard.

„Kdoví, co si na nás ta divoženka přichystala," okomentovala to matka. „Ulevilo se mi. Devět ráno zní docela civilizovaně. Na tom se nedá nic pokazit."

To záleží na úhlu pohledu, pomyslela jsem si, když jsme se všichni přesunuli do jídelny, kde byl připravený raut.

20

Pláž nepláž, každý se druhý den ráno snažil být na místě. Slunce už zářilo z blankytně modré oblohy a shromážděný dav hýřil barvami. Samův tmavě modrý lněný oblek těsně obepínal jeho štíhlé boky a široká záda a hezky kontrastoval s mými staronovými hedvábnými šaty, které lehce vlály v ranním větříku. Rozhodla jsem se jim dát ještě jednu šanci, i když mi připomínaly fiasko na naší první schůzce. Pravda je, že na nové šaty jsem neměla peníze a tyhle stály tolik, že si na sebe prostě musely nějak vydělat. Byla jsem v tomto směru skromná, navíc mi skvěle padly a já jsem se cítila opravdu dobře, kdykoliv jsem si je oblékla. Kdybychom ráno tolik nepospíchali, Sam by je ze mě stejně rychle sundal. Měl hravou náladu. Oba jsme si uvědomovali, že tady nás snad Victoria nenajde.

Po Gladys ani Alastairovi však nebylo ani památky.

„Myslíš, že spolu slaňují z toho útesu?" zeptal se Sam.

„Nepřekvapilo by mě to," řekl Richard a očima přeměřil příkrou skálu. „Nevím, co to udělá se svatebními šaty."

„Myslíš, že si teta Gladys bude dělat s něčím takovým hlavu?" zeptala se Shelley.

„Asi ne. Myslela jsem si, že tady bude aspoň Alastair. Neměl by ženich správně na nevěstu čekat před oltářem?"

Kromě malého altánku se zvukovou aparaturou nebylo na pláži nic, co by naznačovalo, že se tu bude někdo brát. I když levou část dva muži v gumácích schválně vyklidili a snažili se držet houf lidí dostatečně daleko. Poznala jsem v nich fešáky, se kterými si Gladys včera povídala a padli do oka Shelley. Kam se ale poděl ten třetí?

Přesně v devět hodin vzduchem zazněl skřípavý zvuk zapříčiněný zapnutím stereo systému a začaly hrát úvodní tóny známé melodie z bondovek.

Shelley se na mě podívala a obě jsme se rozesmály. „Neříkala jsem, že to bude jízda?" řekla sestřenice. Zdálo se, že se jí vrátila dobrá nálada, i když při výběru outfitu byla dost střídmá. Většinou se nebála ukázat hluboký dekolt, ale dneska zvolila vanilkově žluté šaty se sedmikráskami a kulatým výstřihem, které byly opravdu moc hezké. Jen by líp padly někomu jinému.

Všichni ztichli o obrátili se k útesu a schodům vedoucím dolů na pláž, odkud očekávali příchod dvou známých tváří. Po nějaké době to pár jedinců přestalo bavit a někteří z nich si všimli objektu přibližujícího se po moři. Byl to malý člun, který poskakoval na divokých vlnách. Když už byl k rozpoznání, oba muži se k němu vydali, a když motor utichl, přitáhli loď na mělčinu. Na její přídi stál Alastair s rozpřaženými pažemi a prožíval vlastní scénu z *Titaniku*. Na sobě měl černý oblek s motýlkem, a jak tam tak stál, ti dva svalnatí chlapci ho chytili pod pažemi a snesli ho do mokrého písku. Alastair kývl na svědka, kterým byl jeho dlouholetý přítel, starý námořník jménem John, a rychlou otázkou se ujistil, že nezapomněl na prstýnky.

Pak spolu došli k útesu a otočili se k davu. Alastair se očividně těšil, usmíval se na celé kolo a vypadal, že ví něco, co nikdo z nás ani netuší. Hosté začali nejistě pokukovat jeden po druhém a znovu nahoru k útesu a zpátky. Odkud asi přijde tetička Gladys?

Vtom se shora ozval zvuk helikoptéry. Musela jsem se v duchu usmát. Co si tak asi musel pilot myslet, když uviděl podivné shromáždění pod sebou? Určitě to shora vypadalo divně. Pak si Alastair zastínil oči a svatební hosté ho jeden po druhém následovali.

Helikoptéra potřetí vykroužila otočku a pak z ní vyskočila malá černá tečka. Ozvala se další písnička, tentokrát od kapely Duran Duran z bondovky *Vyhlídka na vraždu*.

„Můj bože!" Matčin hlas zaskřípěl nad náhle ztichlým davem. „Prosím, řekněte mi, že to není ona!"

„Mohla by být," uznala jsem, když jsem pozorovala, jak se nad námi otevřel žluto-červený padák a pomalu kroužil k zemi.

„Ta vždycky věděla, jak se správně uvést," poznamenal Richard a pobaveně hleděl k nebi. „To se jí musí nechat, že se toho ani ve svém věku nebojí. Myslím, že bychom mohli v podobném duchu obnovit náš svatební slib, co myslíš, Lynn?"

„Jestli si po těch letech myslíš, že kvůli tobě vyskočím z letadla, tak to se s tebou radši rozvedu," upozornila ho Lynn.

„Snad si nic nezlomí," zadoufala moje matka. „To by bylo peklo, dostat sem dolů sanitku."

„Tvůj optimismus vždycky všechno zachrání, mami," prohodila jsem tiše a propletla svoji paži s její.

„Jsem jen praktická."

Padák byl větší a větší a dělal menší a menší kolečka. Najednou jsem pochopila, proč nás ti muži tlačili k jedné straně pláže a proč musel být obřad tak brzo. Odliv ráno odkryl velkou část písku, takže Gladys měla mnohem větší šanci přistát na souši.

Když už byla na dohled, zjistila jsem s úlevou, že není sama. Byl s ní instruktor, který zřejmě tušil, jak přistát bez polámaných končetin. Po pár vteřinách se z něj vyklubal onen třetí svalovec. Dopravil Gladys bez škrábnutí na pevninu, dav se roztleskal, a když jsem se v tu chvíli zadívala na Alastaira, zrovna si sundával dlaně z očí.

V tu chvíli se zpod uvolněného padáku vyhrabala Gladys a jako valkýra vyběhla ke svému vyvolenému. Cestou se vysvlékala z bílé kombinézy, pod kterou měla samozřejmě oblečené třpytivé organzové šaty kontrastující s černou helmou a ochrannými brýlemi. Další muž jí běžel naproti, padnul jí k nohám jako poddaný a pomohl jí přezout se do žabek s flitry, aby pak převzal její gumáky a ochranné pomůcky. Za tu dobu zpod padáku vycouval i třetí muž, který okamžitě padl do oka Shelley. Bůh mu dneska pomáhej.

Vedle Gladys se najednou objevila Dodie, její svědkyně, upravila jí šaty a podala jí jednoduchou kytici z bílých a růžových růží. Gladys se napřímila, urovnala si šaty a všechny obdařila oslnivým úsměvem. Vtom se z reproduktorů ozval Händelův *Příchod královny ze Sáby*.

Gladys s Dodie se vydaly k altánku, kde na ně netrpělivě čekal Alastair se svým svědkem a právě příchozí žena v pouzdrových šatech, která se zřejmě chystala je oddat.

Můj odhad byl správný. Jakmile se všichni pozdravili, představila se jako oddávající a přizvala všechny, aby se shromáždili v úhledném kruhu. Lehký větřík si pohrával s Galdysinými nadýchanými šaty a já jsem si všimla, že se jí v očích leskly slzy. Po krátkém obřadu se novomanželé políbili a mně se sevřelo srdce radostí, když jsem sledovala, s jakou láskou se na sebe Gladys a Alastair dívají. Pak jsem zvedla oči a narazila na Samův pohled, který v sobě měl všechnu lásku světa.

Všichni se dali do jásotu, tleskali, radovali se a spěchali popřát šťastné dvojici všechno nejlepší do společného života. Sam mě však chytil za ruku a přitáhl si mě k sobě. Pak chytil moji tvář do dlaní a zadíval se mi do očí. Zatajila jsem dech a utápěla se v té modré hlubině. Nemuseli jsme nic říkat. Vzduch byl plný lásky. Nás dvou, Gladys a Alastairovy, Lynn a Richardovy a všech ostatních dvojic, které si právě v tuto chvíli uvědomily, jak jsou rády, že k sobě patří. V pozadí jsem slyšela nárazy vln a smích racků a cítila jsem písek na tváři.

„Miluju tě," zašeptal Sam.

„Taky tě miluju," oplatila jsem mu to a zpod víček mi vytryskly slzy. Sam jednu zachytil palcem a pak mě na to místo políbil. V tom okamžiku byl záblesk budoucího slibu.

Rozveselený hlouček svatebčanů se pak škrábal zpátky k domu, kde už na trávníku zněly tóny Vivaldiho *Čtvera ročních období* smyčcového kvarteta složeného z krásných dívek oděných do stejných šatů s květinovým vzorem.

Alastair dovedl Gladys doprostřed trávníku, kde ji jemně uchopil do náruče, a ve chvíli, kdy hudba gradovala, ji začal protáčet v rytmu waltzu. Pochybuju, že v tu chvíli zůstalo jedno oko suché, protože sledovat tu zamilovanou dvojici, oddanost a křehkost jejich pohybu, to bylo jako sledovat ranní rozbřesk. A to i v případě, že Gladys byla o několik centimetrů vyšší než její manžel, který ji však uměl protáčet s takovou něžností, že všechny ženy okolo vzdychaly.

„To je nádhera," řekla Lynn. „Klidně obnovím náš slib, když se naučíš tancovat jako on."

„Dobrá," chytil se toho Richard. „Pokud ti nevadí, že mám obě nohy levé, lásko." Poplácal ji po rameni, ona ho pohladila po dlani a já jsem na chvilku zachytila všeříkající úsměv, kterým jeden druhého obdařili.

Dnešek mě odrovná. Tolik dojetí jsem nezažila, už ani nepamatuju. Přistoupila jsem k Samovi, provlékla svoji paži kolem jeho a vnímala blízkost jeho teplého těla každou svou buňkou. Dnešek mi připomněl, jak jsem ráda na světě.

První tanec byl u konce, ale hudba pokračovala a Gladys se stále pomyslně vznášela nad trávníkem, nyní doprovázená Dodie a Freddiem.

„Smím prosit?" zeptal se Sam.

„Moc ráda," odpověděla jsem.

Vzal mě kolem pasu a zaujal pozici standardních tanců.

„Ty umíš tancovat?" divila jsem se.

„Soukromá škola. Společenské tance byly jediná možnost, jak se přiblížit holkám z vedlejší školy. Neboj, prostě se jen nech vést." Usmál se na mě sebevědomě.

Znala jsem kroky, ale nikdy jsem je neměla možnost procvičovat se skutečným tanečním partnerem. Nikdo jen tak nesleduje patnáct řad taneční soutěže v televizi, aby si nenápadně v sobotu večer zkoušel představit, jak by mu to asi na parketu slušelo. Stejně jsem se musela pekelně soustředit a ovládat, abych nepočítala do tří nahlas.

„Uvolni se, jde nám to." Samův teplý dech mě pošimral na uchu. „To já tě mám vést."

Najednou něco zacvaklo, já jsem se v jeho náruči uvolnila, splynula s jeho tělem, takže jsme sc začali pohybovat jako jedna osoba. Jen Sam a já, v naprostém souladu, zahledění do sebe, moje dlaň schovaná v jeho, zatímco mě druhou rukou hladil po zádech. Tohle bylo skoro lepší než sex, splynout s ním v ladném pohybu. Srdce mi plesalo radostí, když jsme se pohybovali po trávníku v rytmu tiché hudby za doprovodu Samova něžného úsměvu. Když hudba utichla, zůstali jsme ještě několik vteřin stát, sami překvapení silou, která nás k sobě poutala. Skoro jako když sledujete v kině nádherný příběh, ze kterého se nechcete vrátit do šedé reality.

„Vy jste teda tanečník, pane Weaverhame."

„Vy taky, slečno Harperová. Musíme si to někdy zopakovat."

Usmála jsem se a snažila se probrat z toho krásného snu. Z té úžasné představy. Taneční zábavy v tomto duchu nebyly v Tringu zrovna na denním pořádku.

Mezi hosty se najednou objevil personál roznášející tácy s růžovým šampaňským. Jejich tváře vypadaly tak svěže a upraveně, jako by je Gladys najala z castingové agentury. Kolem nevěsty a ženicha se utvořil hlouček gratulujících svatebčanů. Muselo tu být tak sto padesát lidí, tolik jsem jich rozhodně nečekala. Lidi se začali bavit a usmívat. Všimla jsem si, že se Shelley dala do řeči s tím pohledným parašutistou. Musela jsem se v duchu usmát. Stará dobrá Shelley byla zpátky. Když jsme kolem ní procházeli, chňapla po mojí paži, až málem vylila moji skleničku šampaňského.

„Jess," řekla rychle. „Tohle je Fraser. Moje sestřenice Jessica a její přítel Sam."

Vypadala vyděšeně a pořád mě držela za paži, jako by potřebovala morální podporu.

„Jsi statečný," prohlásila jsem. „To bylo teda entrée, to se musí nechat. Děláš to často?"

Fraser se zasmál. „Ano, ale tohle byla moje první svatba. I když možná ne poslední." V jeho slovech jsem zachytila americký přízvuk.

„Je to Falcon," řekla Shelley. „Myslím tím RAF Falcon. Ne ten pták. Parašutista. Létají nad Brize Nortonem. Teda skáčou… skáčou z těch letadel. Nebo padají?" Shelley se začervenala. „Promiňte, musím jít na záchod." Pak se vypařila.

„Je v pořádku?" zeptal se Fraser.

„Myslím, že jo," odpověděla jsem a zadívala se za mizejícími zády mojí za každé situace sebevědomé sestřenice. „Nevím, co se jí stalo." Pobaveně jsme se na sebe se Samem podívali.

Fraser se usmál a vypadal potěšeně. „Snad jsem ji nevyděsil."

„To bys byl úplně první," řekla jsem, pořád překvapená Shelleyiným chováním.

„Super, to rád slyším."

Teď mě zase překvapil on. „Proč?" Viděla jsem, jak se za mnou Sam napřímil.

Fraserovi se po tváři rozlil široký americký úsměv. „To znamená, že jsem na ni zapůsobil. Je to kus."

„To je," uznala jsem a přísně jsem si ho prohlídla. „A taky už si toho od chlapů v životě dost vytrpěla. Jestli si s ní chceš pohrávat, zkus to radši jinde."

Dokonce i Sam se lekl mého tónu.

„Nemám v plánu nic špatného a myslím, že tvoje sestřenice je dost stará na to, aby se uměla rozhodnout sama," změnil najednou tón.

„Kéž by to tak bylo," prohodila jsem tiše.

„Odkud znáš Gladys? Je to fakt povedená babča."

„Same, půjdu zkontrolovat Shelley," omluvila jsem se a spěchala na toalety zjistit, co se stalo.

Shelley seděla v rohu vstupní haly se zrcadly na růžové lenošce a ke tváři si tiskla sklenici s vodou.

„Konečně. Že jsem tam ze sebe neudělala úplnou krávu?"

„Chceš, abych lhala?"

Shelley zakvílela.

„Co se to s tebou děje?"

„Ten chlap je jedním slovem úchvatný."

„No a?"

„Jess. Podívej se na mě. Na takového chlapa nemám. Živí se tím, že skáče z letadel. Já lakuju nehty a prodlužuju řasy."

„Odkdy tě něco takového zajímá?"

„Ode dneška. Podívala jsem se přes pláž, když zrovna skládal padák. A on v tu chvíli zvedl hlavu... Jsem blbá. Zabouchla jsem

210

se na první pohled. Asi bych to měla hodit za hlavu a prostě si to s ním rozdat. Užít si to. Protože už ho asi nikdy neuvidím."

Pak se na mě podívala. „Už tomu rozumím, tohle se stalo, když jsi poprvé uviděla Sama. Prosím, řekni mi, že to tak není. Já v lásku na první pohled nevěřím. Musíš stát na mojí straně. Sam je fakt k nakousnutí, ale já jsem si myslela, že spolu prostě jen rádi trávíte čas."

Posadila jsem se vedle ní, takže se naše ramena dotýkala. „Já jsem na tohle taky nikdy nevěřila, ale tak to prostě je. Podívej se na nás. Jsem do něj hrozně, bláznivě, neskutečně zamilovaná. Když se ráno probudím a podívám se na něj, nemůžu se štěstím ani nadechnout."

„Sakra. To jsem zrovna slyšet nechtěla. Máš štěstí. Sam k tobě cítí to samé. Někdo takový jako Fraser si mě nebude zítra ani pamatovat."

„Třeba jo."

„Podívej se, co za chlapy jsem si tahala domů. Mám, co si zasloužím."

Chytila jsem ji za rameno a trochu jí zatřásla. „Musíš se mít víc ráda. Musíš si věřit. Spokojíš se s tím, co najdeš, protože si myslíš, že nic lepšího si nezasloužíš. To je blbost. Vrať se tam a ukaž tomu božskému výplodu, který si toho je sakra vědomý, že si tě taky musí zasloužit. Buď svá. Měj se ráda. Má o tebe zájem, ale není si sám sebou moc jistý. Nechtěj, abych tebou musela příště zatřást ještě víc."

„To si můžeš zkusit."

„Tohle je moje Shelley."

„Díky, Jess. Seš nejlepší. Jsem ráda, že jste se se Samem našli. Hodíte se k sobě. Je to fajn chlap."

„Běž a zjisti, jestli někdo takový existuje i pro tebe."

Posadili jsme se k obědu, který se podával ve světlé místnosti, kde se všichni svatebčané usadili u tří dlouhých stolů. Gladys s Alastairem a Dodie s Freddiem měli svá místa na malém pódiu, zatímco já se Samem jsme seděli jinde. Rychlým pohledem jsem zjistila, že Shelley měla štěstí a obědvá vedle svého idola. Kdoví jestli to tetička Gladys udělala schválně. Shelley si pobaveně vykládala se sousedem po své levé ruce a okatě Frasera ignorovala, což ho zřejmě víc bavilo než uráželo. Proslovy byly naštěstí krátké a vřelé, a i když Freddie očividně splácal dohromady všechno, co našel na internetu, Gladys se po celou dobu na svého manžela láskyplně usmívala. Nakonec to byla velmi decentní a tradiční událost, což nenarušil ani poslední chod v podobě obřího svatebního dortu croquembouche skládajícího se ze stovek malých francouzských větrníků.

Když všichni dojedli, všimla jsem si, že si teta Lynn povídá se Samem a střílí po mně starostlivými pohledy. Co jí asi Sam říká? Domluvili jsme se, že jim důvod prasklé pneumatiky zatajíme a svedeme to na horké počasí. Lynn se přátelila se Sally a já jsem nechtěla přilévat olej do ohně, když s ní byla Victoria stále ještě v užším kontaktu než já. Znovu se na mě podívala, jako bych snad potřebovala zachránit.

Po obědě obsluha rychle odklidila stoly a proměnila místnost v taneční parket, což bylo přijato s rozpaky, ale když na pódium vystoupila jazzová skupina, o tanečníky najednou nebyla nouze. Jedním z těch lepších se ukázal být Fraser, který Shelley protáčel po parketu v divokých otočkách, které končily záchranou Shelley lapající po dechu v jeho náruči.

Sam s Richardem odešli sehnat další pivo a já jsem se opřela u francouzských oken a vdechovala vůni moře. Vtom se vedle mě objevila teta Lynn.

„Líbí se ti tady?" zeptala se.

„Ano. Gladys vypadá, že si to užívá."

„Dlouho na ten den čekala. Myslím, že měla dost času si všechno promyslet do posledního detailu. Najmout si letadlo a skamarádit se s lidmi z RAF, to není jen tak."

„Jak se k nim vůbec dostala?"

„Myslím, že je viděla skákat na nějaké charitativní akci a zmínila se tam, že přesně takhle by se chtěla dostavit na vlastní svatbu. A oni se nabídli, že jí s tím pomůžou."

„To se může stát jen Gladys."

„Má svoji hlavu. Kéž by tady tak mohl být můj táta. Moc by se mu to líbilo. Určitě by ji chtěl přivést k oltáři. Vždycky byla jeho oblíbenkyně, a to mezi nimi bylo patnáct let." Pak se na vteřinu zahleděla na moře. „Hrozně mi chybí." Přišlo mi, že za jejím výrazem vězí ještě něco, když si mě pátravě prohlédla. „Sam říkal, že se chystáte do Ottershaw."

Ztuhla jsem.

„Ano."

Zvedla obočí, ale nenaléhala, abych jí sdělila víc informací.

„Našla jsem moc hezké ubytování, na internetu to vypadalo útulně." Narovnala jsem paže, o kterých jsem ani netušila, že je mám založené na prsou. Nemusela jsem se přece z ničeho zpovídat. Mohla jsem jet, kam jsem chtěla, a zůstat tam klidně týden.

„Víš, že..."

„Jess, tady jsi." Vedle mě se najednou zjevila matka. Ještě nikdy v životě jsem ji neviděla radši.

Lynn se na mě podívala pohledem říkajícím, že ještě neskončila, ale musí své sestře uvolnit místo. Modlila jsem se, aby Sam mezitím neprozradil místo našeho zítřejšího pobytu i matce. I když jí by to asi bylo úplně jedno. Kdoví, co si vlastně myslela. Ty dopisy se zpáteční adresou v Ottershaw byly koneckonců adresovány mně, ne jí.

„Jsem hrozně unavená. To to horko. Jako v šestasedmdesátém, pamatuješ, Lynn?"

„Ano, žádné takové další léto už nebylo."

Pak se pustily do vzpomínání na mládí a suchá léta a já jsem nepozorovaně vyklouzla, došla k útesu a zahleděla se na vylidněnou pláž. Ještě jsem se pořád nerozhodla, co zítra budeme dělat, až do Ottershaw dojedeme. Zůstávali jsme tam jen na jednu noc. Provinile jsem se podívala zpátky ke stavení. Sam neměl ani tušení, proč jsem vybrala právě tohle městečko. Zítra mu to budu muset říct.

21

„Tak to je paráda," řekl Sam a poskakoval radostí, když se lokty opřel o stažené okénko a kochal se výhledem. „Pořádná hospoda s pořádným pivem. Měli jsme se zeptat Richarda, jestli se nechce přidat."

„Aby si udělal romantický výlet s tetou Lynn? To už jsme rovnou mohli pozvat Shelley a moji mámu," poškádlila jsem ho.

„Je to naše první noc někde pryč, kdy jsme úplně sami. Nepočítám tu svatbu, tam byla spousta lidí. Je to parádní pocit, jen ty a já. Nikdo nás tady nezná."

Líbil se mi ten pocit anonymity. Život v Tringu se stal příliš veřejným. Kvůli těm výstupům s Victorií jsem byla v popředí víc, než jsem potřebovala.

„Jsme turisti." Začal se hlasitě smát a prozpěvovat si písničku *Daytrippers* od Beatles, která se otevřeným oknem nesla až ven na ulici, kde lidi začali zvědavě zvedat hlavy.

Opravdu, byli jsme tu za turisty. Následovali jsme ukazatele na zajímavá místa, prodírali se uličkami vedoucími k pobřeží a dvakrát se zastavili, abychom si koupili zmrzlinu, protože jsme prostě byli na výletě. Slunce nás vylákalo na pláž, kde jsme se nejdřív jen tak povalovali a pak si půjčili loďku, na které jsme se celí zmáčeli, takže pak pár hodin trvalo, než jsme zase uschli. Venku bylo ale takové horko, že nám to nevadilo. Začala jsem věřit tomu, že tohle počasí vydrží už navěky, hlavně díky předpovědi, která podobné teploty slibovala i následujících deset dní.

Centrum Ottershaw nabízelo přesně to, co obrázky na Tripadvisoru slibovaly: spoustu zeleně s hospodou a ubytováním na jedné straně, kostelíkem z 12. století uprostřed a roztomilým obchůdkem s okrouhlými okny a miniaturními dveřmi na druhé straně. Velká dřevěná cedule s obrázkem větrného mlýna zdůrazňovala, že první zmínka o vesničce byla zapsaná už v legendární *Domesday Book*. Projeli jsme kolem ní, zahnuli doleva a já jsem tak tak zaparkovala strejdovo obrovské auto na jednom z maličkých parkovacích míst, která byla zjevně původně vytvořená pro mnohem menší vozidla.

Zabořili jsme se do sedadel s pocitem, že výlet je u konce, celí zpocení, protože ani jeden z nás neměl v autě rád puštěnou klimatizaci. S trochou nostalgie jsme hleděli na okna protější budovy, která nesla název Černý býk.

Byl to obrázek dokonalosti se sedlovou střechou a střešními okny. Vypadalo to, že dům právě prošel nákladnou rekonstrukcí, protože zelená barva na oknech nenesla žádné známky opotřebení a sláma byla tak žlutá, jako by ji na střechu položili teprve včera. Vše vypadalo nověji, než jsem čekala. Nadšené recenze nelhaly.

„Takže co tady máme na seznamu jako první? Velké vychlazené pivo,“ řekl Sam a vyskočil z auta. Stáhla jsem si zpocené tílko k pasu a zavrtěla zadkem, aby se mi šortky odlepily od kůže.

„Můžeme si sednout tamhle,“ kývla jsem k zastřešené zahrádce, kde bylo naštěstí ještě pár volných stolů.

„Výborný výběr,“ souhlasil Sam, vzal mě za ruku a společně jsme vešli do přítmí baru.

„Starý dobrý Tripadvisor," dodala jsem a trochu se při té lži zastyděla. Přespali bychom v Černém býkovi, i kdyby to byl veřejný dům, protože to bylo zkrátka jediné ubytování v celém Ottershaw.

Z mosazných svítidel po stěnách se linulo měkké světlo a od stolů k nám pronikal šum hovorů mixu místních lidí i turistů, kteří se sem ukryli před sluncem. Já i Sam jsme byli rádi venku a horké počasí nám nevadilo. Myslím, že balkon v mém bytě ještě nikdy nebyl takhle využitý.

Vzali jsme si nápoje ven a vychutnávali si ledové osvěžení. Sam propletl svoje prsty s mými a jen jsme tam tak v tichosti seděli.

„Přemýšlel jsem," řekl najednou, ale větu už nedokončil.

„Ano?" snažila jsem se ho popostrčit.

„O tvém bytě. O mém bytě."

„Myslíš o tom, kde skoro nejsi?"

„Ano. Myslíš, že…"

„Je moc brzo? Ne." Jako obvykle, zase jsem přesně věděla, co chce říct.

Usmál se na mě. „Miluju, když tohle děláš. Přemýšlel jsem, že bychom je oba prodali."

Oplatila jsem mu úsměv. „To dává smysl. Koupíme něco většího. Můj je pro nás pro oba moc malý."

„Musíme najít něco s balkonem."

„Nebo si tam ten balkon postavit."

„Cože? Tobě by nevadilo koupit něco staršího a přestavět si to podle sebe?"

„Ani ne. Ty bys to zvládl a já budu skvělá pomocnice."

A bylo rozhodnuto. Než jsme se ubytovali, stihli jsme na internetu vyhledat realitního makléře, zjistili jsme, kolik bychom asi tak byli schopní měsíčně splácet, a rychle omrkli nabídku v naší lokalitě. Společné rozhodnutí jsme pak oslavili sexem u příšeří pronikajícího do našeho pokoje stropními okny.

Probudila jsem se relativně brzo. S úsměvem jsem se otočila k Samovi a pozorovala jeho spící tvář. Jednu paži měl za hlavou, druhou svíral tenkou přikrývku, jen lehce halící jeho urostlé tělo. Tolik jsem ho milovala, že skoro bolelo se na něj dívat. Ovládla jsem se a ignorovala touhu dotknout se jeho zvedající se hrudi. Kdybych teď vyklouzla ven, nemusela bych mu nic vysvětlovat. Včerejší nadšení z plánování společné budoucnosti z mojí hlavy úplně vytlačilo myšlenky na mého otce.

Teď, v tichém ranním slunci, si našly cestu zpátky do mojí mysli a míhaly se v ní jako můra lapená v lucerně. Můj otec. Nebyl ode mě vzdálený ani dva kilometry. Spal zrovna v posteli vedle manželky? Byli už jeho dva synové, moji nevlastní bratři, vzhůru? Nemusela jsem se s nimi potkat. S ním, s jeho ženou ani jejich dětmi. Mohla jsem se jen nenápadně projít kolem jejich domu. Jako turistka.

Přesně to udělám. Nadšení mi najednou vlilo energii do celého těla. Vyklouzla jsem z postele, a aniž bych Sama probudila, natáhla jsem na sebe šortky a tričko. Bude to jen chvilka, přesvědčovala jsem sama sebe. Ranní procházka. S bušícím srdcem jsem se zadívala na postel. Řeknu mu to později. Poslala jsem mu zprávu na vysvětlenou a rychle za sebou zavřela dveře. Pak jsem seběhla tichou chodbou do opuštěné vstupní haly. Zvuky ozývající se z kuchyně napovídaly, že příprava snídaně je v plném proudu. Do té doby budu určitě zpátky.

Venku mě překvapilo další horké ráno. I v tak brzkou hodinu nebyl na nebi ani mráček. Vzduchem zněly ptačí popěvky, někteří z ptáčků poletovali kolem, jiní poskakovali v nízkém křoví. Kolem kotníků mi bzučely včely a jiný hmyz a já jsem pomalu brouzdala oroseným trávníkem a jen občas na telefonu zkontrolovala, jestli jdu správně. Shinfield Line. Dům s názvem The Paddocks. Ostražitě jsem sledovala modrou tečku na mapě a následovala cestu točící se na východ od centra. Můj cíl se nacházel necelé dva kilometry daleko a já jsem zalitovala, že jsem si nevzala sluneční brýle, protože na ulici nebylo ani živáčka a takhle sama jsem působila dost rozpačitě.

Zabočila jsem za roh a trochu si vydechla, že jsem se konečně dostala z dohledu všech těch oken, a zhluboka se nadechla. Bylo krásné letní ráno a já jsem byla ráda, že jsem si přivstala. Takové ticho, takový klid, to se jen tak nevidí. Nikde neprojíždělo ani jedno auto. Šlapala jsem dalších deset minut a minula jsem několik starých dřevěných domků, dokud se ze zatáčky přede mnou nevyloupnul větší dům. Podle navigace to měl být ten, který jsem hledala. Zpomalila jsem, protože se mi najednou sevřel žaludek. Měla jsem pocit, že z něj mám velký uzel. S každým dalším krokem se mě zmocňovala větší a větší nervozita. *Chovej se přirozeně, Jess. Seš jen turistka, která se vydala na procházku.* Musela jsem se však zastavit a zdálky si prohlédnout dům v celé jeho kráse. Zelené listy obrovské vistárie se šplhaly po obílených zdech, její úponky objímaly budovu a podtrhovaly bleděmodré lemování pod střechou. Modrá barva se odrážela i na parapetech kovových oken po obou stranách úhledné verandy, která se téměř ztrácela pod dalším porostem s narůžovělými květy.

Široká štěrková cesta před domem, lemovaná barevnými záhony s levandulí, muškáty a chrpami, nabízela dostatek prostoru pro zaparkovaná auta, Range Rover a malé Polo. Na druhé straně příjezdové cesty stála garáž s modře natřenými dřevěnými vraty.

Realitní makléř by tu nemovitost popsal jako udržovanou a velmi prostornou. Musela mít aspoň pět ložnic a velkou zahradu.

Odmítla jsem podlehnout zášti, která se snažila srovnat tohle sídlo s pidi dvojdomkem, kde jsem vyrostla.

Zahleděla jsem se do horního patra, kde většinu oken zakrývaly závěsy. Za nimi spala rodina. Nervozita se mi rozlila celým tělem. Roztřásly se mi nohy a musela jsem se přinutit k nenucenému pohybu, jinak bych začala být nápadná. Poslední věc, po které jsem teď toužila, bylo, aby mě někdo považoval za šmíráka. Když jsem dům minula, konečně jsem se mohla nadechnout. Unaveně jsem se opřela o dřevěný plot oddělující pozemek od lesní cesty a zhluboka se nadechla. Tohle musí být výběh, po kterém je dům pojmenovaný. Jak jsem se rozhlížela, všimla jsem si poníka cválajícího mým směrem. Na jeho hřbetě seděl malý kluk. A sakra. Na úprk už bylo pozdě.

„Myslí si, že máš s sebou mrkev," řekl a zatahal za otěže. „No tak, Tygře. Je hrozně nenasytný."

„Jmenuje se Tygr?" Natáhla jsem se, abych to zvíře třesoucí se rukou pohladila po hlavě. Pak jsem zvedla oči a setkala se s povědomým pohledem modrých očí. Kluk se na mě uličnicky usmál.

„Podle knížky *Tygr, který přišel na čaj*. Když byl ještě malý, dostal se do stodoly ke žrádlu a sežral skoro celý pytel."

„Pak to jméno docela sedí."

„Moc neposlouchá, ale stejně ho mám rád. Můj brácha Toby má taky poníka, jmenuje se Jackson. Je vychovaný, ale Tobymu je teprve osm."

„Kolik je tobě?" zeptala jsem se a vrazila si ruce do kapes. V duchu jsem si přála, aby hlavně neřekl, že deset.

„Deset. Skoro jedenáct."

Samozřejmě. Jasný důkaz, který jsem se snažila popřít.

Tohle byl můj nevlastní bratr. To miminko z fotky, kterou mi otec před deseti lety poslal.

„Vstáváš brzo," řekla jsem radši a opřela se o plot.

„Když nemusím do školy, tak mi to nevadí. A když chceme vzít poníky na pláž, musíme jít brzo. Kvůli čumilům. Poníci je nesnáší."

„Čumilům?"

„Otravným turistům," vysvětlil chlapec, který se podle všeho jmenoval Ben, s výrazem dospěláka.

Zasmála jsem se a on si rychle přitiskl dlaň na pusu. Hned mi bylo jasné, od kterého dospělého ten výraz pochytil.

„Jako jsem já?" zeptala jsem se se smíchem.

Přikývl a trochu se zarazil.

„Ten výraz se mi docela líbí. Už dlouho jsem ho neslyšela." Snažila jsem se vypadat jako stará známá tetička, a ne někdo, kdo přišel okounět kolem jejich domu. Zaměřila jsem se na Benovu tvář a s každým detailem se moje srdce tříštilo na menší kousky. Měl úplně stejný tvar očí a úplně stejný odstín modré barvy jako já. Linka jeho obočí mi byla povědomá, stejně jako lehce pihovatý nos. Než jsem si to stačila uvědomit – a moc pozdě na to, abych utekla, protože pak bych rozhodně vypadala jako šmírák –, pomalu k nám došla žena, která za otěže držela dalšího poníka s chlapcem na hřbetě.

I kdybych chtěla utéct, nohy mě úplně přestaly poslouchat. Myslím, že jsem dokonce zapustila kořeny do země.

„Dobré ráno," řekla. „Krásný den, že?" Pustila otěže a posadila se na ohradník.

Proboha, tohle je ona? Alicia Harperová? Tátova manželka? Žena, kvůli které nás opustil?

To nemohla být ona. V mých představách vypadala jako zlomyslná Morticia. Tahle žena byla trochu baculatá, se zářivým úsměvem od ucha k uchu. Byla prostě příliš hezká a příliš milá na to, aby to byla moje macecha.

„Ano," uznala jsem. Ruce se mi začaly potit a odolávala jsem pokušení si je otřít o šortky. „Moc hezký."

„Tohle je moje nejoblíbenější část dne. Než všichni vstanou a pustí se do práce, která nepočká."

„To ano…" Rozhodně jsem se nechystala prozradit a říct jeho jméno, takže jsem k Benovi jen kývla bradou. „Prý se chystáte na pláž, než tam bude moc lidí."

„Takový je plán. Máme ještě spoustu času." Celou dobu na mně visela očima a najednou jí přes tvář přeletěl neklid.

„Měla bych se vrátit," řekla jsem a odlepila se z plotu. Žaludkem se mi začala plížit panika.

„Jsi Jess, že?" zeptala se tiše, pořád s tím nakažlivým úsměvem.

Hleděla jsem na ni a myslela jsem, že omdlím. Jak to mohla poznat?

„Hmm…"

„Poznám tě podle fotek. Lynn nám občas nějakou pošle."

Teta Lynn jim posílá fotky?

„Ráda tě poznávám. Konečně. Promiň, tak jsem to nemyslela. Nechceš si dát šálek čaje? Adrian by tě taky rád viděl." Její úsměv byl plný soucitu. Vypadala jako hodná víla z pohádky. Rozhodně ne jako vládkyně pekel, kterou jsem si vždycky představovala.

Zmocnila se mě panika. Žaludek se mi scvrknul do malé hrušky a hrdlo se mi úplně sevřelo. Jen jsem se přišla podívat. Tohle se nemělo stát. Všechno mělo šlapat tak, jak jsem si naplánovala.

„Nemůžu…"

„Můžeš přijít kdykoliv. Vždycky tu budeš vítaná. Tvoji bratři Ben a Toby by tě rádi poznali."

Sepjala jsem dlaně v omluvném gestu, ale vůbec jsem nevěděla, co na to říct.

Místo toho jsem jen zbaběle vycouvala.

„Musím jít," dostala jsem ze sebe konečně.

Navzdory odmítavé odpovědi se na mě Alicia stále usmívala. Cítila jsem se uboze, i když to určitě neměla v plánu. Chtěla jen být slušná a přívětivá, ale já jsem se zachovala jako hulvát. Nenáviděla jsem se za to, ale nevěděla jsem, co jiného dělat.

„Můžeš přijít později. Budeme tady celý den. Dáme si čaj. Slíbila jsem klukům, že upeču sušenky. Budeme mít domácí smetanu. Tvůj táta ji má moc rád, i když je většinou jen pro turisty."

Do té chvíle jsem jen pomalu couvala, teď jsem se však otočila a zbrkle jsem prchala pryč. Udělalo se mi špatně. Cítila jsem se hrozně provinile. Byla na mě tak milá. Neměla být milá. Ani hezká. Ani tak přívětivá. Ani mluvit o mém tátovi tím vlídným hlasem.

V kapse mi zazvonil telefon, vytáhla jsem ho a byla jsem vděčná za rozptýlení.

„Ahoj Same, právě se vracím." Zněla jsem vyděšeně a přemýšlela jsem, jak mu to všechno vysvětlím.

Celý můj život se vychýlil ze své osy. Jak se teď budu moct podívat na mámu? Potkala jsem našeho nepřítele. Až na to, že to ve skutečnosti žádný nepřítel nebyl. Alicia, to jsem byla já, já v budoucnosti. Zasloužila jsem si být se Samem šťastná, přesně tak, jak byla teď Alicia šťastná s mým otcem. Byla moje matka částečně zodpovědná za to, že od nás odešel? Možná nebyl takové monstrum, za jaké jsem ho vždycky měla. Stejně tak jsem já nebyla taková, jak mě okolí líčila Victoria. Samovi kamarádi se nám ještě pořád klidili z cesty. Možná bych jim taky měla ukázat odvrácenou stranu našeho příběhu.

Musím si promluvit s matkou. Toho jsem se obávala nejvíc. Možná bych si měla nejdřív promluvit s tetou Lynn. Mezitím budu muset celou tuhle peripetii vysvětlit Samovi. Zaslouží si znát pravdu.

22

„Vážně nechceš, abych šel s tebou?"

Usmála jsem se na Sama, z jehož slov sálala láska a potřeba mě chránit. Prostě věděl, kdy se má postavit na moji stranu. Tady šlo o rodinnou záležitost. Tu jsem si musela vyřešit sama. „Ne, ale děkuju. Děsím se toho a rozhodně v tom nechci vymáchat i tebe."

„Tvoje máma mě má přece ráda. Možná bych ti mohl pomoct."

„To bys možná mohl, ale tohle musím zvládnout sama. Máš spoustu jiné práce, ty sešity musíš opravit dneska, jestli máme zítra jít na oslavu tvých rodičů."

Zatvářil se kysele. Nebyla jsem si jistá, jestli za to mohlo známkování, nebo zmíněná oslava.

„Nebude to trvat dlouho. Matka se možná hned sekne a odmítne se mnou o tátovi mluvit."

Vzala jsem do ruky klíče od auta a Sam se natáhl, aby mě políbil na čelo.

„Miluju tě, Jess. Protože vždycky a za všech okolností uděláš správnou věc."

„Teď to teda zrovna tak necítím, ale potřebuju vědět, co se tenkrát stalo."

Od té doby, co Victoria začala s obtěžováním, které se naštěstí po našem návratu z Cornwallu uklidnilo, se můj vztah k matce radikálně změnil.

Když jsem se v Ottershaw vrátila za Samem, hlavou se mi honila celá ta nešťastná historie. Měla jsem bratry. Viděla jsem je, mají stejné rysy. Rysy, které mi připomněly, že si zasloužím porozumět tomu, proč mě táta tenkrát opustil a už nikdy se se mnou nechtěl vidět. Měl přece děti, neznamenalo to, že chtěl utéct od zodpovědnosti.

I když by bylo jednodušší se na to zeptat tety Lynn, potřebovala jsem to slyšet právě od matky.

Vystoupila jsem z auta a cítila se naprosto nepřipraveně, i když jsem svůj proslov dávala dohromady nejen během patnáctiminutové cesty, ale i během celé včerejší noci.

„Jess!" Matčino překvapení hraničilo s trapností. „Všechno v pořádku? Měla jsi mi zavolat, že přijdeš." Ohlédla se přes rameno. „Douglas se zastavil na kávu. Probírali jsme spolu sazenice na jaro. Má nádhernou zahradu."

I v rozlíceném stavu jsem si uvědomovala, jak je roztřesená. Než jsem mohla něco říct, otočila se a spěchala zpátky do kuchyně. Její podpatky klapaly po dřevěné podlaze. Následovala jsem její kroky a u kuchyňského stolu našla sedět jejího souseda s šálkem kávy a kouskem dortu. „Podívej se, kdo přišel. Jess."

„Dobré ráno," řekla jsem, když vyskočil na nohy. „Omlouvám se, že vás ruším."

„To vůbec ne, právě jsem byl na odchodu. Stavím se později, Joan, posekám trávník, jak jsem slíbil."

„Děkuji. To by od tebe bylo velmi milé."

„Kvůli mně neodcházejte," řekla jsem a cítila se hrozně, že jsem jim tak narušila den a způsobila zmatek. Vypadalo to, že Douglas je jediným světlým bodem matčina jinak ponurého života.

„Ne, Douglas přišel jen na skok, že ano?" Matka stiskla zuby a vytlačila ho ze dveří.

„Dáš si kávu, Jess?"

„Ano, prosím." Byla to ta poslední věc, po které jsem teď toužila, ale aspoň jsem jí dala možnost na chvilku zaměstnat hlavu, zatímco jsem se rozhodovala, jak tu nepříjemnou konverzaci začít. Naštěstí mi sama pomohla svým nevrlým přivítáním.

„Co tě ke mně přivádí tak neohlášeně? Myslela jsem, že výsadu takových návštěv má jen Lynn."

Bojovná jako vždycky, pomyslela jsem si. Skoro jsem chtěla začít větou *Minulý týden jsem se potkala s tátou*, ale rozmyslela jsem si to a řekla jen *Chtěla jsem si s tebou promluvit*.

„Aha." Zvedla upravené obočí. „Nejsi nemocná, že ne? Proboha! Jsi těhotná?"

Zasmála jsem se. „Bylo by to tak strašné?"

„Asi ne," odtušila klidně. „I když v tom případě by asi bylo lepší být vdaná." Stiskla rty. „Nejlépe bez té okázalosti, co kolem toho musela mít Gladys."

„Byla to legrace."

„Spíš zbytečné vyhazování peněz, které si mohla ve svém věku ušetřit."

„Vždyť ses bavila, mami. Viděla jsem tě tancovat s tím parašutistou."

Její tvář trochu zjihla. „Kdo by řekl, že takový chlap bude umět tancovat?"

„Věděla jsi, že Stone pořádá lekce tancování?" Popsala jsem kulturní nabídku jedné z vesnic na okraji Aylesbury. „Měla by ses přihlásit." Pak jsem se na chvilku odmlčela. „S Douglasem."

Šokovaně se na mě podívala, ale už jsem nechtěla dál couvat.

„Měla bys… trochu žít. Je to příjemný muž a očividně se mu líbíš. Neměla bys rovnou zavrhovat každou šanci…" Její lhostejný obličej mě málem přiměl zmlknout, ale k čertu s tím, dneska byl den, kdy jsem sc rozhodla být bojovná. Došla mi trpělivost s jejím sterilním životem a tématy, o kterých se nemluvilo. „Nevím, co se mezi tebou a tátou stalo, ale zasloužíš si být zase šťastná. Aspoň trochu. Proč to aspoň nezkusíš? Jako by sis za to za všechno dávala vinu." Uf, vážně jsem to udělala.

„Prosím? Jak si dovoluješ se mnou takhle mluvit?!" Matčin obličej zbledl. Věděla, že jsem překročila jasně dané hranice. Každou vteřinu pode mnou může bouchnout mina, ale už jsem to nedokázala zastavit. Osmnáct let nejistoty, našlapování po špičkách kolem jejích pocitů, strach, že ji rozčílím, to všechno se spojilo v potřebu dostat to ze sebe všechno ven.

„Protože o tom nikdy nechceš mluvit. O tom, co se mezi vámi stalo. Co se stalo potom, když jsi šla do léčebny. Prostě ses úplně ztratila. Vždycky jsem se bála se tě na to zeptat. Zazdila jsi všechny emoce, všechny svoje pocity. Jediná věc, které jsi schopná, je žárlit na tetu Lynn. A to vůbec není fér!"

„Já na Lynn nežárlím."

„Ale žárlíš. Dáváš mi za vinu, že se u nich cítím dobře, že je pro mě jejich dům přívětivější než ten tvůj." Vzteky jsem se celá zakoktala. „Ale proč bych se měla cítit provinile? Stalo se to kvůli tobě. To tys mě od sebe odstřihla. Odstřihla jsi svůj vlastní život. Nemyslím si, že jsi o tom vůbec někdy mluvila s Dawn. Nebo snad jo?"

Matka praštila utěrkou o stůl a jednou rukou drhla dřez. Pak se ke mně otočila a probodávala mě ukřivděným pohledem.

„Mluv," vyštěkla na mě nezvyklým tónem. Okamžitě se mi vybavila vzpomínka, jak křičí na tátu. Otec byl klidný, zatímco ona běsnila. Křičela výčitky a výhružky. Ta nekontrolovatelná zlost byla v naprostém rozporu s osobou s upnutými knoflíčky, která se z ní stala.

„To by chtěli všichni." Mluvila hlubokým tónem, což mě trochu vyděsilo. Co se to děje? „Ale napadlo tě, že o tom prostě mluvit nechci? Že je to příliš bolestivé? Myslela jsi na to? Až Sam jednou zmizí se západem slunce a za ruku si povede někoho jiného, jak se budeš cítit ty? Budeš chtít mluvit o tom, jak poníženě a provinile si připadáš? Budeš se chtít někomu svěřovat s tím, jak je to nepříjemný pocit? Aby každý věděl, že jsi ta druhá? Že jsi prostě nebyla dost dobrá?"

„Kdyby se to stalo, tak se budu dívat zpátky na to hezké, co jsme spolu prožili. Na šťastné chvíle. Radost, kterou jsme sdíleli. Vždyť jsi přece taky musela být s tátou šťastná."

„Opustil mě i tebe bez vysvětlení."

„Určitě?"

„Samozřejmě!" zaječela. „Ty se na to ještě ptáš?"

„Jen chci vědět, co se vlastně stalo. Proč odešel a proč už jsem ho nikdy neviděla."

„Odešel, protože potkal tu děvku, které bylo úplně jedno, že má ženu a dítě. Otočil se k nám zády. Už o nás neměl zájem."

„Stalo se to před osmnácti lety, mami. Už jsi v sobě za tu dobu snad našla nějaké odpuštění."

„Za to, že mi obrátil život vzhůru nohama?"

„Už je to za námi, tak proč se k tomu pořád vracíš? Vůbec ti to neprospívá. Máš dobrou práci, dům a klidně bys mohla mít další vztah, kdybys chtěla."

„Tvůj otec odešel a ani se neohlédl. Nechtěl mít rodinu."

„Jsi si jistá, že je to pravda?" Vzpomněla jsem si na Bena a Tobyho.

Stiskla rty a všechna ta zlost najednou zmizela. Sesypala se do křesla a zakryla si tvář dlaněmi. Jedna moje část chtěla zůstat tam, kde jsem byla – za stolem, v psychickém i fyzickém bezpečí. Druhá část cítila smutek, vinu a lítost.

Obešla jsem stůl, odsunula další židli a posadila se vedle ní.

„Co se stalo, mami?"

Vzlykla a popotáhla nosem. „Byla to moje vina, že se vykašlal i na tebe. Byla jsem tak... zraněná. Nenechala jsem ho se s tebou vídat. Řekla jsem mu, že jestli odejde, už tě nikdy neuvidí. Schovávala jsem tě před ním. Chtěla jsem ho ranit přesně tak, jak on ranil mě. A ty jsi byla jeho Achillova pata. Miloval tě. Víc než mě. Úplně jsem se v tom ztratila. Zlobil se. Ale mně už bylo všechno jedno, cítila jsem jen bolest, obrovskou bolest. Zničilo mě to. Už si to moc nepamatuju, ale asi jsem vyhrožovala, že se zabiju, když se k tobě přiblíží. Zní to hrozně, já vím. Ale tenkrát..."

Pohladila jsem ji po rameni. S jejími slovy se mi vystříbřila paměť. Vybavila jsem si její šílenství. To kvílení, pláč a křik. Tu neadekvátní důvěru v chování osmiletého dítěte. Všechen ten strach, který jsem jako dítě prožívala, se vrátil zpátky. Bylo to strašné období. Být úplně bez dozoru zní jako pohádka, ale rozhodně to tak nebylo. Byla jsem ztracená a vystrašená, hlavně po tom, co skončila škola a můj život se proměnil v řadu nekonečně prázdných hodin. Chodila jsem sama spát, vůbec jsem netušila, kolik je hodin, jen jsem se bála, že až se vzbudím, máma bude mrtvá. Zřejmě to ale byla stejná hrůza i pro ni.

„Milovala jsem ho, ale on mě ne. Miloval tebe. Bála jsem se, že si tě bude chtít vzít s sebou, že zůstanu úplně sama. Bylo to hrozné, přiznávám, ale pak mě konečně vzali do léčebny a všechen ten hluk v mojí hlavě utichl. Cítila jsem se příjemně, na nic jsem nemusela myslet. Těch šest měsíců mi opravdu pomohlo. Léky otupily všechnu bolest, ale už jsem nechtěla žít. Když mě pustili, řekli, že musím dokázat, že jsem schopná fungovat, až potom mi tě zase svěří do péče. Trvalo to další rok a půl. Chodila jsi za mnou na návštěvy, pamatuješ si to?"

Najednou si ke mně všechny vzpomínky našly cestu. Bolestivá setkání, kdy jsem seděla v obývacím pokoji, uždibovala čokoládu nebo sušenky a bála se pohnout nebo cokoliv říct, abych tichou matku nerozčílila. To bylo utrpení.

„Když mě nakonec pustili, patřila jsi víc Lynn než mně, což bylo ještě horší. Nechtěla ses vrátit domů, strašně jsi plakala."

„Promiň," řekla jsem automaticky, stará bolest se vracela v plné síle.

„Kdo by se taky divil. Dokonalá hostitelka Lynn a její dokonalý manžel." Ústa se jí zkroutila do úšklebku. „Taky jsem měla dokonalého manžela, jen mě nemiloval. Rozhodla jsem se, že tě nesmím za žádnou cenu ztratit, takže jsem musela domácnost udržovat v naprosté bezchybnosti. Aby tě znovu neodvedli, abych zase neskončila v léčebně. Musela jsem mít všechno pod kontrolou. Jenže ty jsi pořád nechtěla zůstat. Lynn nakonec souhlasila a přestala tě k sobě zvát, abys více zůstávala se mnou doma. Po nějaké době ses uklidnila, hodně ti pomáhala Bel. Tu jedinou sis pamatovala, když ses vrátila zpátky do staré školy. Mezi vámi dvěma bylo vždycky něco zvláštního. Když ti bylo čtrnáct, měla jsem pocit, že tě mám zpátky. Lynn však stále trvala na rodinných setkáních. A jak jsi dospěla, věděla jsem, že už tam chodíš i beze mě."

„Shelley je jako moje sestra," snažila jsem se omluvit svoje chování a uvědomila jsem si, že matčiny nesympatie k Lynn mají mnohem hlubší kořeny, než jsem si myslela.

„Nedivím se ti. S Lynn byla vždycky větší legrace." Zatvářila se smutně.

S tím se nedalo nesouhlasit, ale loajalita k vlastní matce mě nutila dál nemlčet. „Ale ty jsi moje máma. Vždycky budeš na prvním místě. Shelley bude vždycky jediná Lynnina dcera, tak jak já jsem tvoje."

Matce se rozzářily oči nečekanou laskavostí. „Nikdy jsem si nebyla jistá, že to víš."

„Samozřejmě že to vím." Lhala jsem. Dřív jsem takhle rozhodně neuvažovala, ale teď už jsem věděla, že všechno to její popichování a snaha o to, abych byla lepší a abych si našla dobrého partnera, měla své opodstatnění.

„Myslím, že by ses teď měla zaměřit sama na sebe."

Její vyděšené oči mě málem rozesmály.

„Vážně, mami, přestaň o mě mít strach. Jsem šťastná. Mám všechno, co jsem si kdy přála."

„Jsi hodná holka, Jess. Nechovala jsem se vždycky nejlíp. Omlouvám se, že jsem to nezvládla, když jsem tady měla být pro tebe. Snažím se to od té doby napravit, ale vypadá to, že se jen víc strachuju, že to zase pokazím."

V tu chvíli jsem měla pocit, že jí konečně rozumím. Věděla jsem naprosto přesně, co dělá a proč se takhle chová. Naše role se poprvé vyměnily. Tentokrát jsem já byla ta dospělá a ona byla dítě. Věděla jsem, že se o ni musím postarat, že ji musím před vším ochránit.

„Co když teď budeme věci dělat trochu jinak? Co kdybychom k sobě byly upřímné v tom, co cítíme?"

Podívala se na mě a po pár vteřinách přemýšlení se její tvář konečně rozjasnila.

„Budeme spolu mluvit, skutečně mluvit, o budoucnosti. Omlouvám se za to, že jsem ti neříkala, co se se mnou děje. Měla jsem strach, že tě rozčílím, ublížím ti."

„To je od tebe opravdu hezké." Pohladila mě po ruce. „Nejsem si jistá, že si to vůbec zasloužím. Nebyla jsem ta nejlepší matka."

„Žádnou jinou jsem neměla," stiskla jsem jí ruku. Měly jsme před sebou ještě dlouhou cestu, ale měla jsem pocit, že jsme rozhodně vykročily správným směrem.

„Znamená to, že mi přestaneš posunovat věcmi pokaždé, když se tady ukážeš?"

Vybuchla jsem smíchy a v matčině výrazu se objevilo pobavení. „Ano, slibuju."

„Řekni mi víc o Samovi, moc se mi líbí. Hezky jsme si spolu na Gladysině svatbě popovídali. Taková škoda, že ho nevybrali do týmu, vůbec tomu nerozumím. Douglas se mnou souhlasil, že je to jeden z nejtalentovanějších hráčů, jaké jsme kdy viděli. Prostě to nedává smysl."

„Já toho o kriketu moc nevím, mami. Jen to, že hodně trénuje. Jsem ráda, že se ti líbí. Je opravdu úžasný." Slova mi z úst vycházela jako obláčky cukrové vaty. Milovala jsem ho a fakt, že ho schvaluje i moje matka, byl třešnička na dortu. Uvědomila jsem si, že jsem na její souhlas celou tu dobu čekala.

„Jsem na tebe hrdá, Jess. Jen to neumím moc ukázat. Ne každý umí životem procházet tak jako ty. Dělat práci, jakou děláš ty. Jsi jedinečná. Občas se o tebe bojím, ale ty ženy potřebují tvoji pomoc. Jsem ráda, že tě mají na svojí straně."

„Mami…" Polkla jsem dojetí.

Objala mě, silně a vděčně, jak už dlouho ne. „Mám tě moc ráda."

To bylo poprvé, co mi vůbec něco takového řekla. Měla jsem spoustu času zeptat se jí na tátu. Teď jsem si jen užívala pocit, že jsme konečně na stejné vlně.

23

Hned co jsme překročili práh, vtáhly nás zvuky probíhající oslavy. Oba jsme se okamžitě podívali na obraz na stěně, který jsme tenkrát nedopatřením shodili.

„Podle mě visí rovně," řekl Sam a mrknul na mě, obličej měl plný uličnického potěšení. Ta chvíle absolutního porozumění rozehnala poslední zbytky nervozity, která se mě držela už od probuzení. I když jsem byla moc ráda, že jsem se nakonec rozhodla promluvit si s matkou.

Po emocionálním vypětí posledních dní jsem si připadala nesvá. Když jsem se vrátila z matčina domu do našeho bytu a všechno Samovi řekla, jeho odpovědí bylo, že mě odvedl do ložnice, dlouze se se mnou pomiloval a pak mi upekl pizzu a otevřel prosecco.

Přejela jsem rukou po látce šustící kolem mých stehen. Moje oblíbené tmavě modré šaty. Když jsem je na sobě měla poprvé na naší schůzce, připadala jsem si atraktivně. Na Gladysině svatbě odvážně a krásně. Dnes to bylo moje brnění. Ta tmavá lesklá barva prozrazovala, že jsem odvážná a cítím se dobře ve své vlastní kůži. Já jsem já. Dobře, tak jsem se dneska trochu víc snažila, přidala více make-upu než obvykle, lehce si natočila vlasy a spojila je ve volný drdol, jehož prameny se mi spouštěly na holá ramena. Stačilo mi vidět Samovy rozšířené zorničky, když jsem vyšla z koupelny.

„Bude jim to stačit?" zeptala jsem se a okamžitě zalitovala, že jsem ta slova vypustila z pusy. Samovi vyletělo obočí na čelo a překvapeně se zarazil. Pak mě vzal za ruku a položil si ji na hrudník. Vypadalo to sentimentálně, ale on prostě věděl, na co myslím, ještě než jsem to vyslovila.

„Seš extra super třída, jak by řekla Esme z mojí třídy. Vypadáš vždycky nádherně, ale dneska," jeho oči zářily nadšením, „dneska jim všem vypadnou oči z důlků." Pak se sklonil a políbil mě na hřbet ruky. „Bude to v pohodě, neboj." Najednou jsem si uvědomila, že nervózní jsme oba.

A tady uprostřed vstupní haly v domě jeho rodičů, kde on v jedné ruce držel dárek a já si na prsou tiskla tmavě fialový květináč s pokojovou rostlinou, mě znovu políbil.

„Pojďme společně čelit mým příbuzným." Zasmál se. „Bude jich tam hromada. Máma má tři sestry a dva bratry. Tvým úkolem bude držet mě dál od každého, kdo se mi bude snažit namluvit, jak moc jsem od minulého setkání vyrostl."

„To snad dovedu." Musela jsem se jeho výrazu zasmát. „Teď se cítím docela vděčná, že naše rodina je tak malá. Jen máma a teta Lynn."

Hned co jsem to dořekla, z hlubin vzpomínek se vynořil obrázek rodinné oslavy pořádané před mnoha lety. Tátova rodina, další bratranci, prarodiče, ti možná budou ještě naživu. Další tety a strýcové.

Zahnala jsem tu myšlenku. Sešli jsme dolů po schodech přímo do jámy lvové. Několik lidí už postávalo v kuchyni, ale jen jsme se kolem nich mihli a zamířili ven na zahradu. Sam občas někomu kývl na pozdrav, ale hrnul se dopředu tak rázně, že nikoho nenapadlo ho zastavit a dát se s ním do řeči. Možná za

234

to mohla ta obrovská neforemná věc, která vypadala, že z ní může každou chvíli něco vyskočit.

„Všechno nejlepší k výročí, mami," řekl Sam a nacpal jí do náruče dárek, jako by chtěl veškerou pozornost přesunout na něj místo trapného představování. Dalo nám neskutečnou práci vymyslet, do čeho tu nádhernou řezbářskou práci v životní velikosti zabalit. Když Sam tu divokou kachnu při vzletu – nebo doletu, kdo ví – uviděl ve výloze malé galerie v Devonu, museli jsme zastavit a hned ji běžel koupit.

„Zajímavě zabalený dárek! Děkuju, miláčku."

„A tohle je Jess."

Samova máma se ke mně otočila. Byla jsem vděčná za tu horu balicího papíru, kterou držela v náručí, protože jsme se aspoň nemusely rozhodovat, jestli se políbíme na tvář, nebo si jen potřeseme rukou. Usmála se na mě a kolem očí se jí poskládaly vrásky. Ne úplně vřele, ale zase ne úplně bez zájmu.

„Ahoj, moc mě těší."

„Tohle je pro vás." Aspoň já jsem se dárkem trefila, její oči se při pohledu na fialové květy úplně rozzářily. V duchu jsem poděkovala tetě Lynn za nápad.

„Bože, to je nádhera!" zvolala vesele. „Jak jsi mohla vědět, že miluju delphinie? A ten nádherný květináč! Nebude vadit, když ji položíš tamhle?" Kývla ke stolu na patiu, kam jsem měla květinu odložit. „Mockrát děkuju." S okouzlujícím smíchem mě následovala a pak se podívala na Sama, aby tam odložil druhý dárek.

„Zlato, mám to otevřít hned?"

„Ne, to může počkat. Když se ti nebude líbit, aspoň nemusíš před všema nic předstírat."

„Same, určitě to bude…"

„Pokladnička ve tvaru šmouly?" poškádlil ji.

„Na to jsem už úplně zapomněla," před očima jí proletěla vzpomínka, která Samovi vykouzlila úsměv na tváři. „To ti bylo sedm." Pak se ke mně otočila, aby mi všechno vysvětlila. „Samozřejmě trval na tom, že ta věc musí stát nad krbem."

Při té představě jsem se musela uculit. „Nehodil se tam?"

„Zrovna jsme celou jídelnu zrenovovali do modrozelena a barvy sloní kosti. Všechno spolu musí ladit."

„Tohle bude určitě ladit, slibuju. Že jo, Jess?" Objal mě kolem ramen.

„Vůbec mě do toho nezatahuj," řekla jsem, naklonila hlavu a sladce se na něj usmála. „Teprve jsem tvoji mámu poznala. Chci, aby mě měla ráda."

„Jestli je to zase šmoula, dám ho do ložnice pro hosty," řekla Samova máma a znovu si balíček přeměřila. „Dáte si něco k pití? Máme spoustu prosecca, bílé a růžové víno nebo pivo."

„Prosecco?" zeptal se Sam. Přikývla jsem a on zmizel v kuchyni.

„Lynn s Richardem už jsou tady?" zeptala jsem se a přeskakovala pohledem po lidech na upraveném trávníku.

„Ještě ne. Mají to přece daleko," zasmála se a něco v jejích očích mi říkalo, že se můžu uvolnit.

Usmála jsem se a zahleděla se na zahradu oddělenou nízkým křovím. „Vsadím se, že budou úplně poslední."

„Zřejmě ano. Je to jako Murphyho zákon. Jsou to naši nejoblíbenější sousedi, opravdu. Od prvního dne, co jsme se sem nastěhovali, se o nás Lynn stará jako o vlastní rodinu. Máme štěstí. V předchozím domě jsme bydleli dvacet let a sotva jsme se se sousedy pozdravili."

„Jsem ráda, že je mám. Nějakou dobu jsem s nimi bydlela, když jsem byla malá." Sama jsem byla překvapená svojí upřímností. „Máma byla nemocná. Takže Lynn je pro mě něco jako náhradní máma." Zadívala jsem se na sousední dům vyčnívající nad hustý porost živého plotu. „Jejich dům je můj druhý domov."

„To je hezké." Byla o poznání milejší, ale pořád si držela mírný odstup. Všimla jsem si, že se rozhlíží po dalších hostech.

„Děkuju, že jste mě dneska pozvali. Vím, že to nebylo lehké rozhodnutí," vysypala jsem ze sebe najednou.

„Chci jen, aby byl Sam šťastný." Její oči, tolik podobné Samovým, byly plné upřímnosti. „To je všechno, o co mi jde. Doufám, že udělal správné rozhodnutí."

Au. Srdce mi po té nepříjemné poznámce poskočilo a nepříjemné zklamání se mi usadilo v krku. Dej jí šanci. Je to pro ni všechno nové, řekla jsem sama sobě. Sam narušil její rovnováhu, všechno, na co byla doteď zvyklá. Měla bych být vděčná, že mě vůbec pozvali. Otevřela jsem pusu, abych řekla něco na svoji obranu, ale pak jsem si uvědomila, že je to tak ošemetný moment, kdy bych mohla všechno pokazit, že jsem nakonec neřekla vůbec nic.

„Moc ráda jsem tě poznala, Jess, ale jsem na roztrhání." Slušně se omluvila, ale v jejích slovech jsem cítila náznak výmluvy.

Trochu jsem sebou cukla a sledovala, jak se ode mě vzdaluje. Nebyl to žádný významný úspěch, ale ani prohra. Chvilku jsem tam stála sama a pozorovala vyšňořené hosty, většinou kolem padesátky, šedesátky, jak se baví a usmívají. Všichni se očividně dobře znali, plácali se po zádech a potřásali si rukama. Přejela jsem si po hladké látce šatů a zadívala se na nejbližší záhon. Cítila jsem se ztracená, což se mi moc často nestávalo. Kde je Sam tak dlouho? Ukradla si ho pro sebe nějaká tetička?

Našla jsem ho v kuchyni v družném rozhovoru s jeho otcem, dalším mužem a… Tady byla v celé své lesklé kráse! Na hony vzdálená té rozzuřené dračici, kterou jsme potkali minule. Stejně mi vyskočil tlak jen při vzpomínce na tu úzkost, která byla s každým setkáním s ní spojená. Victoria ale přece nebyla nepřítelkyně. Znovu jsem si vzpomněla na matku a bolest, která její mysl na tak dlouhou dobu úplně zastřela.

Victoria si Samovu pozornost získala ještě dřív, než potkal mě. Erinino odhalení mě nutilo Victorii spíš litovat, než se na ni zlobit. I když by si za ten výstup v supermarketu i následující škodolibosti zasloužila vynadat. Copak se dá divit tomu, že na Samovi tak visí? Čtyři roky jistoty musel být naprostý opak chaosu, který do té doby prožívala. I když se vsadím, že by moje sympatie nesdílela zrovna s nadšením. Uvědomila jsem si, že to, když se za mě teta Lynn postavila v době, kdy to bylo nejdůležitější, zachránilo celé moje dospívání.

Chvilku jsem ty čtyři jen tak pozorovala, jak se společně smějí. Victoria se dotýkala Samovy paže, prsty ho hladila a zároveň mluvila na dva starší muže a kývala hlavou. Vypadala naprosto sebevědomě, jistá si svým místem. A já jsem tu pohodu nechtěla ani nepotřebovala nijak narušovat. Nemusela jsem nikomu nic dokazovat. Byla jsem si jistá, že Sam miluje jen a jen mě.

„A Sam potom předvedl svůj nejlepší odpal," řekla Victoria a podívala se na Sama tak, že z jejího obličeje doslova prýštila hrdost a něžnost.

Dobře, hrdost a něžnost, to už je trochu moc. Kde přesně se nacházela ta rozhodující hranice? Nikdy dřív jsem nad tím nepřemýšlela, ale někde se přece muselo vymezit, jak se ještě chová a už nechová bývalá přítelkyně. A jestli taková hranice existovala, byla pro všechny stejná? Nebo to měl každý jinak? Záleželo na dvojici, na rozchodu, na celém vztahu?

Najednou se mi naježily chlupy, což se mi stávalo jen velmi zřídka. Teď však varovaly, že se má každý vzdálit od toho, co bylo moje. A na to jsem nebyla moc hrdá. Ale to, co se mi odehrávalo před očima, vypadalo jako dobře promyšlený tanec na tom nejtenčím ledě, jaký člověka mohl vůbec unést. A Victoria vědomě a s lehkostí tahala za nitky.

„No vážně." Její ruka se pomalu šplhala po jeho paži až ke krku, kde spočinula v uvolněném gestu. Gestu tak nevědomém, že ani jeden z nich neprotestoval. Možná bych ho oběma prominula, kdyby při něm Sam aspoň trochu ucuknul. „Letěl rovnou do autu, nemyslím si, že ho polaři vůbec viděli letět." Ještě pořád se vedle ní cítil přirozeně. A to bolelo ještě mnohem víc.

„Vidím, že máš talent, Same," odtušil postarší muž. „Předpokládám, že tě brzy uvidíme hrát nějakou vyšší ligu."

„To by bylo výborné," odpověděl Sam, „ale nikdo mi ještě nevolal."

Obrátil se mi žaludek. Ti dva vypadali pořád jako dvojice. Taneční pár, který si ještě příliš dobře pamatoval společnou choreografii.

„Loni jsi měl několik zranění, stejně jako rok před tím," poplácal ho po druhém rameni jeho otec. „Dej tomu čas. Letos si vedeš moc dobře."

„Jsem si jistá, že je to jen otázkou času. Jsi v nejlepší formě." Victoria ho obdařila tajemným úsměvem a její hlas trochu zhrubnul, což mě málem přinutilo jí jednu vrazit. Žárlivost se probrala jako nějaký ďábel a já jsem cítila, jak se mi jako černý inkoust rozlévá žilami. Přesto jsem se nějakým způsobem ovládla. „Vím, že už se na tebe upírá nejedno důležité oko."

Polkla jsem hořkou slinu a rozhodla se do konverzace nezasahovat. Nebudu tady dělat scény, ale rozhodně nebudu stát v pozadí. Vtom se na mě Sam podíval. Zachytila jsem rozpaky v jeho tváři, jako by si uvědomoval, že dělá něco, co nesmí.

„Jess, určitě už umíráš žízní, promiň. Prosecco." Obrátil se za sebe a na kuchyňském pultu sebral skleničku. „Tohle je můj táta, strýček Jeff a...," nastala krátká pauza, „Victoria."

„Dobrý den," pozdravila jsem a přinutila se vykouzlit přirozený úsměv, což bylo dost těžké. Jako bych si to snad doma nacvičovala. No jasně. Zrcadlo v mojí koupelně mi dneska ráno nabídlo celou přehlídku výrazů od *ach, ty jsi tady taky* až po *je mi jedno, že jsi tady, i když jsi zničila naše první rande a nazvala jsi mě sviní a řvala jsi na nás v obchodě.*

Moje naivní naděje, že už si na nás se Samem konečně zvykla a nebude dělat scény, se rozplynula ve chvíli, kdy po mně střelila pohledem, který by skolil i statnější postavu, než mám já. Kdyby se dostala k tomu stojanu na nože, co měla přímo za zády, nepřežila bych ani vteřinu.

„Jess, těší mě," Samův otec ke mně přistoupil a jeho nadšení tak nějak nezapadlo do aktuální atmosféry. Moc velký diplomat to zrovna nebyl. „Jsem Miles. Můžeš mi tak říkat." Měl stejný široký úsměv jako jeho syn. Měla jsem chuť ho obejmout.

„Taky vás ráda poznávám." Nervozita a Victoriin poťouchlý úsměv, kterým maskovala svoje vražedné spády, mě hodily do konverzační nálady. „Vaše zahrada, to je radost pohledět. Musí za tím být spousta dřiny. Strejda Richard vám ten trávník tiše závidí. Budu ho hlídat, kdyby vám náhodou nabídl, že vám ho poseká, až budete pryč."

Miles se zasmál. „Válka zahrad! Budu ho sledovat." Nabyla jsem dojmu, že mě přijal, že to bude fungovat a že se můžu konečně nadechnout.

„A já jsem Milesův lépe vypadající a mladší bratr," řekl Jeff a nabídl mi obrovskou pracku, abych si s ním potřásla. „Je vždy mou milou povinností seznámit se s krásnou mladou dámou. Jsi Samova kamarádka, že?"

Miles rychle zavřel oči. A když je otevřel, zadíval se do nebe. Victoria se ušklíbla.

„Ano," řekla jsem krátce a pokud možno sladce. Co jiného jsem mohla dodat, abych všechny neuvrhla do trapné situace? „Moje teta a strejda bydlí hned vedle."

„To je skvělé," prohlásil Jeff. „Takže zřejmě znáš naši krásnou Victorii."

„No…" Dobře, teď jsme se té trapnosti už těžko mohli vyhnout. Mám přiznat, že už se známe? Asi radši nebudu vůbec odpovídat.

Jeff naštěstí na odpověď vůbec nečekal. Otočil se k Victorii a vůbec nezaregistroval její odměřený pohled. „Už jste se Samem spolu pěkně dlouho, co?" Šťouchnul do Sama loktem a mrknul na mě, jako by mě chtěl zatáhnout do právě probíhajícího vtipu. „Kdy ji konečně požádáš o ruku? Vy mladí si myslíte, že máte na všechno spoustu času. Musíš si ji pojistit, jen se na ni podívej. Kdybych byl o čtyřicet let mladší…"

Sam, Victoria, Miles i já jsme ve vteřině ztuhli, nikdo se na nikoho ani nepodíval.

„Tohle si asi budeš muset vysvětlit sám," štěkla po Samovi Victoria, vztekle chňapla po skleničce s vínem, a než se vypařila, efektně pohodila lesklou hřívou.

„No páni!" řekl Jeff nechápavě a podíval se na Sama. „Pohádali jste se?"

„Já už s Victorií nechodím," vysvětlil Sam a zatnul čelist.

„Aha." Nebohý Jeff prostřídal na tváři hned několik výrazů, jak se snažil vybavit si, co všechno řekl. „To je velká škoda. Je to pěkná holka." Pak Sama poplácal po rameni. „Nevadí. Brzy to napravíš. Musíš se trochu snažit. Vsadím se, že chytrý chlap jako ty něco vymyslí. Občas musíš o ženu bojovat. Ona se nakonec vrátí."

„Jeffe, můžeš se mnou jít na chvíli na zahradu," navrhl Miles a podíval se na mě s omluvou v očích. Jestli to dřív vypadalo, že je na mojí straně, tak teď jsem ho začínala milovat. Měl v sobě něco uklidňujícího.

„Na zahradu? Už jsem ji přece viděl."

„Musíš se podívat ještě jednou," řekl Miles rázně, chytil bratra za paži a odvedl ho pryč.

„Dobře," souhlasil nakonec překvapený Jeff.

Mezi námi nastalo ticho, které trvalo nekonečně dlouho. Zatímco jsme se jeden druhému dívali do očí, napětí mezi námi si sedalo jako prach a my jsme konečně byli schopní vstřebat, co se právě stalo.

„Bože, Jess, promiň. Zatracený Jeff!" Sam mrzutě kroutil hlavou.

Křečovitě jsem se usmívala. Něco takového jsme přece mohli čekat. „Doufám, že to nejhorší už je za námi," řekla jsem. „Chudák tvůj táta... Vypadal dost mrzutě."

„Jo, ale je zvyklý, že Jeff neudrží jazyk za zuby. Jsi v pohodě?"

„Jo. Věděli jsme přece, že to bude trapné."

„Ani ne tak trapné." Předklonil se, aby mě chytil za bradu a políbil. „Ale jak jsi sama řekla, snad je to nejhorší za námi."

V duchu jsem o tom dost pochybovala. Jeffovo faux pas nás odvedlo od hlavního problému – Sam byl tak zaneprázdněný, že na mě úplně zapomněl, i když slíbil, že mi přinese něco k pití. A já jsem to nechtěla jen tak nechat plavat. Museli jsme vystupovat jako dvojice, protože tady bylo nejedno ostříží oko, které nás na každém kroku sledovalo.

Opustili jsme kuchyni a venku na zahradě jsme se připojili ke skupince přátel Samových rodičů, kteří ho očividně znali už dlouhou dobu. Když mě Sam představil Gaynoře, Mikeovi, Felicitě a Stevenovi, cítila jsem, jak z nich čiší zvědavost, ale chovali se ke mně velmi mile. Během jakékoliv konverzace se Victoria vždy pohybovala v dostatečné blízkosti, aby všechno slyšela, přeskakovala od hloučku k hloučku, se všemi se zdravila, potřásala si rukama a usmívala se, jako by oslavu pořádala ona sama. Byla jsem paranoidní? Opravdu mi každou minutu dávala najevo, že je s rodinou Weaverhamových neoddělitelně spjatá? Snažila jsem si udržet neutrální výraz, ale když dorazila teta Lynn se strejdou Richardem, spadl mi kámen ze srdce. Vydali se přímo k Milesovi a Sally, kteří se teď nacházeli jen kousek od nás.

„Gratulujeme," řekla Lynn a předala jí obrovský puget bílých květů, které byly určitě vybrány a vyvázány pro tuto příležitost v nedalekém květinářství. Lynn byla jednou z nejmilejších a nejpřívětivějších osob, jaké jsem znala. A přesně věděla, jak druhé potěšit.

„To je nádhera! Jsou tam všechny moje oblíbené květiny." Sally se rozzářily oči. „To je od tebe opravdu hezké, Lynn. Děkuji." Zabořila tvář do kytice a užívala si tu nádheru zblízka.

Najednou se v hloučku objevila Victoria. „Ahoj Lynn."

„Ahoj, jak se máš?" odpověděla teta s přátelským úsměvem. Lynn se zná s Victorií? To jsem netušila. Věděla, kdo to je? Zmínila jsem se před ní někdy, jaké peklo nám dělá? Řekla jim Shelley o tom příspěvku na Facebooku? Lynn by se určitě nic z toho nelíbilo.

„Dobře, děkuji. Krásný den, že?" Victoria se usmívala od ucha k uchu a očividně se cítila jako doma. „Mám pro tu nádheru přinést vázu, Sally? Dám je hned do vody."

„To je od tebe milé," odpověděla Sally a usmála se na ni.

„Tu modrou, nebo broušenou?" zeptala se Victoria a snažila se být co nejvíc nápomocná. I když se nedívala mým směrem, bylo mi jasné, že o mně moc dobře ví. Tušila vůbec, že Lynn je moje teta?

„Nevím," Sally se na chvilku zamyslela, „asi tu modrou, co myslíš?"

„Určitě tu modrou." Victoria se na ni usmála, hodila po mně vítězným výrazem a zmizela francouzskými dveřmi zpátky do domu.

„Můžu vám přinést něco k pití?" zeptal se Miles, když si mě Lynn vzala stranou.

„Jess!" rychle mě objala. „Zlato, kde je Sam? Jaký jsi měla týden? Jak se má máma?" Otázky se z ní valily na všechny strany. Až pak se otočila zpátky k Milesovi. „Děkuju, dám si skleničku prosecca."

„A ty, Richarde?"

„Pivo, prosím."

Rozjela se diskuze o tom, jaké pivo je nejlepší, a pánové se přesunuli k baru na patio.

Sally se podívala na hodinky. „Brzy začneme servírovat jídlo."

„Budete chtít s něčím pomoct?" zeptala jsem se rychle.

„Ne, děkuji, všechno je pod kontrolou." Pak zmizela v domě a vteřinu po tom, co se za ní zavřely dveře, ze mě vypadla otázka: „Ty znáš Victorii?"

Lynn vypadala trochu překvapeně. „Záleží na tom?"

„Ani ne," odpověděla jsem.

Lynn nebyla hloupá a moc dobře mě znala. Zvedla obočí, čímž mi dala najevo, ať se rychle vymáčknu, a trochu mi tou gestikulací připomněla vlastní matku.

„To je Samova ex, se kterou chodil čtyři roky."

„To je ona?" zeptala se Lynn. „To jsem netušila." Zamračila se. „Seděla tady, když jsem se jednou stavila k Sally na kávu. A taky jsme ji potkaly cestou na kurz aranžování květin, kam jsme se minulý týden přihlásily. Nevěděla jsem, že má něco společného se Samem, myslela jsem si, že je to dcera některé

Sallyiny kamarádky. Teď to ale dává smysl." Zamračila se. „Musí to být pro Sally těžké, jestli byly kamarádky."

„To určitě. Ale nechtěla bych, aby se přestaly vídat."

„I když…," Lynn se na mě starostlivě podívala, „potkávala jsem ji tady nezvykle často, jako by to byl její domov. Je všechno v pořádku?"

„Ale jo, je." Podívala jsem se přes zahradu na Samovu blonďatou hřívu a on ve stejnou chvíli zvedl pohled a lehce se na mě usmál. Trochu se uculil a v očích mu zajiskřilo, jako by si vzpomněl na nějaké naše tajemství. Srdce se mi zatetelilo radostí nad intimitou, jakou jeho úsměv skrýval. „V naprostém pořádku," dodala jsem tiše.

Lynn si mě prohlížela přesně jako matka, která se snaží zjistit, jestli její dítě dobře prospívá. Až byla spokojená s tím, co viděla, uvolnila se a hrdě se na mě usmála.

„Mám radost, že jsi šťastná." Naklonila se a pořádně mě objala. Pak mi stiskla ruku a tónem, který jsem zřejmě slýchala jen já a Shelley, dodala: „Jsi hodná holka, Jess. Zasloužíš si být šťastná. Čím víc Sama znám, tím víc se mi líbí."

„Jsem šťastná, protože jsem s ním."

„To je dobře. Takového pocitu není nikdy dost." Políbila mě na tvář. „Vypadáš… spokojeně." Pak se nadechla a s uličnickým výrazem dodala: „Joan ho konečně odsouhlasila?"

Zasmála jsem se. „Myslím, že se jí líbí, protože na svatbě strávili hodinu rozebíráním kriketu."

Lynn pohledem zkontrolovala Sama a pak se usmála. „To je dobře."

„Než ho poprvé uviděla, bála se, že bude mít tetování. Ty vlasy nakonec hravě prošly."

Lynn se otřásla. „Kéž by Shelley neměla to příšerné tetování na kotníku. No vážně, až jí bude sedmdesát, bude to vypadat hrozně."

I když svoji sestřenici miluju a vždycky jsem ji podporovala, pohled na otřesenou tetu Lynn mě skoro bolel. „Můžu ti říct tajemství?" Pak jsem se odmlčela, ale žádné varovné šťouchnutí povědomí nepřišlo. „Není to opravdové tetování. Jen dočasné, maluje si to pořád dokola. Každé dva týdny. Jen tě tak zkouší."

„No ještě že tak. Musela jsem se ovládat, abych se k tomu nijak nevyjádřila, vypadá to fakt ohavně. A to se snažím být moderní a všemu otevřená, ale…" Zavrtěla hlavou a pak se chytila za pusu. „Když už jsme u toho, být tebou, dávám si na Victorii pozor. Nejsem si jistá, že se taková holka vzdá bez boje."

„Myslím, že to už jsem dávno zjistila."

„Máš hlad? Máma připravuje občerstvení už skoro týden." Sam se za mě postavil, objal mě kolem pasu a políbil mě na holé rameno. „Ahoj Lynn, jak se máš?"

Podívala se na Sama, zvedla si brýle a přes skleničku s unikajícími bublinkami se rozhlédla okolo. „Mám prosecco, vedle sebe svoji nejoblíbenější neteř, před sebou nádhernou zahradu, venku svítí sluníčko a já…," odmlčela se a obdařila ho širokým úsměvem, „nemusím nic vařit ani uklízet."

Sam se připojil k mému rozjařenému smíchu. „Zasloužíš si to," dodala jsem.

„Je příjemné si to někdy užívat z druhé strany. Sally vždycky ví, jak na to."

Dlouhý stůl za francouzskými okny se během několika minut zaplnil různými mísami, talíři a tácy, které z kuchyně nosila Sally, další žena, kterou Sam popsal jako svoji tetu, a Victoria.

„Mám strašný hlad. Pojďme, někdo musí být první. Všichni jen poslušně čekají," oznámil mi Sam, vzal mě za ruku a táhnul mě k bufetovému stolu.

Sally zrovna kontrolovala obsah mís, vedle ní stála Victoria s talíři v obou rukách.

„Kdybys položila každý na jeden konec stolu, bylo by to nejlepší. Pak musíme z trouby vytáhnout sýrové tyčinky."

„Hned to udělám. Na jaký talíř je mám naservírovat?" zeptala se Victoria.

„Co ten, který jsme spolu koupily v Portugalsku?"

„Ano, ten," Victoria po mně znovu hodila vítězným pohledem jezdce Formule 1. „To byl ale vtipný prodavač, pamatuješ si ho? Myslel si, že vykoupíš celý jeho obchod. Rozhodně nebyl spokojený s tím, že odcházíš jen s jedním kouskem."

Sally se zasmála. „Asi si myslel, že mám kabelku plnou peněz. Ale byl to moc hezký obchod. Pořád máš tu sadu stojánků na vajíčka, co sis koupila?"

„Ano, na parapetu. Jsou moc hezké na to, aby se používaly, nechtěla bych je rozbít. To byla skvělá dovolená." Zvedla hlavu a usmála se na Sally způsobem, kterým jasně dávala najevo, jak ji mrzí, že už žádná taková společná dovolená nebude. Sally ji objala a zašly spolu do kuchyně. Victoria se po pár krocích otočila a povýšeně se na mě zadívala.

Podejte mi kbelík, budu zvracet! Kolik jí proboha je? Jakékoliv dřívější sympatie k ní byly najednou pryč. To je ale mrcha! Myslím, že jsem tu její hru na snachu, kterou tady na všechny hrála, ustála, ale už by toho vážně měla nechat. Chápu, o co se snaží. Jsou se Sally kamarádky, patří sem a já jsem prostě z kola ven. Karty jsou rozdány a výherkyní je Victoria.

Když se však na mě tak arogantně usmála, uvědomila jsem si, že k ní musím přistupovat jinak, protože takhle s tím nikdy nepřestane. Obrátila jsem oči v sloup a otočila se k ní zády.

U stolu se shromáždil dav. Každý si na talíř nakládal spoustu jídla, se kterým se vracel na zahradu, aby si sedl k nízkým stolkům. Se Samem jsme se připojili k Lynn a Richardovi sedícím na konci dřevěného stolu se sousedkou Fionou a jejím manželem Mitchem. Obklopená svojí rodinou, se Samovou nohou přehozenou přes moje stehno jsem odehnala myšlenky na Victorii hodně daleko a soustředila se jen na jemnost Samovy kůže, Richardovy vtipy, Lynnino spokojené pokukování a pocit, že všechno je tak, jak má být.

Pak nastal čas na dezert a ještě víc prosecca. Vzduchem se rozezněl zvuk cinkajícího kovu o sklo a všichni se postavili, aby nechali Milese říct pár slov.

„Děkuju, že jste dneska všichni přišli." Jeho hlas získával každý slovem na síle, aby ho slyšeli všichni na zahradě. Sally se mezitím postavila vedle něj. „Je úžasné vidět, kolik příbuzných a přátel vlastně máme. Nebudu to protahovat…"

„Ještě že tak," zavolal nahlas strýček Jeff někde ze zadní části zahrady.

„…ale chtěl jsem ještě něco dodat." Podíval se okouzleně na svoji ženu a vzal ji za ruku.

„Pětatřicet let… Chtěl jsem tady říct vtip o tom, že je to ještě delší trest než za vraždu…" Z obecenstva se ozval tichý smích. „Ale…," sevřel Sallyinu dlaň, „pětatřicet let je půlka života a my ho spolu máme moc hezký. Pořád si ještě myslím, že jsem ten nejšťastnější člověk na světě. Když jsem Sally poprvé spatřil, hned jsem věděl, že je výjimečná."

Sally se zatvářila potěšeně.

Miles se k ní otočil a pokračoval. „Poprvé jsem s ní mluvil asi po měsíci, ale ten záblesk zájmu si moc dobře pamatuju doteď, i když to bylo kdysi dávno v supermarketu Woolworths v Ramsgate."

„Bože, ta jejich uniforma byla příšerná, samý nylon," dodala Sally a kroutila u toho pobaveně hlavou.

„Chvíli mi trvalo, než jsem sebral odvahu a zeptal se, jestli se mnou někam půjde," dopověděl Miles. „Byl jsem skromný syn skladníka, který ve volném čase pracoval, a ona byla ta úžasná holka na sobotní večírek. Když jsem ji ale poznal, stali se z nás nejlepší přátelé a ten vztah rostl a rostl, až jsem si jednoho dne uvědomil, že je to žena, se kterou chci strávit zbytek života. Sally je pořád moje nejlepší kamarádka, ale také žena, kterou miluju celým svým srdcem."

Davem se ozvala vlna povzdechů a já jsem cítila, jak mi u těch upřímných slov slábnou kolena. Sam mezitím propletl svoje prsty s mými a já jsem se k němu otočila. Díval se na mě, jako by znal všechny odpovědi na světě a já jsem byla jediným člověkem, se kterým je chce sdílet.

„Pozvedněte prosím sklenice. Pokud má podle Bible lidský život trvat sedmdesát let, my jsme se Sally strávili jeho polovinu v manželství," Miles pozvedl sklenici a podíval se na svoji ženu, „doufám, že zbytek našeho života strávíme tím, že si ho pořádně užijeme."

Pak začaly cinkat skleničky a lidé se pomalu pustili do řeči. Vzduchem se nesla láska a radost.

Potřebovala jsem na záchod, ale koupelna, která se nacházela hned vedle patia, byla obsazená někým, kdo podle zvuku ozývajícího se zevnitř vlastnil močový měchýř jako velbloud. Nikdy by mě nenapadlo, že lidský tvor může tak dlouho čůrat. Bylo to až ohromující, kdybych u toho nemusela křížit nohy.

Když se ve dveřích konečně zjevila žena s omluvným výrazem, uvědomila jsem si, že musela o mých útrapách dobře vědět, posadila jsem se a s úlevou vypustila obsah svých útrob, když jsem zaslechla něčí hlas tak zřetelně, jako by ta žena stála přímo vedle mě.

„Taková škoda, Sally, musí to pro tebe být hrozně těžké. Mám to vzít? Chudák Victoria."

Zavřela jsem oči a přemýšlela, jestli náhodou nemám hlasitě zakašlat, abych je upozornila, že je někdo poslouchá.

Někdo zavřel skříňku, cinknul nádobím a pak se ozvala dutá rána hned vedle záchodových dveří.

„Moc s ní soucítím. Děkuji, vezmi prosím ten džbán. Je to bojovnice, trvala na tom, že dnes přijde a pomůže mi. Plánovala jsem tu oslavu celé měsíce, opravdu by mě nic nepřinutilo, abych ji nepozvala, i když jsem jí řekla, že určitě pochopím, když se tu nebude chtít ukázat. Díky bohu prohlásila, že by si to nenechala za nic na světě ujít." Pak nastala pauza a já jsem se na záchodovém prkýnku přikrčila.

„Sama bych nejradši přiškrtila." V jejím hlase se najednou ozval úplně jiný tón, než jakým se mnou přede všemi mluvila. Zavřela jsem oči a doufala, že se nějakým kouzlem vypařím.

„Nechápu, co to do něj vjelo. Na krizi středního věku je přece ještě mladý. Vždyť s Victorií neměli žádné problémy. Vůbec tomu nerozumím. Ta holka je navíc neteř Lynn a Richarda. Mám je ráda, jsou to skvělí sousedi a Lynn je opravdu zábavná."

„A jaká je ta nová holka?"

„Nemám tušení, klidně může být úžasná, ale to sotva. Proč by proboha zahazoval čtyři roky vztahu? Možná kdyby se s Victorií hádali nebo neměli nic společného. Ale byli v pohodě. V jednu chvíli plánovali dovolenou v Turecku, v další… Když mi Sam zavolal a řekl, že mi musí něco říct, myslela jsem si, že chce Victorii požádat o ruku. Místo toho mi oznámil, že někoho potkal a s Vic se rozešel. Já tomu prostě nerozumím."

„Možná si chce ještě užít. Než se usadí."

„V to doufám. Chudák Victoria, je úplně zničená. Zdevastovaná. Snaží se tvářit statečně, ale vím, jak trpí. Je mi jí tak líto.

Vůbec netuší, proč najednou tak rychle změnil názor. Proto je to pro ni tak těžké. Prostě to nedává smysl. Pořád je do něj zamilovaná a nechce věřit, že on ji už nemiluje. Jak vůbec můžeš někoho jeden den milovat a druhý den už ne?"

„Vzala by ho zpátky?"

„Určitě, bez debat. Zná Sama mnohem líp než kdokoliv jiný. Říkala, že je to mimo vzorec jeho chování. Přesně jak jsi řekla. Všichni jejich kamarádi se usazují, berou se, prostě si myslí, že tohle je jen nějaký jeho protest."

„Co si myslíš ty?"

„Že se k sobě s Victorií vrátí, až dostane tuhle holku z hlavy. Může být samozřejmě hodná a příjemná... Ale prostě nevím, co je na ní tak úžasného. Sam říká, že to byla láska na první pohled... Ale vymluvit jim to nemůžeš. Doufám, že ho to brzy přejde. Miluju svého syna, ale je to jen poblouznění. Je tak pobláznění, že to zatím nevidí." Sally si hluboce povzdychla. „Ale ještě víc mě naštval tím, že obětoval svoji kariéru v kriketu. To všechno kvůli ní! Vždycky chtěl hrát vyšší ligu. Ale ona mu úplně popletla hlavu. Není se čemu divit, že ho letos všichni přehlížejí. Prý neodehrál příliš mnoho zápasů. A já mu za to nemůžu ani vynadat, protože spolu skoro nemluvíme. Vždycky tolik trénoval. Pořád byl na hřišti. Nikdy nezmeškal jediný zápas. A teď... mám pocit, že ho to už vůbec nezajímá."

Sevřel se mi žaludek, až jsem se musela předklonit a obejmout si kolena. Schovala jsem obličej do jemné látky šatů a čekala, až ten nepříjemný pocit odezní.

„Můžeš mi prosím podat ten stojan na dort? Ten by měl být tak akorát. Objednala jsem sto malých dortíčků a obávám se, že je budeme jíst celé týdny."

„Možná bys je mohla dát hostům s sebou," navrhl ten druhý hlas.

Narovnala jsem se a snažila se natáhnout si kalhotky. Měla jsem úplně orosené čelo. Musela jsem se odsud dostat dřív, než se ty dvě vrátí. Rychle jsem si umyla ruce a škvírou ve dveřích zkontrolovala, jestli je vzduch čistý. Vtom mi začal zvonit telefon, až jsem leknutím poskočila. Ještě že nezazvonil o pár vteřin dřív.

24

„Houstone, máme problém," protáhla Holly, když jsem vyběhla ven hlavními dveřmi, abych ji pořádně slyšela.

Holly měla tento víkend službu a nikdy mi nevolala, pokud nešlo o něco vážného.

„Co se stalo?" posadila jsem se na schody a zkřížila prsty, jako bych tak mohla odehnat zlou předtuchu.

„Na Facebooku se objevila fotka z Jakeovy školy."

„Sakra." Sociální média byla naším největším nepřítelem. Stačilo vyfotit studenta v tričku s logem a nebylo těžké vypátrat školu, kam chodí. Problém byl většinou v rodičích.

„Otec ho samozřejmě vystopoval. Naběhl v pátek do školy a domáhal se, že kluka musí vidět."

„Věděli jsme o tom?" Hloupá otázka, kdyby se to k nám dostalo, víme to už v pátek.

„Ne. Ředitel byl pryč. Zástupce taky. Matka řekla ve škole, že nám dá vědět. Což samozřejmě neudělala, protože měla strach. Škola zorganizovala jejich bezpečný převoz domů, šli zadním vchodem, takže je otec nemohl sledovat."

„Můžeme si být jisté, že za nimi nejel?"

„Nikdo se tu celý víkend neobjevil, takže snad ano. Tušila jsem, že s Cathy něco není v pořádku. Ale víš, jak je tichá."

„Vím," odpověděla jsem tiše. Nemělo cenu se rozčilovat. Nikdo nic neudělal naschvál a my s Holly jsme nikoho nemohly soudit. Existovala nařízení a zákony, které všichni museli dodržovat, ale občas prostě někdo nedával pozor. Všichni jsme jen lidi.

„Nechala si to pro sebe do té doby, než Jake dostal asi před půlhodinou hysterický záchvat a všechno nám řekl. Bojí se jít zpátky do školy."

„Chudák kluk. Viděl se v pátek s otcem?"

„Ne, ale věděl, že tam je."

To stačilo. Škola měla být pro děti bezpečným místem. Azylový dům měl být bezpečným místem. Daleko za hranicemi, kam se mohli dostat otcové se zaťatými pěstmi.

„Chceš, abych přišla?"

„Ano," řekla Holly a já jsem byla za její upřímnost vděčná. „Všichni jsou jako na trní. Cathy je přesvědčená, že se tady její ex objeví. Kdybys přijela, vysvětlíme jim znovu všechny postupy, které slouží k tomu, aby se k nim nikdo nedostal. Jak rychle tady můžeš být?"

Podívala jsem se na svoje oblečení. „Pětačtyřicet minut. Musím rychle skočit domů."

„Dobře."

Ukončila jsem hovor a chvilku tam jen tak seděla. Promnula jsem si obličej a snažila se nemyslet na toho kluka jménem Jake. Osmiletý, s černou modřinou u oka, která se ztratila až někdy za týden. Cítila jsem se odtržená od reality a musela jsem se soustředit na krásné šaty, co jsem měla na sobě, abych se trochu uklidnila. Za mnou zněl šum hovorů provázený nadšeným smíchem.

Chvilku mi trvalo, než jsem se postavila na nohy, kolena jsem měla ztuhlá a zadek mě studil ze sezení na studeném schodu.

Vrátila jsem se ze slunečného odpoledne do přítmí domu, zakopla jsem o práh a trochu dezorientovaně jsem začala hledat Sama tam, kde jsem ho viděla naposledy.

Nakonec jsem ho našla v rohu místnosti v nadšeném rozhovoru s Victorií. Vážně? Na tohle jsem teď neměla náladu. Musela jsem se odsud dostat. A to rychle.

Podívala se na mě s dalším triumfálním výrazem, který se za dnešní odpolede stal její poznávací značkou.

„Jess." Samova úleva byla hmatatelná, ale pak jeho vnitřní instinkt odhalil moje rozpoložení a zpozoroval telefon, který jsem svírala v ruce. „Všechno v pořádku?" Věděl, že Holly má tento víkend službu.

Vyměnili jsme si rychlý pohled a já jsem nenápadně zakroutila hlavou. Nemusela jsem nic vysvětlovat.

„Musíme odjet?"

„Panebože, ta tě má pěkně pod palcem," řekla Victoria a její oči vrhaly šípy plné jedu.

„Vic…," začal Sam, ale já jsem ho přerušila. Neměla jsem už dneska sílu hrát si na hodnou holku. Ten krátký rozhovor s Holly mě vrátil tam, kam jsem celou dobu patřila.

Zvedla jsem ruku a odměřeně jsem se na Victorii podívala. Bez jediné emoce, bez úsměvu. Doteď jsem se snažila být příjemná. Na světě byly mnohem důležitější věci než to, jestli mě bude mít ráda.

„Nebudu tě nenávidět, pokud mi k tomu sama nedáš důvod. Nic proti tobě nemám. Uznávám, že kamarádky z nás asi nikdy nebudou, ale nemusíme se nenávidět."

Victorii zamrzl úsměv na rtech. „Kdo si sakra myslíš, že jsi? Matka Tereza?" Málem nadskakovala na špičkách, jak se snažila udržet vztek pod kontrolou.

Pokrčila jsem rameny. „Nebudu se s tebou hádat."

„Ale já s tebou jo! Tohle ti jen tak neprojde." Otočila se na Sama. „Uvědomuješ si snad, že nikdo z našich společných kamarádů už si o tebe ani neopře kolo."

„Vic, to snad nemyslíš vážně?! Tohle přece není Jessina vina, ale moje."

„Měla tě nechat na pokoji. Začal jsi s ní chodit ven."

Sam vydechl a zakroutil hlavou. „Snažím se ti to už posté vysvětlit, ale ty mě vůbec neposloucháš. Nezačali jsme spolu chodit hned po tom, co jsme se my dva rozešli."

„Nikdy bychom se nerozešli, kdyby to nebylo kvůli ní. A to mi říkáš, že nic neudělala!"

Rychle jsme se na sebe se Samem podívali.

„Nedělej tady prosím scény," varoval ji Sam tiše a v hlase mu zazněl náznak vzteku. „Není to fér. Vím přesně, o co se tady snažíš. Neměla jsi sem vůbec chodit."

„Já jsem sem neměla chodit?" vyštěkla Victoria. „Tohle je oslava tvojí mámy. Pozvala mě. Ne ji." Znovu na mě upřela nenávistný pohled. „Lámeš Sally srdce. Všechno bylo v pořádku do té doby, než se objevila ona a vystartovala po tobě."

Sam udělal krok vpřed, z očí mu šlehaly blesky, paže měl unaveně podél těla. „Ani to neříkej nahlas! To není Jessina vina, ale moje. Je konec, Vic. Omluvil jsem se ti už milionkrát. Nemůžu změnit to, co cítím. Ale Jess z toho vynech. Je to moje vina. Musíš to konečně pochopit a dát nám pokoj. Mně i mojí rodině."

„Tvojí rodině?" vyštěkla znovu. „Myslíš si, že můžeš jen tak hodit za hlavu čtyři roky života a ani se neohlédnout. Něco mi dlužíš. A přestaň mi tady tvrdit, že ona za nic nemůže." Znovu po mně šlehla pohledem. „Už jsem potkala holky, jako jsi ty. Vůbec tě nezajímá, koho zraníš, dokud nedostaneš to, co chceš. A pak se klidně přesuneš na další kořist. Sam to jednou pozná, ale to už bude pozdě."

Pak se se záští znovu otočila k Samovi. „Za chvilku ji začneš nudit. Dostala svoji kořist. Až ji vyplivne, zase se za mnou připlazíš."

Sam se podíval na mě a pak zpátky na Victorii. „Celé jsi to špatně pochopila. Není to žádná hra," natáhl se a chytil mě za ruku. „Nemůžu ignorovat to, co k ní cítím."

Viděla jsem, jak to Victorii zasáhlo, jak se trochu stáhla, ale snažila se to skrýt. Vyhodilo ji to z role. Najednou nevěděla, jak se rychle vrátit do sedla. „Je to zaslepenost." Prohlédla si mě od hlavy k patě, jako by pořád nechápala, jak ji mohl vyměnit za něco takového, a dokonce mnou být zaslepený. „Budeš toho litovat. Brzo si uvědomíš, jakou chybu jsi udělal. Obrovskou. To vidí každý. Tvoje máma, Mike, Paige. Můj táta. Všichni v kriketovém klubu." Pak se narovnala k poslednímu triumfu.

V ruce mi pípnul telefon. Zpráva od Holly. Rychle jsem si ji přečetla. Potvrzení, že sociální pracovnice přijde v půl desáté ráno do Jakeovy školy a setká se s jeho učitelkou. A připomínka, že mě vážně potřebuje. Měla jsem už dávno být někde jinde.

„Promiň, Same," můj hlas byl plný starostí, „budu muset jít. Musím rychle do práce." Ukázala jsem mu mobil.

„Dobře." Chytil mě za paži. „Najdeme tátu s mámou a rozloučíme se." Gentleman v něm se otočil k Victorii a řekl: „Promiň, Vic, ale musíme jít."

Ani nečekal na její odpověď a táhl mě za sebou.

25

„Jak se dneska všichni mají?" zeptala jsem se, sundala si kabát a přehodila ho přes stůl. Bylo pondělí ráno. Včerejší dlouhé vysvětlování toho, jak všechno funguje, uklidnilo všechny přítomné. Kromě Holly. Ta ještě vypadala dost nervózně.

V kanceláři bylo dusno, i když okna s mřížemi byla otevřená dokořán. Včerejšek všem ukázal, jak jednoduše se může všechno ve vteřině pokazit.

„Cathy je vyděšená." Zrovna jsem se s ní vrátila z Jakeovy školy, celou dobu seděla v autě s rukou na kličce dveří. „Doufám, že jsme všem zdůraznili, že jsou tady v bezpečí a že pro ně uděláme maximum."

Krizové situace jsme nacvičovali pokaždé, když nastala možnost, že by se mohl do domu někdo dostat nebo čekal venku. Měli jsme přísné postupy, které jsme museli dodržovat. Hlavní dveře se otevíraly jen v určitých případech a kolem celého pozemku byl vysoký plot. Ale upřímně, kdyby někdo opravdu chtěl, dovnitř by se zřejmě dostal. V našem zařízení se to nikdy nestalo, ale Holly pracovala v jednom domě, kde naštvaný manžel vystopoval svoji ženu a snažil se prosekat dovnitř sekerou, dokud ho nesebrala policie.

„Jak dopadla ta schůzka? Sypala si škola aspoň popel na hlavu?"

„Nebyla to jejich vina. To nějaký rodič musel sdílet fotky ze sportovních dní. Nepomohlo ani to, že Jake řekl nějakému kamarádovi, že se přestěhoval do téhle lokality. Otec už neměl moc práce, aby ho našel."

„Bude muset změnit školu, nebo zůstane v téhle?"

„Ředitel nechce, aby odešel. Už si tam zvykl a prý je to bystrý student. Rád běhá. Ve třídě je oblíbený. Už má i nějaké kamarády. V posledních týdnech trochu vylezl z ulity a myslím, že se začal cítit komfortně. Škola je přesvědčená, že ho dokáže udržet v bezpečí. Je to velký pozemek. I kdyby se ho otec snažil najít, nějakou dobu by mu to trvalo."

„Pořád ale ví, kde má hledat."

„To jo." Sedla jsem si na židli a unaveně se sesunula. „Není to ideální. Sociální odbor má dneska odpoledne mimořádnou schůzku, ale tvrdili mi, že Cathy v každém případě podpoří. Musí se u nás cítit v bezpečí a otec se za žádnou cenu nesmí dozvědět naši adresu.

Až do oběda jsme se nezastavily. Pak jsme stejně měly čas jen na rychlou kávu a sendvič, které jsme spořádaly v zahradě na darovaném zahradním nábytku s potrhaným slunečníkem.

„Jaká byla ta včerejší oslava? Omlouvám se, že jsem tě musela odvolat."

„Nemohla jsi to líp načasovat," dodala jsem sklesle.

„Cože?" vytřeštila Holly černě zvýrazněné oči.

„Samova ex tam byla taky."

„Tomu nerozumím."

„Patří do rodiny."

„Pořád tomu nerozumím."

„Samova matka doufá, že se k sobě vrátí. Jsou z nich kamarádky." Znovu jsem se v duchu zeptala, jestli tam byla Victoriina přítomnost opravdu nutná.

„To je teda hnus." Holly se odmlčela. „Myslela jsem si, že jeho matka myslí jen na tapety s květinovým vzorem, nalakované nehty a vyfoukané vlasy."

Dusila jsem se smíchy. „To je celá Samova máma. Ztělesnění střední třídy střední Anglie."

Holly usrkla kávy. „Určitě má vytříbené chování. Neřekla ti to, doufám, do očí?"

„Ne, zaslechla jsem, jak se baví s kamarádkou, když jsem byla na záchodě. Myslí si, že je Sam zaslepený, že má krizi, ale že se z toho vzpamatuje, pošle mě k vodě a vrátí se k Victorii."

Holly si mě prohlédla. „Za to může tvoje vizáž, která zastavuje na křižovatkách provoz, a omamné feromony." Pak se zasmála. „Měla bys to brát jako lichotku. Pokud jsi jí teda řekla, ať si trhne nohou a jde někam."

„Je to Samova máma, tohle jí říct nemůžu."

„A proč ne? Zaprvé jí do toho nic není. A zadruhé jí do toho vůbec nic není. Sam, kterého jsi mi pořád ještě nepředstavila, je dospělý člověk."

„Já vím, ale doteď s ní měl hezký vztah. Nechci jim to ničit."

„Myslím, že na to už je pozdě. Vážně, Jess, přestaň být tak nesnesitelně ohleduplná. Musíš si dávat pozor na Victorii."

Zasmála jsem se. „Než jsme se dostali k Victorii, už jsem ztratila trpělivost. Je to strašná kráva."

Holly zvedla obočí. „To se mí líbí mnohem víc."

„Podle ní si všichni myslí, že Sam dělá obrovskou chybu."

„To je přece jasné, že něco takového řekne, ne?" usoudila Holly. „Naštěstí víš, že je to přesně naopak. Jsi to nejlepší, co ho v životě potkalo."

Rozzářila jsem se nad její neutuchající podporou. „To bych si moc ráda myslela, ale po včerejšku si bohužel ještě lížu rány. Victoria se rozhodně jen tak nevzdá."

Holly se zamračila. „Jess, tohle přece není tvoje parketa. Doufám, žes jí řekla, kam má jít.“

„Byli jsme přece u Samových rodičů.“

„Scš moc hodná.“

„Už nejsem. Už mi jí není líto. S tím jsem skončila,“ zavrčela jsem a vzpomněla si, jak Victoria proplouvala včerejší oslavou, jako by ji snad pořádala společně se Sally. Bylo to z její strany záměrné a Sally ji v tom ještě podporovala. Ale už je mi to jedno. Nemusím vidět ani jednu z nich. Victorii už nikdy a Samovu matku aspoň nějakou dobu.

„Co na to řekl Sam?“ zeptala se Holly opatrně.

To bylo horší. Sevřela jsem rty. „Nic moc na to neřekl.“ Když Holly překvapeně zalapala po dechu, dala jsem se do vysvětlování. „Dělá to, když je naštvaný.“ Včera celý večer mlčel, aby mi toho nenaložil ještě víc. „Zlobí se na mámu. Myslela jsem si, že byl opatrný, protože tam byla Victoria, ale ve skutečnosti ho mrzelo, jak se k ní jeho matka chovala.“

„To se dalo čekat.“

„Jo, ale nechci, aby se s ní kvůli mně hádal.“

„Chvilku bych se od nich držela stranou. Máš chlapa, jsi šťastná. Mysli na to, co je pro tebe důležité. Co bych za to dala!“

„Netušila jsem, že bys nějakého chtěla.“

„Protože už jsem za zenitem?“ popsala se s notnou dávkou nadsázky. „Mám na lásku a romantiku asi tolik času jako na zušlechťování rozkroku.“ Pokrčila rameny. „Říkala jsem ti, že se moje sestra dole obarvila namodro a ozdobila stříbrnými hvězdičkami? Nabídla se, že přijde i sem a trochu to tady rozzáří.“

„Cože? Chce nám ten svůj výtvor ukázat?“ zeptala jsem se šokovaně.

„Ne, chce nám ukázat, jak se to dělá. Prý je to teď v módě. Nabídla se, že nám udělá ukázku zdarma.“

„Proboha, hlavně o tom neříkej Shelley." Rozesmála jsem se na celé kolo. „Je na takové věci ujetá. A brzo bude slavit třicítku. Dovedu si představit, že by si něco takového nechala udělat a pak to chtěla ukázat na oslavě. Teta Lynn se právě dozvěděla, že její tetování není skutečné, Shelley by ji tím určitě znovu vytočila doběla."

Holly se dávila smíchem a zbytek přestávky jsme strávily podobným pošťuchováním. Holly věděla, jak mě vytáhnout ze splínu, takže než jsem se vypravila domů, celou tu nešťastnou příhodu s Victorií jsem vytěsnila z hlavy.

26

S toustem v puse a kelímkem kávy v ruce jsem vystřelila z hlavních dveří. Sam byl v těsném závěsu za mnou.

„Uvidíme se později." Vytáhl mi toust z pusy, políbil mě a pak mi ho strčil zpátky. Mávla jsem na něj rukou s kávou, když přešel přes ulici kolem svého auta a pokynul k mému. Prostě typicky hektické pondělní ráno. Oba jsme se nemohli vykopat z postele, proto jsme snídali v autě.

Sotva jsem vklouzla za volant, hlavou mi okamžitě začal běžet seznam povinností. Položila jsem kabelku na sedadlo spolujezdce, abych zůstala mimo dosah telefonu. Dnes nás čekala inspekce BOZP, prostě jedna velká nepříjemnost. Měla jsem připravený osmnáctistránkový seznam, který se mnou projde pověřená osoba. Doufala jsem, že někde splaším revizi kotle. A taky že děti nehýbaly ani si nehrály s hasicími přístroji. Správa budovy byla nejméně oblíbenou součástí mojí práce, ale bohužel tvořila součást mých povinností, takže jsem dost důvěrně znala instalatéra Kevina, Joshe, který měl na starost zahradu, a Deva, který zvládl opravit úplně všechno.

Moje přední sklo bylo upatlané otisky rukou. Paráda! Místní děti očividně nemají lepší zábavu. Ať už to měl na svědomí kdokoliv, vzal to poctivě a upatlal mi celé sklo.

Po nastartování jsem zapnula ostřikovače a stěrače. Ale jenom jsem to nadělení ještě víc rozmazala.

Vystoupila jsem z auta, prohlédla si přední sklo zvenku a dotkla se prstem toho hnusu. Hajzlíci! Byl to nějaký olej. Kapesníkem jsem otřela část skla a podívala se na mastnotu, co na něm zůstala. Hmota byla hustá a měla zelený nádech. Že by motorový olej? Přičichla jsem k tomu. To jako vážně? Nebyla jsem kdovíjaká kuchařka, ale jídlo jsem měla ráda. Hlavně když šlo o italskou kuchyni. Tohle byl extra panenský olivový olej. Ten vandal na mně očividně nešetřil. Ale kdo by s sebou něco takového běžně nosil?

Někdo, kdo se na mě připravil. Nakrčila jsem nos. Možná to byl jen náhodný vandalismus. Ale to sotva. Copak s tím Victoria nikdy neskončí?

Vrátila jsem se zpátky pro misku s horkou vodou a saponátem. Mezitím jsem napsala Holly. Vypadalo to na pořádné zpoždění. Bude muset nějak zabavit Jamese Martina, toho chlapa z BOZP, který měl dorazit v devět.

Něco mi říkalo, že toho nebude mít moc společného se svým jmenovcem, úžasným šéfkuchařem.

Po dvou miskách horké vody a čtvrt lahve jaru jsem už přes přední sklo viděla, i když na něm pořád zůstalo pár mastných míst. Ale na to už nebyl čas. Už teď jsem měla půl hodiny zpoždění.

Vjela jsem křižovatkou do hustého provozu. Dopravní špička vrcholila a k obchvatu mi to trvalo dalších patnáct minut. Pořád jsem přemýšlela nad tím upatlaným sklem. Byla jsem paranoidní? Udělala to Victoria, nebo to byl jen nějaký náhodný vtípek? A pak najednou, jako bych ji přivolala, jsem uviděla její auto. Poznala jsem to podle espézetky. Všechny moje smysly byly v nejvyšší pohotovosti. Od setkání na večírku před pár týdny se všechno uklidnilo. Žádné příspěvky na Facebooku ani Instagramu… Ráda bych věřila, že mezi námi nastalo příměří. Znovu jsem se podívala do zpětného zrcátka. Ano, byla tam. Victoriin mercedes jel tři auta za mnou na silnici A41 mířící na Hemel Hempstead. Byla to celkem frekventovaná cesta, takže na tom, že po ní jela ve stejnou dobu jako já, nebylo nic až tak podezřelého. Stejně mě to nadzvedlo. Musela jsem být k smíchu. Nejspíš to byla náhoda. Ale proč se s takovým fárem neřítila v rychlejším pruhu, místo aby se loudala šedesátkou jako nějaká babča? Nebo jako majitelka staré konzervy. Můj Ford Fiesta už měl nejlepší časy za sebou, ale nemohla jsem si dovolit nové auto. Při neustálém pomrkávání do zpětného zrcátka jsem trochu zrychlila. Kdyby mě nic nebrzdilo, sešlápla bych pedál až k podlaze. Odbočila jsem a předjela pár aut, ale pak jsem se zařadila do stejného pomalého pruhu. Victoria mě dohnala a najela si do původní pozice.

Sledovala mě snad? Po zádech mi stékal pot. Tenhle den sliboval překonání teplotních rekordů a já jsem v autě neměla klimatizaci.

Když jsem konečně odbočila na křižovatce, nespouštěla jsem zrak ze zrcátka. Victoria jela pořád za mnou. Pokaždé před sebou nechala několik aut. Proč mě sakra pronásledovala? Teď už to zamazané přední sklo nevypadalo jako náhoda. Nebo jsem popustila uzdu své fantazii?

Projela jsem obytnou čtvrtí a Victoriino auto jelo pořád za mnou. Takový dopravní manévr nebyl nic neobvyklého. Ale o co jí šlo?

S neustálým sledováním zpětného a bočních zrcátek jsem dojela k poslednímu kruhovému objezdu, kde jsem jako vždy odbočila na parkoviště. Odtud to bylo jen pár kroků k azylovému domu, jehož adresa byla přísně tajná. Vydá se Victoria stejným výjezdem, nebo bude pokračovat vzhůru do kopce? Pořád mi byla v patách. Schválně jsem při odbočování nehodila blinkr, za což jsem si samozřejmě vysloužila hlasité zatroubení vozidla jedoucího za mnou.

Odbočila hned za mnou. Teď už nás od sebe nic nedělilo. Co to mělo znamenat? Snaží se mě zastrašit? Brzo by se přesvědčila, že to se mnou není tak jednoduché. Pořád jela za mnou a udržovala bezpečný odstup. Neměla jsem v plánu celé dopoledne projíždět Hemel Hempstead, a tak jsem zajela na parkoviště a přemýšlela, co budu dělat dál. Že by mě chtěla konfrontovat? K mé úlevě projelo Victoriino auto kolem vjezdu na parkoviště a pokračovalo dál do centra. Otřela jsem si zpocené čelo. Co to mělo být? Vážně mě sledovala? Vážně jsem v souvislosti s ní začínala být paranoidní. Jak už jsem řekla, poslední týden byl na západní frontě klid. Doufala jsem, že už to se Samem vzdala. Pořád jsem nechápala, čeho se pokouší dosáhnout tím, že nás takhle otravuje. Očividně nám chce dělat problémy. Pokud jsem ráno měla nějaké pochybnosti, tak teď už jsem si byla jistá, že olej na autě byl dáreček od Victorie nebo jejích kamarádek.

Z parkoviště jsem šla obvyklou desetiminutovou procházkou, ale přidala jsem do kroku, protože jsem měla zpoždění. Když jsem došla k budově, vyběhla jsem po schodech, nacvakala bezpečnostní kód a rychle se rozhlédla po ulici. Všude klid. Pořád jsem si připadala paranoidní. Proč by mě Victoria sledovala? Díky aplikaci Find My Friend nejspíš vystopovala Sama do mého bytu. Zavřela jsem za sebou ocelí vyztužené dveře a podívala se nahoru na červené blikající světlo bezpečnostní kamery. Po zadání dalšího kódu na druhý panel se otevřely hlavní dveře.

Spěchala jsem do kuchyně, kde jsem našla Holly se dvěma šálky kávy.

„Brzdi, je to v pohodě. Ten chlápek z BOZP volal, že má taky zpoždění."

„Uf!"

„Vypadáš nějak nabuzeně."

„Vážně?" Potěšilo mě, že dokážu zamaskovat stres.

„Jen mi neříkej, že je to kvůli sexu. Už to trochu přeháníš. S takovou s tebou nevydržím v jedné kanceláři."

„Jasně, je za tím sex," usmála jsem se na ni a myslela na to, jak jsem se probudila vedle Sama.

Zacpala si uši a vstoupila do kanceláře.

„Vážně nemám energie na rozdávání. Od chvíle, co jsem vstala z postele, to se mnou jde z kopce."

„Řekni tetě Holly, co se děje." Když jsem jí všechno povyprávěla, dodala: „Vypadá to na sousedské spory."

„To si nemyslím. Určitě to není náhoda."

Při kávě jsem jí řekla, proč podezírám Victorii.

„Myslíš, že jsem paranoidní?"

„Znáš ty thrillery, kde se dějí podezřelé náhody, hlavní hrdinka je nebere vážně a ty na ni křičíš: Prober se a otevři oči, ty krávo!?"

„Takže si nemyslíš, že jsem paranoidní?" Otřela jsem si čelo.

Její oči s kouřovými stíny zjihly. „No, už jsme obě slyšely spoustu příběhů, že?"

„Nevím, co mám dělat."

„Přesně to, co doporučujeme ženám, které k nám přijdou. Všechno si zaznamenávej. Dny, časy. Je to obtěžování. To, když si vás se Samem našla v supermarketu, rozhodně obtěžování bylo. Musíš to nahlásit policii."

„Nemůžu ji nahlásit policii. Zatím se nic nestalo."

„Proč ne? Je to obtěžování!"

„Ale nemám jak dokázat, že mi to sklo zapatlala ona. Ani to, že mě sledovala v autě."

„To ne, ale jestli to bude pokračovat, musejí tě brát vážně. No tak, Jess. Přece víš, jak to chodí.“

„Ale tohle je jiné. Nevznikla mi žádná škoda.“

„Stejně si myslím, že bys měla zajít na policii.“

„Nemůžu. Jenom bych tím všechno zhoršila. Samovi kamarádi mě už teď nenávidí. Jenom tím přiliju olej do ohně.“

Holly zakroutila hlavou. „Poslouchej se. Samé výmluvy! Víš, koho mi připomínáš?“

Přikrčila jsem se. Měla pravdu. Zněla jsem jako ty ženy, které sem přicházely. Všechny měly spoustu důvodů, proč nejít na policii. Proč nenahlásit zneužívání. Příbuzní ani přátelé jim nevěřili nebo jejich podpora nebyla dostačující. Ale tohle bylo něco jiného, ne?

„Slib mi, prosím, že o tom budeš přemýšlet.“

27

„Co na něj říkáš?" zeptal se Sam, když nás realitní makléř nechal postávat před chátrajícím domem.

„Hezký," řekla jsem rozpačitě. Dům se vešel do našich finančních možností a měl všechno, co jsme od něj očekávali. Začali jsme si hledat nové bydlení a na mém balkoně se objevila cedule s nápisem *Na prodej*. Dva zájemci už se přišli podívat a jeden z nich se chystal podat návrh s cenou, takže jsme se museli začít hýbat.

„Nelíbí se ti."

S povzdechem jsem pokrčila rameny. „Neříkám, že se mi nelíbí."

„Seš v pořádku, Jess?"

„Jo, v pohodě." I když jsem vůbec nebyla. „Promiň, nemyslím si, že jsem na to správně naladěná. Tohle by měl být náš nový začátek, ale…" Ohlédla jsem se na dům, který splňoval všechny naše požadavky. Až na jeden.

Objal mě. „Chtěla bys žít v Tringu," došel k jasnému závěru.

Zavřela jsem oči částečně s úlevou, že jsem to nemusela říct nahlas, částečně s pocitem viny. Tahle čtvrť Hemel Hempsteadu byla podstatně levnější, mohli jsme si za společné peníze dovolit něco většího, ale oba jsme si uvědomovali, že je to jen začátek.

V nitru své duše jsem nechtěla dovolit, aby Victoria vyhrála a my jsme se stěhovali jinam, abychom se vyhnuli jejímu obtěžování. Tring byl můj domov, nechtělo se mi pryč, i když okolnosti tomu nepřály. Sam se svojí matkou sotva mluvil. Vadilo mu, že se Sally na večírku k Victorii chovala, jako by byla její snacha. Nepřestával nad tím dumat a náladu mu nezvedla ani třetí výmluva Mikea, který byl pořád zaneprázdněný a odmítal rande ve čtyřech i s Paige. Vím, že mezi sebou měli neshody, ale Sam o tom nechtěl mluvit. Proto jsem mu ani neřekla, co jsem zaslechla na oslavě. Jediným pozitivem tohoto týdne byla skutečnost, že jsem neměla nic do činění s Victorií. Ale nemohla jsem se zbavit nepříjemného pocitu, že její čas ještě přijde.

Sam nad domem zlomil hůl. „Takže se asi můžeme vrátit domů.“

„Je mi to líto.“

„Mně taky.“ Objal mě a políbil na čelo. „Proč je kolem všeho tolik nepříjemností? Nikomu jsme přece nic neprovedli.“

Cítila jsem, jak mu v hlase zazněl náznak sklíčenosti. Přemýšlel, jestli to všechno stojí za to?

V tichosti jsme dojeli domů. Když jsme stáli přede dveřmi, Sam řekl: „Nevadilo by ti, kdybych si zašel do klubu zahrát kriket? Čímž chtěl určitě říct: Jdu na jedno s Mikem.

„Ne, klidně běž. Možná zajdu na chvilku za mámou.“

V bytě nebylo k hnutí. Sotva jsme vstoupili dovnitř, Sam se začal shánět po kriketové pálce, helmě a chráničích. Když si sportovní výbavu zastrčil pod paži, podařilo se mi vykouzlit úsměv.

Pak chrániče odložil a přivinul mě k sobě. „Miluju tě, Jess. A jestli chceš zůstat v Tringu, zůstaneme tady. Jednou bude líp.“

„Taky tě miluju. Jen mě nikdy nenapadlo, že se ty nepříjemnosti takhle potáhnou.“ I když jsem nechápala, proč mě to vlastně překvapovalo. Z práce jsem tyhle scénáře znala moc dobře. Muže, kteří se za žádnou cenu nechtěli vzdát toho, co považovali za svůj majetek.

„Nikam nepůjdu, chceš? Můžeme se projít k vodě."

„Ne, jen se jdi vyřádit. A pozdravuj ode mě Mikea," usmála jsem se na něho.

„No tak, Jess. Teď si připadám strašně. Jdu si zahrát kriket, ale pokud na něj narazím, jasně že si spolu dáme pivo."

„A mně to vůbec nevadí. Vím, že to nemáš jednoduché. Nechci, abys přede mnou měl tajnosti."

Nedokázal se ubránit rozpakům. „Nechtěl jsem ranit tvoje city."

„Jen tak něco mě nerozhodí," zalhala jsem a znovu ho políbila.

Jakmile odešel, zavolala jsem mámě.

„Jess, jak se máš?"

„Fajn, díky. Říkala jsem si, jestli jsi doma, že bych se za tebou stavila." Doufala jsem, že po zdvořilostních frázích budu moct hovor znovu stočit k tátovi a zjistit podrobnosti o jeho odchodu.

„Nějaký problém?"

„Ne, jen…"

„No, věci se mají tak, že… Tak nějak došlo k tomu… Prostě jdu na oběd s Douglasem." Poslední slova ze sebe vychrlila, jako by se konečně odhodlala k přiznání.

„To je skvělé." Mírnila jsem se. Nechtěla jsem svoji nesmělou mámu vyprovokovat. Byl to pro ni zásadní krok správným směrem. Těšilo mě, že se konečně dokopala ke změně. „Kam spolu půjdete?"

„Chce mě vzít do restaurace na nábřeží ve Wallingfordu."

„Paráda. Dneska je na to skvělé počasí." Pocítila jsem náznak závisti. Máma si mohla užít krásný den, protože nečelila žádným komplikacím jako já se Samem. „Užijte si to."

Po další minutě banalit jsem zavěsila. Rozhodla jsem se, že Shelley pošlu zprávu a možná se přidám k zahradní opalovačce na Pettyfeather Lane.

Ale sotva jsem s mámou domluvila, zazvonil mi telefon.

„Ahoj Holly. Děje se něco?"

„To nejhorší! Ta jeho zatracená bývalka s tím neskončila. Zveřejnila fotku našeho azylu na Instagramu. Dokonce nahrála nějaký debilní video, kde prozradila naši adresu!"

„Cože?" Můj mozek nedokázal zpracovat všechny informace. „Počkej. Victoria? Dej mi vteřinku." Nastavila jsem mobil na hlasitý odposlech a podívala se na Instagram. Musela jsem to vidět, aby mi to mozek nějak pobral.

„Do prdele!" vykřikla jsem, když se načetla fotka potvrzující Hollyina slova. „To snad není možný!" Zírala jsem na další fotky a nevěřila vlastním očím. „Proč to udělala? Uvědomuje si vůbec, co tím způsobila?!"

„To sotva. Tohle bude obrovský průšvih. Musíš ji donutit, aby to smazala. George chce vědět, jak k tomu mohlo dojít. Nedovedeš si představit, jak kvůli tomu vyvádí. Vyhrožuje prošetřením zaměstnanců a bůh ví čím ještě."

Správci, kteří provozovali charitativní organizaci, financovali provoz azylového domu. George Renshaw byl jejich předsedou a mým šéfem.

„Dokopu Sama, aby jí okamžitě zavolal. Jak sakra udělala tu fotku?"

„Nemám tušení. Předpokládám, že od tebe adresu neznala."

„To určitě ne!" Už mě opustila troufalost, když mi došlo, že se mi nepodařilo s ní skoncovat. Tohle byla odplata za to, že jsem jí neřekla, kde pracuju. Najednou jsem si uvědomila, proč mě pronásledovala.

„Vím, jak nás našla! Sledovala mě přece tehdy do práce. Myslela jsem si, že jsem ji setřásla, ale musela zaparkovat, nenápadně vycouvat a držet se mi v patách."

„Jess, je to tady fakt horký. Když se to sere, tak se to sere. Můžeš tady být za dvě hodiny? A proboha, ať už řekneš cokoliv, hlavně před Georgem necekni ani slovo o tom, že tě mohla sledovat."

„Kdopak tady bydlí?" ptala se Victoria na videu s nepřirozeně nakloněnou hlavou a palci zastrčenými ve stylovém trenčkotu. Očividně chtěla napodobit styl z kriminálek čtyřicátých let. Nejradši bych jí tu hlavu utrhla i s těmi výrazně rudými rty. „Dneska jsem se proměnila v detektiva a žádám vás o spolupráci při vyšetřování jedné záhady. Tato nenápadná budova, číslo..." Přestože jsem to její hrozné video sledovala už podruhé, znovu jsem se otřásla, když telefonem přejela po fasádě s nevýraznou hnědou omítkou, zamřížovaným oknem a masivními dveřmi, až se zastavila na popisném čísle.

Už jsem stačila zavolat Samovi a požádala jsem ho, aby ji kontaktoval a přiměl ji, ať to video stáhne. Okamžitě se vrátil domů z kriketového klubu a teď seděl vedle mě a sledoval mobil. Vím, že to nebyla jeho vina, přesto jsem s ním neměla chuť mluvit.

Kdopak tady bydlí? To zpropadené video s její afektovaně položenou otázkou už nasbíralo tři sta komentářů. Holly je jeden po druhém přečetla a modlila se, aby nikdo naše poslání nevyzradil.

Victoria svůj příspěvek zakončila samolibým a povýšeným úšklebkem z uměleckého záběru, který působil, jako by ten, kdo ji natáčel, ležel na zemi. Mohla jsem se nad ní pohoršovat sebevíc, ale už nasbírala tisíc lajků.

Sam mě pohladil po ruce.

„Zavolám jí znovu a přinutím ji, aby to smazala," řekl tiše. Poprvé mu to nezvedla, tak jí nechal naléhavou hlasovou zprávu.

„Jak ji k tomu donutíš?" zeptala jsem se zoufalým tónem. „Jestli jí řekneš důvod, bude do toho vrtat ještě víc. Myslíš, že se jí najednou rozsvítí v hlavě a rozhodne se chovat správně?"

„Není to monstrum, Jess," snažil se být objektivní. „Nemá ponětí, co nevědomě způsobila."

„Ale prd! Prostě má potřebu mi škodit. Když zjistí, jak vážné to je, bude štěstím bez sebe."

„Není tak zlá."

Zamračila jsem se na něj. Jak jen se ji opovažoval bránit?

„Nesouhlasím s tebou, ale to je teď jedno, už to nejde vzít zpátky. Jedna z těch žen od nás to viděla. Je u nás teprve chvilku a je strachy bez sebe. Řekla to všem ostatním. Všechny jsou vyděšené. Už neexistuje způsob, jak by to Victoria mohla napravit." Sevřel se mi žaludek. Victoria to přepískla, ale neměla tušení, co způsobila. Neměla tušení, že na první pohled nevinná zvědavost ohrožuje bezpečí a hlavně duševní klid několika žen závislých na našem útočišti, které se Victoria rozhodla vyčmuchat.

Sam znovu vytočil její číslo a přiložil telefon k uchu. Když jsem ho slyšela diktovat hlasovou zprávu, byla jsem vzteky bez sebe. Pokusil se jí zavolat ještě čtyřikrát. A bylo to úplně… k ničemu!

„Dobře, já jedu do práce." Neměla jsem ponětí, co tam budu před tou schůzkou dělat, ale doma jsem zůstat nemohla. Musela jsem se přesvědčit, že azylový dům je stále bezpečným místem, že ty ženy jsou v pořádku.

„Mohla bys mě hodit k Lynn a Richardovi, kde si vyzvednu auto?" Nechal ho tam včera, když jsme se z grilovačky vrátili pěšky domů.

„Jasně, můžu si tam vyzvednout nabíječku." Nechala jsem ji vedle toustovače v kuchyni.

Divím se, že mi volant nepraskl pod rukama. Cestou k Lynn a Richardovi jsem ho mačkala jako zběsilá.

Victoria Samovi ještě pořád nezavolala zpátky. Zdálo se, že už o tom není potřeba diskutovat. Nikdy dřív mě nezachvátila tak intenzivní kombinace vzteku a zoufalství. Připadala jsem si, jako by mě to všechno požíralo zevnitř. Při pohledu do zpětného zrcátka jsem si všimla, že mi v oku praskla žilka.

Když jsem zastavila před domem, Sam začal mávat. Zjistila jsem, že jeho rodiče právě venčili Tiggy. Zpomalili a čekali, než vylezeme z auta.

„Ahoj, Same."

„Čau," odvětil Sam s nepříliš vstřícným pokrčením ramen, což jeho matku přimělo vrhnout na něj ustaraný pohled.

„Dáte si oba šálek čaje?" zeptala se, čímž myslela i mě. Bylo zřejmé, že se to mezi námi pokoušela napravit.

Sam zavrtěl hlavou. „Teď ne. Jess musí jet do práce."

Ve tváři jeho matky se na chvilku objevilo dotčení, i když naše odmítnutí nakonec rezignovaně přijala.

„Mám pro tebe nějakou poštu," řekl jeho táta s náznakem výčitky.

„Jen běž," řekla jsem zoufale, aby si to Sam mohl srovnat s matkou. „Vezmu si tu nabíječku a mám chvilku i na ten čaj." I když se mi strašně nechtělo, bylo mi jasné, že musím přijmout její nabídku k usmíření. V práci jsem stejně před schůzkou nic nezmohla.

Ostražitý pohled Samovy matky odrážel kombinaci vděku a výčitek. Jako kdybych jí snad znemožňovala kontakt se synem a výjimečně jim dala příležitost k setkání.

„Vážně?" zeptal se a lehce se dotknul jemné kůže na vnitřku mojí paže. Tyhle naše doteky. Připomínka naší blízkosti. Ale dneska jsem se chovala jako kráva. Zlobila jsem se na něj kvůli něčemu, co nebyla jeho chyba.

Chytila jsem ho za ruku a zmáčkla ji. „Jasně, hned za tebou přijdu.“

Když svými rty sotva zavadil o můj spánek, dojalo mě to.

„Budu tam za minutku.“

Zaklepala jsem na přední dveře a pak jsem je odemkla vlastním klíčem.

„Ahoj zlato, promiň.“ Richard ukázal na vodu stékající z jeho předloktí. „Dole máme hotovou potopu.“ Zatímco pokračoval v líčení situace, otočil se a přešel do maličkého pokoje, kde hrozilo, že ho každou chvilku zaplaví voda. „Lynn není doma.“

„Aha.“ Zarazila jsem se. Tetino vřelé objetí a její bodré rady by mi popravdě přišly dost vhod. „Stavila jsem se jen pro nabíječku. Včera jsem ji tady nechala. Ještě jednou díky za tu grilovačku, bylo to skvělé.“

„Jo, ta nová marináda byla vynikající,“ řekl, když si klekl na podlahu se zadkem trčícím do chodby. „Ten podělaný plovák se ani nehne. Nedaří se mi to opravit. Proč to nemůže sakra fungovat? Voda pořád protéká. To jsou ty plastové šmejdy.“

„Určitě. Radši půjdu.“

„Co jsi říkala? Jo, jasně...“

Nechala jsem Richarda napospas instalatérskému dobrodružství a odešla k Samovým rodičům. Nechali pootevřené dveře, tak jsem vešla dovnitř. Předpokládala jsem, že to bylo kvůli mně. Následovala jsem hlasy do kuchyně, ale zastavila jsem se. Když jsem zaslechla Sallyin ukřivděný tón, připadala jsem si jako vetřelec. Byla jsem v rozpacích. Měla bych se vrátit a hlasitě zaklepat na dveře, nebo tady zůstat stát jako šmírák, který se nechce zapojit do rodinné diskuze?

„Zmeškal jsi Gledhill Cup, Same." Z jejího hlasu znělo obvinění. „Byli tam všichni důležití trenéři."

„Nic se přece nestalo," řekl Sam. Znala jsem ho dost dobře na to, abych poznala, jak je napjatý.

„Milesi, řekni mu to."

„Budou další zápasy, synu."

„Milesi, takhle jsem to nemyslela. Same, měl ses toho turnaje zúčastnit. Nechal sis tu šanci utéct."

„Jakou šanci jsem si nechal utéct, mami?!" Samova naštvaná reakce mě překvapila. Takhle jsem ho nikdy mluvit neslyšela. „Ty si vážně myslíš, že mám šanci?" dodal znechuceně. „Moc dobře víš, že mě do týmu nikdy nevezmou."

„Co tím chceš říct?" Sally zněla sklesle.

„Jen ji v tom podporuješ."

Nastalo tíživé ticho. Srdce mi tlouklo tak, že jsem musela zatajit dech. Co tím Sam myslel?

„Dokud bude Victoriin otec předsedat komisi, nikdy mě nevyberou. Jedině kdybych se k ní vrátil. Vyjádřila se jasně. Dokud ji budeš podporovat v těch jejích fantaziích, bude tomu věřit."

Sally zalapala po dechu. Slyšela jsem, jak začala plakat.

„Same, tohle přeháníš. Takhle se svou matkou nemluv!"

„Ne!" vykřikl Sam. Zaslechla jsem plesknutí něčeho o kuchyňskou linku. „Už mě to štve! Všechno mě to štve! Myslíte si, že nechci hrát za tým?" Následovala další rána, udělala jsem krok zpátky. „Tak strašně rád bych hrál! Tahle sezona mohla být moje poslední šance. Je to poprvé, co mě nevybrali na jediný zápas, přitom jsem v nejlepší formě. Mám nejlepší skóre. Ale ne, nikdy na mě nedošlo. Dřel jsem jako magor, měl jsem dobré výsledky. Udělal jsem maximum, abych si zasloužil místo v týmu. Ale ne, na zasraném Gledhill Cupu jsem si nezahrál, protože jsem věděl, že to dopadne úplně stejně. Toužil jsem po tom celý život, ale

Victoria to zařízla. A neopovažuj se to popírat! Klidně mi to vmetla přímo do obličeje!"

Stála jsem tam a v napětí očekávala, že vystřelí ze dveří a přistihne mě tady. Ale musel vyrazit na zahradu, protože jsem zaslechla bouchnutí dveří na terasu.

„Ach, Milesi," řekla Sally, „to jsem nevěděla." Odmlčela se a pak zalapala po dechu. „Proboha, to znamená, že pokud si tuto sezonu nezahraje, mohl by to pro něj být konec. Už se možná nikdy nevrátí do týmu."

„Vím, drahá. Ale tak to ve sportu chodí. Vždycky existuje někdo, kdo čeká na tvoje místo."

„A on o tom ví, že? Chudáček Sam. Nedivím se, že je tak vytočený."

„Nedělej si s tím starosti, drahá, není to tvoje vina."

„Ale je! Neměla jsem o tom tušení."

„Zvládne to. Znáš přece Sama."

„Je strašně vytočený. Takhle nikdy nekřičel. Aspoň ne přede mnou."

„Prostě je naštvaný. Nezlob se na něho. Tvrdě dřel. Však ho znáš. Nejvíc ho na tom celém štve ta nespravedlnost."

„Milesi, nevěřím tomu, že to má co do činění s Victorií. Nemá. Je to kvůli tomu, že toho tuto sezonu moc nenahrál. Protože tráví pořád spoustu času s tou holkou. Victoria mi všechno řekla."

„Myslíš, že je to pravda? Jsem si celkem jistý, že vynechal jen pár zápasů."

„Jen tě chci ujistit, že to s Victorií nemá nic společného. Ta holka ho zbožňuje. Má zlomené srdce, ale nic by mu neprovedla. A ví, že tahle pro něj není ta pravá."

„Sally," Miles nasadil varovný tón, „rozhodnutí je na Samovi, ne na nás a na Victorii, i když ho miluje."

„Ale mám o něj strach. Vypadá to, že se dal na špatnou cestu. Dřív bylo všechno fajn."

„Pssst, musíme to nechat na něm. Za všechno si může sám. I za své chyby."

Sevřela jsem rty a zamrkáním jsem zahnala slzy. Dokonce i Samův táta, o němž jsem si myslela, že je na mojí straně, byl přesvědčený, že Sam udělal chybu. A teď se zdálo, že to tak bylo.

Dokud Sam nepoznal moji mámu, nedošlo mi, jak moc pro něj kriket znamená. A do toho mi Victoria zavařila v práci. Proboha, mělo cenu se ještě o něco snažit?

Sevřela jsem klíče od auta, otočila se na podpatku a vyšla ven. Už mi bylo jedno, jestli mě někdo slyšel. Byla jsem mimo hru. Sam si zasloužil někoho lepšího.

28

„Jess!

Ignorovala jsem Samův hlas a šla dál, i když jsem přes uslzené oči sotva viděla na cestu.

„Jess! Počkej na mě!"

Auto stálo přímo přede mnou. Mohla jsem nastoupit a odjet. Prostě zmizet z tohoto otřesného místa.

„Jess!" zakřičel Sam za mými zády. Zastavila jsem se.

Chytil mě za paži a otočil k sobě. Vztek v jeho tváři polevil, když zahlédl moje slzy. „Jess, co se stalo?"

„Už takhle dál nemůžu." Ta slova se do mě zařezávala, když se konečně dostala přes knedlík v krku.

Sam se na mě podíval a hned věděl, co tím chci říct.

„Nedělej to, Jess, prosím." Otřel mi slzy z tváře.

Zakroutila jsem hlavou. „Je toho na mě moc. Nezvládnu to." Všechen ten chaos a bolest byly příliš vysokou cenou za náš vztah.

„Nevěděla jsem o tom kriketu."

„Na tom přece vůbec nezáleží!"

„Ale jo. A nejenom na tom." Lhala jsem. Mohla jsem kvůli němu přistoupit na spoustu věcí, ale nedokázala jsem snést to, že se vzdává něčeho, co tvořilo tak dlouho podstatnou součást jeho života. A mohl by o to jednou provždy přijít. Už měl před sebou jen pár sezon v profesionální lize. Možná nejsem sportovní fanda, ale tohle jsem věděla. Dokonce i moje máma říkala, jak je Sam skvělý. „Je to jeden z nejtalentovanějších pálkařů, jaké jsem kdy viděla." Jak jsem ho o něco takového mohla připravit? „Prostě už toho mám všeho dost." Bože, zněla jsem upřímně. Musela jsem to udělat. Strašně jsem Sama milovala. Tohle byla moje největší oběť. „Do toho moje práce, ty ženy... To je neomluvitelné. Můžu toho strašně moc ztratit."

„Nebo taky získat."

Zvedla jsem k němu pohled. To on by na tom mohl něco získat. Byla jsem si zatraceně jistá, že by tím Victoria dosáhla svého. „Myslím, že toho až tak moc není."

„Nenechám tě odejít."

„Musíš. Doplácí na to spousta lidí."

„Cizí lidi mě nezajímají, jde mi jenom o tebe, Jess."

„Ne." Po tvářích mi tekly slzy. „Nedělej to ještě horší."

Přitáhl mě k sobě a políbil. Zlostně, naléhavě, ale nemohla jsem mu odolat. Poslední polibek. Zasloužila jsem si ho. Přimhouřila jsem oči a hodila za hlavu realitu a všechnu bolest. A když se ode mě odtrhnul, vydala jsem ze sebe přidušený vzlyk.

„Miluju tě, Jess."

Ztěžka jsem polkla. „Já vím. Taky tě miluju, ale... takhle už to dál nezvládnu."

Chytil mě za lokty a podíval se mi do očí. Srdce se mi rozbušilo, když jsem viděla jeho slzy. Chudák Sam. Zhluboka jsem se nadechla a skousla si ret.

„Dej tomu ještě čas, prosím, Jess." Samovo naléhání mi málem roztrhlo srdce.

„Nemůžu." Jeho čas na profesionální kriketovou dráhu měl svůj limit. Už mu pomalu táhlo na třicet.

„Prosím, Jess."

Zakroutila jsem hlavou, nedokázala jsem promluvit. Takhle jsem to nechtěla, ale jiné řešení neexistovalo. Už jsem měla po krk svárů s Victorií, pocitů viny, pošramocených vztahů Sama s matkou i přáteli. A všech dalších problémů, které se postupně objevily. Ohrožení jeho kriketové kariéry byla ta poslední kapka.

To jsem mu nemohla udělat.

Průšvih v azylovém domě pro mě byl to nejlepší záminkou, jak se vším skoncovat. Tak to pro Sama bude nejlepší. Táhla jsem ho ke dnu. Aspoň takhle mu můžu prospět.

29

„Nějaký posun?"

Holly neodtrhla pohled od komunikace, kde bylo dalších sto reakcí na Victoriin příspěvek.

Včerejší schůzka byla hodně nepříjemná. Plná nekonečného pohoršení správců charity nad tím, jak tohle tajemství mohlo uniknout na veřejnost.

Dneska jsem zjišťovala, jak by se dalo její video odstranit z YouTube bez jejího vědomí. A vedení chystalo další schůzku. Video už jsem nahlásila, ale žádný z důvodů uvedených ve formuláři neodpovídal téhle situaci.

„Už jsem to nahlásila."

„A co Sam?"

„Co s ním?" zeptala jsem se. Srdce se mi sevřelo jen při zmínění jeho jména.

„Může něco udělat s Victorií?"

„Včera jí čtyřikrát volal. Nezvedla mu to ani nezavolala zpátky."

„Ale to bylo včera."

Sevřela jsem rty a přikývla.

„Jess?"

„Hmm." Pokoušela jsem se znít zaneprázdněně. Civěla jsem na monitor, jako kdyby mi měl sdělit smysl mého života.

„Je mezi vámi všechno v pořádku?“

„Proč se ptáš?“

„Protože pokaždé, když zmíním jeho jméno, zatváříš se, jako by sis nadělala do kalhot. Je to fakt divný, takhle tě neznám.“

„Sam a já…“ Sakra, zlomil se mi hlas. „Sam a já…“

„Bože, Jess, snad ne kvůli tomuhle!“

„To úplně ne, ale je to dost špatný.“ Popotáhla jsem a zahnala slzy. „Je toho na mě moc.“

„Ty se přece jen tak nevzdáš, Jess.“ Holly došla od svého stolu za mnou. „Nechci znít sentimentálně. Pracuju tady už spoustu let. Jsem stará cynická mrcha, ale jsem si jistá, že ty a Sam… jste skvělý pár. Dokonce si to myslím i já. A to nevěřím na všechny ty kecy *dokud nás smrt nerozdělí* a podobně. Dřív nebo později to skončí…“

„Ne, Holly, už to skončilo. S tím, co mi Victoria provádí v osobní rovině, bych se snad nějak srovnala. Ale ten průšvih a taky to, jaký má náš vztah dopad na Sama, to nikdy nepřekousnu.“

„Ale no tak, Sam už je přece dospělý chlap.“

„To je… Ale překazila jsem mu kariéru v kriketu.“

„No a?“ odsekla Holly. Tohle nemohla pochopit, sport jí nikdy nic neříkal.

„Je to pro něj strašně důležité.“ I když to přede mnou nikdy nezmiňoval. Srdce mě bolelo, když jsem si uvědomila, jak to Sam navenek nedával znát. Včera jsem si ho vygooglila. V minulosti byl vycházející hvězdou kriketu, ale loni mu kariéru zkomplikovalo zranění. Letošní sezona měla být jeho velkým návratem. Několik článků se zabývalo tím, proč se znovu nevrátil na scénu. Další dost jedovatě naznačoval, že se Sam vykašlal na kriket a nechal se zlákat divokým životním stylem. Ha ha, kdyby tak tušili… Náš divoký večer většinou probíhal tak, že jsme si dali pivo na balkoně, než Sam začal řešit známkování, a já jsem se věnovala svým aktuálním případům.

„Důležitější než ty?"

„Takhle to brát nemůžeš. Uvědomila jsem si, že Victoria s tím nikdy neskončí. Je jako moje máma, pořád dokola. A já jí tím škodím. A hlavně škodím Samovi."

„Říkáš blbosti."

Věděla jsem, že Holly to nemůže pochopit.

„Jsem Victoriina Nemesis. Dokud tady budu, nikdy se nevzdá. A Sama to zničí. Jeho vztah s matkou, s kamarády, nikdy ho nevyberou do týmu. Beze mě se všechny jeho problémy okamžitě vyřeší."

„A Victoria vyhraje."

„Ne, Sam vyhraje," řekla jsem tiše. „O to tady jde."

„Tak blbá snad nejseš! Přinesla jsi sakra velkou oběť, ty naivko."

„Ale tak to přece není," bránila jsem se.

„Přesně takhle to je. Proboha, Jess! Myslela jsem si, že máš víc rozumu." Zprudka vstala, málem mi převrhla hrnek s kávou. „Teď jsi tomu teda nasadila korunu."

„Díky za podporu."

„Nezlob se na mě, Jess, ale seš fakt blbá."

„Beru to na vědomí. Se všemi důsledky." Po strohé odpovědi se ke mně postavila tak blízko, že jsem viděla její rozmazanou řasenku. Položila mi ruku na rameno.

„Blbá, ale máš dobrý srdce. A jako obvykle myslíš na druhé, místo abys myslela na sebe. Copak to nechápeš? Taky si zasloužíš být šťastná."

Lehounce jsem si povzdychla. „Budu OK. Oba se přes to nějak přeneseme," řekla jsem a přemýšlela nad tím, jak dlouho mě to prázdné místo v hrudníku bude bolet a jestli to Sam prožívá stejně drasticky jako já. „Zatím se pokusím postarat o to, aby Victoria to video stáhla, abych ještě nepřišla i o práci."

„Není to přece tvoje vina, že se nějaká čúza, která prahne po slávě na sociálních sítích, rozhodla udělat senzaci z ničeho." I když Holly zněla dost rozhořčeně, z jejího pohoršeného zavrtění hlavou bylo zřejmé, že si za svými slovy až tak nestojí.

„Není? Máme přece dodržovat přísná opatření, aby si tohle místo zachovalo anonymitu a zůstalo bezpečné. Očividně mě musela na ulici sledovat, přitom jsem si jí vůbec nevšimla. To asi o dostatečném bezpečnostním zajištění moc nevypovídá. Nejhorší na tom je, že jsem ji za sebou viděla jet v autě, ale myslela jsem si, že odjela."

„Nikdo tě z ničeho neobviňuje, Jess." Přimhouřila nalíčené oči. „Soudíš sama sebe."

Dveře zabzučely.

„Je tady španělská inkvizice," řekla Holly a urovnala si papíry na stole. „Nesnaž se to hodit na sebe."

Schůzka trvala hodinu a bylo na ní rozhodnuto, že je nutné všechno důkladně prošetřit. Dohodli jsme se na tom, že si zatím vezmu týden neplaceného volna. Právníci navrhli strategii, jak kontaktovat Victorii a pokusit se ji po dobrém přimět k nápravě. Když jsem je informovala o tom, že jsem ukončila vztah se Samem, reagovali souhlasným přikývnutím. Takže jsem možná nakonec udělala dobrou věc. I když mi to tak zatím nepřipadalo.

Opustila jsem budovu, aniž bych se rozloučila s Holly, která převzala moje pracovní povinnosti a musela být seznámena s plánem komunikačního týmu, který určil krizový management. Báli se, že by se příběh mohl dostat do médií. To by tak ještě scházelo. Doteď naše budova zůstávala v utajení, lidé na internetu odhadovali, že jde o bordel nebo sídlo kontrarozvědky.

Venku se bohužel pohybovalo mnohem víc lidí než obvykle. Někteří z nich si budovu fotili. Hrozilo, že se objeví na sociálních sítích a celý tenhle průšvih se ještě rozšíří. Kéž by se tak Victorii podařilo přesvědčit, aby video stáhla. Ale zdálo se, že zmizela z povrchu zemského.

Sedět doma v době, kdy byste měli pracovat, je fakt na nic. Nejhorší je první ráno. Nevíte, co dělat. Tím spíš když prší. Po všech těch slunečných dnech se nebe rozhodlo, že se zatáhne depresivní šedí. Počasí působilo tak tíživě, že se to projevilo i na mojí náladě. Prostě ironie osudu.

Stála jsem na balkoně a sledovala jsem, jak voda stéká okapy ze střech dolů. Pravidelné kapky ještě víc umocňovaly moji depresi. Před Holly bylo celkem jednoduché chovat se statečně a racionálně. Ale teď, když jsem byla sama doma, můj pohled neustále přitahovala místa, která dříve zaplňoval Sam svou přítomností – prázdné místo u jídelního stolu, kde vždycky opravoval sešity, kulatý otisk po gelu na holení na poličce v koupelně a místo vedle pohovky, kde si zouval boty. Vysmíval se mi dokonce i osamocený talíř na odkapávači v kuchyni.

Dole na ulici najednou zastavilo projíždějící auto. Jeho pneumatiky zaskřípaly na mokrém asfaltu. Sakra, poznala jsem ten modrý hatchback. Sotva auto zaparkovalo na protější straně ulice, vystoupila z něj teta a zamávala mi. Rozhodně jí vrtalo hlavou, proč nejsem v práci. Se sevřeným srdcem jsem sledovala, jak přechází ulici a míří k mým dveřím.

„Ahoj, teto Lynn," řekla jsem s vynuceným nadšením, když jsem jí otevřela.

„Zrovna jsem jela kolem a zahlédla tě na balkoně. Příšerné počasí, co?" Prohlížela si mě laskavýma očima. „Jsi v pořádku? Ráno jsem mluvila se Sally."

„Aha," řekla jsem a přemýšlela o tom, co se k ní asi doneslo.

„Vyprávěla mi o tobě a Samovi. Nevím, jestli se na ni mám zlobit, nebo ji mám litovat." Lynn sevřela rty. „Sam s ní nemluví."

Pokrčila jsem rameny. „To už není můj problém. Předpokládám, že chceš jít dál. Dáš si čaj?"

Přikývla na moje nepříliš vlídné pozvání a následovala mě do kuchyně, kde si svlékla mokrý kabát a pověsila ho přes opěradlo židle.

„Proč, Jess?" Hlas jí zjihl. „Myslela jsem si, že vám to klape." Znovu mi zírala do obličeje. Musela jsem se k ní otočit zády. Ale už bylo pozdě. Zachvátila mě bolest. Musela jsem se přehnout a chytit za břicho.

„Zlato." Objala mě a tiskla mě v náruči. Přesně tak, jak tisknou své děti maminky jako útěchu na všechny průšvihy a nešťastné události. Okamžitě mě zaplavily slzy doprovázené hlasitými vzlyky. Všechen nashromážděný smutek se dral ven a proměnil se v lavinu, která mě mohla každou chvilku zavalit. „Ach, dušičko moje." Sevřela mě pevněji, když jsem jí vzlykala na rameni a hledala v její kabelce kapesníčky.

Nakonec jsem skončila u pomalého popotahování. „Omlouvám se."

„Ale no tak, není k tomu přece důvod. Dáme si čaj a můžeme si o tom všem popovídat." S obvyklou systematičností, která ji tak odlišovala od mojí věčně roztěkané mámy, popadla dva hrnky, dala do nich sáčky s čajem a dala vařit vodu. Ve stejnou chvíli mě nasměrovala do obývacího pokoje. Tam se posadila těsně vedle, podala mi šálek a sledovala, jak se mi třesou ruce. Byla mi zima. Celé tělo jsem měla prolezlé chladem.

„Co se stalo? Victoria zase něco provedla?"

„To teda. Zveřejnila na internetu náš azylový dům."

„Ale ne!" Lynn se zděšeně nadechla. „Je to zákeřná ženská."

„Neví, že je to azylový dům pro ženy a že musejí zůstat v anonymitě. Ale to je jedno. Správci, kteří mají na starost financování, jsou samozřejmě naštvaní. Kvůli svému údajnému spojení s Victorií jsem si musela vzít týden neplaceného volna, dokud se to všechno neprošetří."

„Není to přece tvoje chyba. Sotva ji znáš."

„To očividně stačí." Prsty se mi sevřely, když jsem rukama přejížděla po záplatách na džínách.

„To není fér!"

„Můj soukromý život ohrozil azylový dům. Je tam jasná spojitost."

„Ale proč jste se rozešli se Samem? Není to jeho chyba. Řekl svojí matce, že za všechno může ona."

„To mi k němu moc nesedí."

„Taky ho to trápí."

Srdce se mi sevřelo lítostí. Ublížila jsem mu. „Už jsem nemohla dál. Victoria s tím teď konečně přestane. Nemá důvod dál škodit, když už spolu nejsme."

„Ale co ty a Sam? To přece není fér. Pro oba."

„To není. Ale asi to tak být nemělo. Řešili jsme jeden problém a konflikt za druhým a pak se ukázalo… že Victoria Samovi překazila kariéru. A do toho ještě odhalila ten azylový dům. To byla poslední kapka. Těm ženám jsme nabízeli bezpečí. A Victoria to všechno zničila."

„Uvědomuješ si, že je to její problém? Ty a Sam byste za to neměli trpět. Oba si zasloužíte být šťastní."

„Šťastní na úkor někoho jiného? To není tak jednoduché, že?" Upřeně jsem se na ni podívala. Obě jsme věděly, že mluvím o svojí matce.

„To ne, ale podřizovat se druhým ve výsledku není dobré pro nikoho."

Pokrčila jsem rameny.

„Viděla jsi svého otce?"

Zvedla jsem pohled k její tváři, když tak rychle změnila téma.

„Ottershaw. Nemusím být zrovna detektiv, abych se dopátrala, proč sis vybrala právě tuhle vesnici. Viděla jsi ho?"

Zavrtěla jsem hlavou a provinile jsem zavřela oči. „Utekla jsem. Viděla jsem jeho manželku. Věděla, kdo jsem. Okamžitě."

Lynn odvrátila pohled a pohrávala si se střapci na šátku, který měla omotaný kolem krku.

„Říkala, že jsi poslala fotky. Jak jsi věděla, že žije v Ottershaw?"

Lynn si uhladila šaty na prsou a zvedla hlavu. „Zůstal se mnou v kontaktu, aby měl spojení s tebou." Zakroutila hlavou a zakryla si rukama obličej. „Nikdy jsem nechtěla udržovat tohle tajemství, ale tvoje matka je moje sestra. Byla na tom vážně špatně a já jsem se obávala, že tvůj otec by tě chtěl do vlastní péče. To by ji zničilo. A když už na tom byla lépe, nechtěla jsem riskovat, že do toho spadne znovu, tak jsem jí radši neřekla, že jsem s ním v kontaktu. V průběhu let jsem mu posílala fotky a zprávy. Celou dobu jsi o něj nejevila zájem. Nepřipadala jsem si jako ta pravá, kdo by měl dát věci do pohybu, až se na něj zeptáš. Ale strašně o tobě chtěl slyšet. Nikdy tě nechtěl opustit, ale tvoje máma mu nedala na výběr. Netuším, jak to všechno přesně bylo. Nikdy o tom nemluvila. A já jsem se jí ptát nechtěla. Ani když na tom byla líp."

„Strašně jsem se bála, jak by máma reagovala, kdybych se jí na tátu zeptala."

„Ve skutečnosti se tomu dlouho vyhýbala. A teď si říkám, jestli jsem vůbec udělala správnou věc. To, co se děje kolem

Victorie, je, jako kdyby se opakovala minulost. Zasloužíš si být šťastná s tím, koho sis vybrala. Nikdo jiný ti v tom nemůže bránit. Já jsem tě navedla za tvým tátou." Roztřesenou rukou si prohrábla vlasy. „Měla jsem tě k tomu, abys ho našla, povzbudit dřív."

„Nemyslím si, že by se tím něco změnilo." Chytila jsem ji za ruku. „Taky jsem chránila mámu."

„No právě. Nemyslím si, že brát na ni ohledy pro tebe bylo nutně správné."

„Viděla jsem svoje bratry, nevlastní bratry. Mluvila jsem s Alicií. Je zvláštní vědět, že máš někde rodinu, o které vůbec netušíš."

„Máš přece i prarodiče, Evelyn a Davida."

Trhla jsem sebou. „Alicia vypadala mile."

„Je milá. I když jsme si spolu jenom psaly. Srovnat se s nevlastními bratry pro tebe asi nebude jednoduché."

„Toby a Ben," řekla jsem a představila si ty dva tmavovlasé kluky, kteří měli oči jako já.

„Ano…" Nastala nesnesitelná pauza, během níž jsem poslouchala dešťové kapky bubnující o balkon. „Volala mi. Bála se o tebe."

Při vzpomínce, jak prchám před tou milou ženou, jsem si složila hlavu do dlaní.

„Proboha, udělala jsem ze sebe krávu. Byla jsem v šoku z toho, že věděla, kdo jsem. Zpanikařila jsem a utekla."

„Mohla by ses tam vrátit. Máš celý týden volno. Proč se tam nezajedeš podívat? Potřebuješ odtud zmizet."

Při pohledu na tetu mi to docvaklo.

„Jsi geniální! To je skvělý nápad!" Únik před nesnesitelnými emocemi, které mě čím dál víc ničily. Kam se poděl můj pragmatismus? Můj zdravý rozum? Můj nezlomný optimismus?

„Každý příběh má dvě strany. Víš, že ty ani Sam jste nic špatného neudělali."

„Zkus to vysvětlit Victorii."

„Přesně tak," řekla teta Lynn a zamrkala jako stará moudrá sova. „Možná přišel čas, abys ten příběh slyšela z tátova pohledu."

„Nechtěla jsem ho slyšet... až doteď."

„To se dalo očekávat." Lynn zněla klidně a vyrovnaně, nepokoušela se mě nijak hodnotit.

Je legrační, jak se věci můžou najednou celé přetočit. Byla jsem vytočená doběla Victorií, která se na to všechno nevykašlala, naopak ještě přitvrdila, když jsme se se Samem pokoušeli udělat správnou věc. Najednou jsem měla obrovskou chuť slyšet svého tátu.

30

„Ten mladý muž s vámi tentokrát není?" zeptala se majitelka penzionu Černý býk typickým západním přízvukem, když jsem se ubytovala.

Zakroutila jsem hlavou. „Tentokrát ne."

„Jaká byla cesta? Jela jste sem vlakem?"

„Šlo to, musela jsem čekat na spoj do Ottershaw, ale cesta byla tak příjemná, že jsem její závěr ani nevnímala." Legrační na tom bylo, že jsem se rozhodla vyrazit teprve včera odpoledne.

Dlouhou cestu mi zpříjemnila zpráva o tom, že Victoriin příspěvek byl stažený z Facebooku i z Instagramu. Netušila jsem, jestli za tím byla Samova iniciativa, nebo na ni přitlačili právníci. Částečně jsem mu za to bylo vděčná, ale zároveň jsem taky byla dost zklamaná, že se se vším tak rychle smířil. Ale přesně tohle jsem přece chtěla, ne? Nesnášela jsem ženské, které si s druhými pohrávaly a samy nevěděly, co chtějí. Řekla jsem Samovi, že je konec. Myslela jsem to vážně. Měla bych být ráda, že to respektoval. Strašně jsem chtěla, aby se jeho život vrátil do původních kolejí. Udělala jsem správnou věc.

Najednou jsem si uvědomila, že na mě paní domácí mluví. Musela jsem se nahnout, abych jí rozuměla.

„…moc turistů vlakem nejezdí. Dáte si s námi večeři? Nebo vám mám něco nechat přinést na pokoj, když jste tady sama?"

„Mám se s někým potkat. V baru. V sedm."

„Chcete, abych vám v restauraci zarezervovala stůl? Máme docela fofr."

„Ještě nevím, jaký budeme mít plán." Najednou jsem si uvědomila, že když jsem domluvila sctkání na neutrální půdě, budeme celé vesnici na očích. Vzhledem k tomu, že šlo o jediný podnik ve městě, mého otce a nevlastní matku s velkou pravděpodobností všichni znali.

„Žádný problém. Nějak se k nám určitě vmáčknete."

Přikývla jsem. Musela si myslet, že jí snad odkývám úplně všechno.

Bohužel mi připravila stejný pokoj, což mi rozhodně moc nepomohlo. Pohled na postel ve mně vyvolal vzpomínky na to ráno, kdy jsem se vyplížila ven, než se Sam probudil. Teď jsem toho litovala. Kéž bych mu řekla, kam jdu a proč jsem se rozhodla pro tohle místo, než jsme se rozešli. Teď už k tomu nejspíš nikdy nebudu mít příležitost. Po sprše, v níž jsem ze sebe chtěla smýt všechen splín a únavu z několika hodin strávených ve vlaku, jsem se převlékla do lehké letní halenky. Bylo půl sedmé. Nechala jsem si příliš velkou časovou rezervu. Mám jít dolů do baru? Nebo tady mám sama posedávat a dál nad tím dumat?

Nebylo o čem přemýšlet. Popadla jsem kabelku a mobil a sešla po schodech do prázdného baru.

„Dobrý večer," řekl přátelsky barman. S černými kudrnami, zlatým kroužkem v uchu a širokým úsměvem vypadal jako podezřele vlídný pirát. „Vy jste ta dáma, která sem přijela," zamyslel se, „sama?"

„Ano," řekla jsem, zatímco jsem si prohlížela prázdnou místnost. Prozatím jsem se rozhodla posadit se na baru. Jeho společnost byla lepší, než kdybych byla sama. Ani kdyby se mi momentálně nestýskalo po Samovi, o jeho zjevné flirtování bych nejevila zájem.

Nespouštěl ze mě oči. „Přes poledne k nám chodí hlavně turisti, ale večery patří místním. Přes týden tady je celkem klid. Na víkend máme všechno zarezervováno. Jste tu na pár dní?"

„Ano," řekla jsem a ignorovala jeho zájem. Přemýšlela jsem o tom, jestli je tohle ten typ vesnice, kde ze mě do konce večera vytáhnou všechny soukromé informace. Vyprávěli táta a Alicia někomu, že jejich ztracená dcera našla cestu domů?

„Co si dáte?"

„Gin s tonikem."

„Máme všechny giny, jaké si jen dokážete představit. Na co máte chuť?" Ustoupil a mávnutím ruky ukázal na polici plnou lahví nejrůznějších tvarů a barev. Jako by se předháněly, která na sebe strhne více pozornosti.

Zaujalo mě známé logo Edinburgh Gin. „Dám si gin s rebarborou a zázvorem."

„A jaký tonik? Bezový? Bez cukru? Středomořské bylinky? Klasický?"

Odkdy se objednání ginu s tonikem stalo stejně komplikovaným, jako je to s kávou? „Klasický, děkuji." Natočila jsem se na stoličce a předstírala, že si prohlížím bar, jako bych tady nikdy dřív nebyla. Nemohla jsem si pomoct. Pohled mi sklouzl ke stolku v rohu místnosti, kde jsme se Samem před několika týdny večeřeli. Při vzpomínce na to, jak jsme se o sebe otírali koleny a proplétali prsty pod stolem, zatímco jsme čekali na kapsy plněné masem a hranolky, se mi sevřel žaludek. Tehdy jsme prožívali euforii, jiskřilo to mezi námi jako mezi puberťáky. Zavřela jsem oči. Tehdy všechno vypadalo tak jednoduše.

„Tady to máte. Založím vám účet? Budete jíst?"

„Ne, zaplatím," řekla jsem a rozhodla jsem se vytratit z jeho blízkosti. Vzala jsem si pití, sklouzla ze stoličky a zvolila jsem stůl u okna, odkud jsem mohla sledovat všechny příchozí hosty. Měla jsem pokušení napsat Shelley neutrální zprávu, abych si trochu zkrátila čas. Lynn ji nejspíš ještě neviděla. Bel byla zase pryč. Tentokrát v Newcastlu. Věděla jsem, že bude zaneprázdněná. Pracovala celé dny, aby toho stihla co nejvíc a nebyla pryč tak dlouho. Takže o mně a Samovi ještě nikdo z nich nevěděl? Znala jsem je tak dobře, že jsem mohla předvídat jejich reakce. Bel by byla empatická a přišla by s lahví prosecca. Shelley by mi určitě řekla, že jsem blbá, když jsem se tak rychle vzdala pravidelného sexu. A pak by dodala, že v moři pluje spousta jiných ryb.

Moje prsty si začaly žít vlastním životem a přivedly mě na Instagram, kde měla Victoria nový příspěvek. Vypadala úžasně. Pózovala před květinářstvím s velkou kyticí růžových růží, která dokonale ladila s jejími lehounkými šaty. Přes fotku byl nápis *Život je fajn*. Na další pózovala, jako by natahovala luk s šípem. *Jdu si pro svýho chlapa.* Na poslední fotce byl detailní záběr na její rozzářenou tvář. *Vždycky jsem věděla, že to bude jen otázka času.* A odkaz na její blog, na který jsem samozřejmě klikla.

Nenápadně jsem se ohlédla přes rameno a ztlumila zvuk na mobilu ještě před přehráním videa.

„Milé dámy, co má holka dělat, když se za ní chlap připlazí zpátky? Dát mu to sežrat a pak mu odpustit? Mám to ve svých rukou. Zatím mu musím ukázat, o co všechno přišel."

Podívala se do objektivu a zvedla vítězně obočí. Chtělo se mi z ní zvracet. Jak někdo může být takhle zvrhle posedlý sám sebou?

Po tomhle výblitku následoval záběr na Victorii, která se nesla jako modelka. Během svojí exhibice vystřídala několik outfitů, které neponechávaly moc prostoru představivosti. Víc toho odhalovaly, než zahalovaly. Z těch záběrů bych mohla přesně odhadnout velikost její podprsenky.

Člověk by doufal, že se mohla trochu zklidnit, když dosáhla svého. Ale to by nebyla Victoria.

Do očí se mi nahrnuly slzy. Ne, to by Sam neudělal. Nemohla jsem tomu uvěřit. Přece by se k ní nevrátil. Byla jsem o tom přesvědčená. To nemohl. Zahnala jsem ty pitomé slzy. Zlomilo by mi to srdce. Vzdala jsem se ho, aby měl od Victorie jednou provždy klid.

Kdyby se k ní vrátil, připravil by mě tím o všechny hezké vzpomínky, které jsem si uchovala v paměti. Vzpomínky na ty krásné časy byly to jediné, co mě drželo při životě. Společné měsíce, které pro mě byly vyvrcholením léta. Vzácné chvilky. Nedokázala jsem přestat myslet na to, že se jednou rozplynou.

Přála jsem si, aby pro něj společné dny byly odrazovým můstkem k tomu, aby mohl být šťastný s někým jiným. S někým, kdo si ho zaslouží. A to nebyla Victoria. Ta v mých plánech nefigurovala.

„Jess." Poskočila jsem, když mi někdo položil ruku na rameno. Podívala jsem se na vrásčitější verzi mojí tváře. Moje bezprostřední myšlenka vedla k tomu, že tahle tvář se musela hodně smát.

Zvedla jsem se ze židle. „Ahoj."

Na chvíli mezi námi zavládlo napjaté ticho. Sledovali jsme jeden druhého jako psi, kteří kolem sebe nervózně krouží. Při pohledu na hladce oholenou tvář se mi rozbušilo srdce. Byl vyšší, než jsem předpokládala, protože jsem vyrůstala se strejdou Richardem, který se moc nevytáhl. Na chvilku mě to vyvedlo z míry.

„Dáme si něco k pití?" řekl s pohledem upřeným na bar.

Alicii zajiskřilo v očích. „Výborně."

„Já už jsem si stačila objednat, děkuju." Ukázala jsem na nedotčený gin.

„Posadíme se?" navrhla Alicia, tmavé oči jí zazářily úsměvem. „Moc hezká halenka. Vynikne v ní tvoje opálení."

Podívala jsem se na pestrou látku s prostřiženými rukávy a vybavila jsem si, co řekla máma, když mě v tomhle outfitu poprvé uviděla.

„Děkuju. Ani nebyla drahá."

„Moc ti to sluší. Kéž bych mohla nosit takové oblečení. Ale mám rozkydlé ruce, vypadám jako tvaroh." Rozpažila a k sebekritice přidala jeden ze svých upřímných úsměvů. „Mohla bych si je podat s Michelinem. Díky bohu, že aspoň vaše rodina má dobré geny. Jinak bych porodila dvě malé dýně."

Na její nakažlivý smích se nedalo reagovat jinak než úsměvem.

Pak se vrátil otec s nápoji. Pro sebe měl pivo a pro svoji ženu gin s tonikem, který vypadal podobně jako ten můj.

„Rebarbora a zázvor?" zeptala jsem se, když jsem zvedla sklenici k přípitku.

„Ano, můj oblíbený. Kdo by řekl, že přijdu na chuť ginu, a dokonce si oblíbím konkrétní druh? Když jsem byla mladší, pila jsem Gordon's a k němu tonik Schweppes. Nic jiného nebylo na výběr."

„Já jsem gin začala pít teprve loni. Přivedla mě k němu sestřenice Shelley."

„Lynnina dcera," dodal táta. „Je o pár let mladší než Jess."

„Ano, jsme skoro jako sestry. Teta Lynn mě tak bere a Shel to nikdy nevadilo."

„Lynn je moc fajn," přikývl táta a napil se piva. Všimla jsem si, jak mu pod stolem Alicia položila ruku na koleno. Měla na sobě tmavě modré šaty s červenými květy, k nimž si vzala červené žabky. Připadalo mi, že oblečení dokonale odráží její osobnost. Pestrost, optimismus a věčný úsměv.

„Rád tě vidím, Jess." Táta zasunul ruce pod stůl, jako by nevěděl, co s nimi.

Alicia obrátila oči v sloup. „Adriane, jsi beznadějný případ." Zakroutila hlavou a věnovala mi další zářivý úsměv. „Vím, že je to divné, Jess, ale vážně jsme moc vděční za příležitost tě poznat. Vykašleme se na očekávání. Pro tebe to musí být taky těžké. Všechno chce svůj čas."

Táta nakrčil nos a trochu se uvolnil. Všimla jsem si, jak má ztuhlá ramena. Bylo to pro něj stejně náročné jako pro mě. „Je ti asi jasné, kdo je hlavou rodiny."

„Musím být, jsem jediná ženská v domě. Kdybych taková nebyla, každou chvilku bych se přerazila o špinavou ponožku nebo nějaké sportovní vybavení."

Okamžitě jsem se zasmála a vybavila si Samovu kriketovou výbavu, která pokaždé v sobotu večer zabírala celou předsíň. „To moc dobře znám."

„Přesně tak. Je úžasné, že ses vrátila. Omlouvám se, jestli jsem tě tenkrát nějak vyděsila. Říká se o mně, že jsem hodně impulzivní. Dřív jednám, než přemýšlím. Adriana to přivádí k šílenství."

„Jenom tehdy, když domů přitáhneš dalšího zatoulaného psa." Jeho rty se konečně rozšířily do úsměvu. Viděla jsem, jak mu polevila ramena. „Už máme tři. Pouliční směs."

„Hugo je skoro labrador," protestovala Alicia.

Zakroutil hlavou. „Ten lump Hugo! Možná má v DNA nějakou stopu po labradorovi, ale rozhodně to není labrador."

To samozřejmě nebyl žádný nový poznatek, ale musela jsem se smát, když se do sebe pustili s takovým nasazením.

„To mi o něm řekli lidi, co ho našli.“

„Klidně ti mohli taky říct, že je to kříženec slona a hyeny, stejně bys ho přitáhla domů.“ Naklonil se k ní. Viděla jsem na nich, jak se mají rádi.

„Máš psa?“ zeptala se Alicia.

„Ne, bydlím…“ Při pomyšlení na to, jak se spolu se Samem bavíme o koupení domu a pořízení psa, se mi sevřelo hrdlo. „Bydlím v bytě.“

„Kdepak?“ zeptal se táta.

„V Tringu.“ Nevěděla jsem, jak dobře zná okolí Londýna. Když s námi bydlel, žili jsme v Aylesbury.

„Kdysi jsem tam pracoval. Než jsem… se přestěhoval sem na jih.“

Znovu se rozhostilo ticho.

„A už je to tady… Těmhle trapným pauzám se asi při vzájemném poznávání nevyhneme. Vážně bych tě moc ráda líp poznala. A je mi jasné, že chceš poznat svého tátu. Jinak bys tu přece nebyla. Ale možná nemáš zájem o mě. Tu druhou ženskou a všechno kolem ní… Asi to přeháním. Chci, abys nás měla ráda. Ale možná moc tlačím na pilu. Pokud chceš, abych vypadla, abys mohla strávit čas jen se svým tátou, moc ráda vás tu nechám.“

Jak bych ji nemohla mít ráda? Spontánní, upřímná a se srdcem na správném místě. Takoví lidi mě odjakživa fascinovali. A její upřímnost rozhodně celou situaci dost usnadňovala.

„To je v pořádku. Popravdě jsem nevěděla, co můžu očekávat. Bála jsem se, že na mě budete naštvaní, protože… jsem se celé roky bránila setkání.“

„Muselo k tomu dojít, až budeš připravená,“ řekl táta vlídně. Bylo zvláštní mít ho najednou před očima a uvědomit si, že je to vlastě klidný a plachý muž, a ne sobecký bastard, který se vykašlal na manželku a dítě, jak jsem si ho roky představovala.

Teď jsem si připadala provinile. Strašně provinile. Trvalo mi hrozně dlouho, než jsem k tomu dospěla.

„Omlouvám se." Jak jsem se mohla omluvit za to, že jsem tak zaslepená, když jsem neviděla ani sama do sebe? Strašně ráda bych byla spontánní a upřímná jako Alicia, ale bohužel jsem taková nebyla. Ne teď. Lhala jsem sama sobě. Hloupě jsem si namlouvala (a moc ráda bych tomu věřila), že mě táta opustil. A byla jsem tak nad věcí, že mi to vůbec nevadilo. Když mě kontaktoval v době dospívání, nehodilo se mi to vzhledem k mému feministickému přesvědčení, že jsem dcerou opuštěné ženy, na kterou se vykašlal její sobecký, bezcitný a dominantní muž. Chtěla jsem být součástí soběstačného matriarchátu oproštěného od maskulinního vlivu. Takže jsem díky svému uměle vytvořenému a scestnému morálnímu přesvědčení odmítala vůbec uvažovat o tom, že bych na jeho žádost nějak reagovala. Tohle vnímání světa mě chránilo před pocitem viny i zvědavostí. Přesto jsem si po celou dobu schovávala fotku těch dvou miminek.

„Nemusíš se omlouvat," řekl.

Ale najednou jsem si uvědomila, že musím. Byly to dvě strany jednoho příběhu. Nikdy jsem si ani nepřipustila jinou variantu, natož abych si ji chtěla poslechnout.

Zvrátila jsem hlavu, zadívala se do stropu a zhluboka se nadechla. „Moc toho o tom, co jste si s mámou udělali, nevím. Jen to, že to dopadlo špatně. Víš, že se zhroutila? A já jsem skončila u tety se strejdou."

Viděla jsem, jak se ošil. Alicia se natáhla po jeho ruce.

Přikývla a podívala se na něho. Sevřel rty a položil obě ruce na stůl.

„Chtěli jsme, abys přijela k nám, ale… Lynn měla o Joan obrovský strach. Bála se, že by ji to úplně semlelo. Dohodli jsme se, že se budeme držet stranou, abychom ji ještě víc nestresovali. Mysleli jsme si, že to bude jenom dočasné."

„To bylo ještě před tím," dodala Alicia s letmým pohledem na manžela.

„Před tím?"

Alicia položila ruku na moji, druhou chytila tátu a obě stiskla. „Adriane, myslím, že bys jí měl konečně všechno vysvětlit."

Otočil se ke mně s povzdechem. „Tvoje matka a já jsme se neznali moc dlouho, když otěhotněla. Brali jsme se strašně narychlo a už po roce jsme věděli, že nám to spolu neklape. Hádali jsme se, každý z nás měl o životě jiné představy... Nakonec jsme se rozešli, ale potom tvoje máma upadla do depresí, tak jsem se k ní vrátil, abych jí pomohl postarat se o tebe, sama by to nezvládla. Dali jsme si druhou šanci. Tenkrát nám to vydrželo několik let, během nichž prožívala záchvaty deprese. To už jsem věděl, že kdybych udělal cokoliv, nezastaví to její utrpení, ale zvládl jsem to, i když jsme oba věděli, že naše manželství je u konce. Ale tvoje matka to odmítala přijmout. Zůstal jsem s tebou, dokud ti nebylo skoro osm, ale potom jsem... poznal Alicii. Pracovali jsme spolu. Díky ní jsem si uvědomil, jak mizerně se doma cítím. Byli jsme přátelé, rok jsme spolu nic víc neměli. Nemusíš mi to věřit a popravdě je mi to vlastně jedno, protože Alicia mě zachránila."

Bylo to odvážné tvrzení, ale viděla jsem jejich vzájemnou provázanost, ten šíp lásky, něžný úsměv. Až mě to zasáhlo přímo do srdce. Něco podobného jsem prožívala se Samem.

A já jsem se toho vzdala. Sevřel se mi žaludek a zavrtěla jsem se na židli.

„Můžu ze sebe chrlit všechny ty fráze o tom, jak je život krátký a podobně. Pravda byla taková, že jsem tvoji matku nikdy

302

nemiloval a zamiloval jsem se do Alicie. Musel jsem učinit rozhodnutí, aby aspoň jeden z nás byl šťastný. Nikdy jsem toho, že jsem tvoji matku opustil, nelitoval. Ale litoval jsem toho, že jsem ve skutečnosti musel opustit i tebe. Doufal jsem, že se jednou domluvíme na nějaké formě společné výchovy."

Věnoval mi upřímný pohled.

„Ale máma to tak nechtěla," řekla jsem, všechno mi to docvaklo. Svoji tvrdohlavou a umíněnou matku jsem moc dobře znala.

„Ne hned, ale..."

Oba jsme věděli, co následovalo. Dva roky jsem bydlela u tety Lynn. Mámě dost dlouho trvalo, než se dostala aspoň do stabilizovaného stavu.

„Posílal jsem ti přání a dárky k narozeninám a Vánocům, ale pokaždé se mi vrátily zpátky neotevřené."

Alicia sevřela sklenici. Sledovala jsem její upřený pohled z okna.

Táta mlčel.

„To ještě není všechno," řekla jsem.

Táta pokrčil rameny, Alicia zvedla bradu. Poznala jsem na ní, že ho chce bránit. Přesně takhle se chovaly matky v azylovém domě, když chránily své děti.

„Tvoje matka si ode mě nevzala ani libru. Dokonce trvala na tom, že bude sama splácet hypotéku. Všechny peníze jsem ti šetřil, jsou tvoje. Peníze, které ti vždycky patřily."

Alicia přikývla, tmavé vlasy jí poskakovaly na hlavě. Šťouchla do táty a nabádala ho, aby pokračoval.

„Řekla, že se mnou nechceš mít nic společného, že jsem tě zklamal a že bude nejlepší, když vás obě nechám na pokoji." V hlase mu zněl laskavý a omluvný tón. Na rozdíl od mojí matky byl spíš smutný než zahořklý.

303

Zaplavil mě smutek. Muselo to pro něj být taky bolestivé. Musela jsem uznat, že na tom všem bylo zrnko pravdy. Nechtěla jsem s ním mít nic společného.

„Nevybavuju si to, ale v pubertě jsem byla dost upřímná a asi jsem o tobě neměla nejlepší mínění."

„To mě nepřekvapuje," řekl táta s ublíženým výrazem.

„Ale teď jsi tady," řekla Alicia a vnesla do hovoru potřebnou dávku pozitivity. „Nemá smysl zabývat se tím, co nemůžeme změnit."

„To máš pravdu, drahá." Chytil ji za ruku, propletli si spolu prsty a políbil ji na hřbet ruky. Tohle starosvětské gesto mi moc nesedělo k jeho rádoby mladistvému stylu. Najednou mi došlo, že v době, kdy se s mámou rozešli, nebyli o moc starší, než jsem teď já. Máma měla celý život před sebou. Mohla se znovu vdát, najít si někoho jiného. Proč jí to trvalo až doteď, kdy dala šanci Douglasovi?

„Nevím, jak vy, ale já mám docela hlad. Dělají tady výborné masové kapsy. Nuda, já vím, ale turisti je milují a vážně jsou moc dobré."

„Já vím," řekla jsem, když jsem si vzpomněla, jak je do sebe Sam spokojeně cpal. „Už jsem je ochutnala, když jsem tady byla… se Samem."

„To je tvůj přítel?" zeptala se Alicia. Všimla jsem si, jak táta zpozorněl. „Adriane, no tak, vždyť už je to mladá dáma."

„Ano," odpověděla jsem a chtěla rychle změnit téma. „Kolik je vlastně klukům?"

„Benovi je deset, Tobymu osm," řekla Alicia. „Strašně rádi by tě viděli. Jen jsme si říkali, že by to napoprvé bylo pro všechny jednodušší bez nich, i když jsi je vlastně už viděla."

„Ano," usmála jsem se, „jsou moc roztomilí."

„Hmm," zamyslela se Alicia, „jak kdy."

Táta se zasmál. „Někdy se chovají jako opičáci."

„Co kdybys k nám zítra přišla na brunch?"

„Moc ráda."

„Dobře, něco nám objednám," řekla Alicia. „A půjdu říct Jasonovi, ať si dá pohov. Za tím barem umírá zvědavostí. Určitě dumá nad tím, jestli jsme ho svým příchodem nepřipravili o další zářez na pažbě. To je prostě celý on."

„Ať si dá pohov." Táta se naježil a střelil po barmanovi přísným pohledem.

Zasmála jsem se. „Tyhle typy znám. Místní casanova."

„Takže už jsi ho odhalila," dodala Alicia se srdečným smíchem. „Převážně neškodný, jak by řekl Douglas Adams."

Překvapeně jsem na ni zírala. Sama by to dostalo. Stiskli bychom si ruce a zasmáli se. Bolest v mém srdci se málem zdvojnásobila. Jak mě mohla samotná představa Sama tak trýznit?

„Můj oblíbený spisovatel. Tvůj táta to nechápe. Dává přednost literatuře faktu."

„Miluju Douglase Adamse," řekla jsem a pak tiše dodala: „Sam taky." Při vzpomínkách na naše první rozhovory o knihách, filmech a hudbě, kdy jsme dychtivě poznávali jeden druhého, se mi sevřelo srdce. Zatraceně mi chyběl.

A stejně tak konverzace s tátou a Alicií přešla k tomu, co se nám líbí a nelíbí, nezbytné krůčky pro lidi, kteří se chtějí vzájemně poznat.

31

I když se společný večer díky Aliciině vřelosti a dobré náladě mimořádně vydařil, nemohla jsem v noci spát. Probudila jsem se chvilku po půlnoci a hodiny zírala do stropu. Rozhovor s tátou ve mně oživil tolik vzpomínek a emocí. I když všechno proběhlo dobře, pořádně mě to rozhodilo. Nedokázala jsem si srovnat myšlenky v hlavě. Sotva jsem se chytila jedné, ztratila jsem nit a přeskočila na jinou. Můj mozek připomínal stroj na cukrovou vatu, zoufale jsem se snažila zachytit rotující chuchvalce myšlenek.

Je nesmírně těžké, když se vám najednou proberou smysly, které jste tak dlouho měli pod kontrolou. Jako by se vám na dříve neporušené kůži objevila otevřená rána. Příběh, v němž máma figurovala jako oběť a táta jako padouch, byl jeden ze stavebních kamenů mého života a strašně moc mě ovlivnil. Nečekala jsem, že tátův úhel pohledu mě přiměje zpochybnit tolik dosud nedotknutelných přesvědčení. Vždycky jsem si myslela, že moje máma byla silná a nezávislá bojovnice. Byla jsem hrdá, že jsme to spolu zvládly. Hrdá, že jsme to zvládly bez táty, který o mě neměl zájem. Ale teď jsem si uvědomila, že máma ve skutečnosti nebyla žádná bojovnice. Prostě tím vším nějak proplula. S tímhle prozřením jsem se celou noc nedokázala srovnat.

Máma by mohla mít mnohem lepší život, kdyby se k tomu dokopala. Obviňovala tátu z naší špatné finanční situace, vždycky říkala, že nás nijak nepodporuje. Přitom by nám rád pomohl. Máma mi vsugerovala myšlenku, že táta ji opustil jako naprosto bezcitný a sobecký člověk a spálil za sebou všechny mosty. Věřila jsem, že kvůli němu trpěla. Ale teď jsem si říkala, jestli ve skutečnosti víc netrpěl táta. Snažil se udělat správnou věc. Manželství se rozpadají, tak to v životě chodí. Jde jen o to, jak vás rozchod poznamená. Rozhodla se máma chovat jako oběť kvůli tomu, že se jejich manželství zhroutilo? To proto mu znemožnila kontakt se mnou? Proto odmítla jeho finanční podporu? Její deprese byly nevyhnutelné, ale opravdu byl hlavním spouštěčem jejich rozchod? Určitě to celou situaci zkomplikovalo, ale podle táty depresemi trpěla mnohem dřív, než se rozešli.

Pořád jsem o tom přemítala, když jsem si uvědomila, že venku svítá. Proboha, do setkání s tátou a Alicií zbývalo ještě pět hodin. Přetočila jsem se v posteli a nastavila si budík pro případ, že bych usnula. Nahrnula jsem polštáře na sebe v zoufalé snaze přesvědčit své tělo ke spánku.

Když mi zazvonil budík, přišlo mi, jako kdyby uběhlo teprve pět minut. Bylo půl desáté, takže mi na přípravu zbývalo půl hodiny. Neobratně jsem vyskočila z postele a snažila jsem se dostat do koupelny, i když moje tělo očividně ještě toužilo po spánku. Ze zrcadla na mě hleděl můj pomačkaný obličej. Když se mi do očí začaly drát lítostivé slzy, spláchla jsem je studenou vodou. Dneska mě čeká seznámení s bratry. To byl důvod k oslavě. Oni v tom byli naprosto nevinně. Nenesli následky za ničí chyby.

Make-upem se mi trochu podařilo zamaskovat probdělou noc. Když jsem vyrazila ven, mozek se mi zase rozběhl na plné obrátky. Tentokrát se moje myšlenky soustředily na Sama.

Netuším, proč jsem se rozhodla mučit samu sebe, ale cestou jsem vytáhla mobil a procházela si fotky. Bylo to jako mozaika naší společné minulosti. Zastavila jsem se u jedné, na které na mě Sam hleděl s důvěrně známým úsměvem, jako by se mi díval přímo do srdce, jako by znal všechna moje tajemství a moji duši. Kousla jsem se do rtu, abych potlačila vzlyk, a zavřela jsem oči. Ztěžka jsem polkla, vrátila telefon do kapsy a rychle vyrazila k domu obklopenému zelení.

Když jsem zvedla těžké klepadlo, otevřenými okny jsem zaslechla nadšené jásání.

„Už je tady! Už je tady!“

Po chvíli jsem za dveřmi zaslechla: „Ne, já! Jááá!“

Dveře se otevřely a na prahu se objevili dva malí kluci. Zírali na mě, zatímco se kolem nich propletli tři psi a začali mi očichávat nohy.

„Ahoj, vy jste určitě Ben a Toby.“

„Ano, já jsem Ben, je mi deset.“ Přimhouřil oči. „Ty seš ta paní, co stála u plotu.“

„Jasně, byla jsem tady nedávno.“ Pohladila jsem psa, který byl nejblíž. Vzhledem k tomu, jak se dožadoval drbání, jsem ho odhadla na nechvalně proslulého Huga. Nadšeně vrtěl ocasem. Menší bílý pes se proplétal mezi chlapci a ten třetí, tmavě šedý vipet, si mě smutně prohlížel.

„Já jsem Toby. Je mi osm a půl, umím jezdit na kole a hraju Minecraft.“

„Ty seš Jessica?!“

„Jo, ale kamarádi mi říkají Jess.“

„My jsme tvoji bráchové, jak ti máme říkat?“

„Jess zní fajn.“

„Dobře. A teď si dáme lívance,“ řekl natěšeně Ben. „Mám hlad. Čekali jsme na tebe celou věčnost.“

„Já chci párky," dodal Toby. „Dneska máme brunch. Radši mám snídaně, protože nemusíme tak dlouho čekat."

Oba se otočili a psi se za nimi vrhli směrem, odkud se linula lahodná vůně snídaně. Málem povalili Alicii, která vyšla z kuchyně a utírala si ruce do utěrky. „Samozřejmě že tě pozvali dál," poznamenala sarkasticky s očima v sloup, když mě viděla na prahu dveří. „Tohle je ta naše smečka. Omluvám se. Vítej. Podle toho, jak vyvádějí, to vypadá, jako bych je nechala od rána hlady. Už měli cereálie."

Rozhlédla jsem se po předsíni. Tmavý úzký prostor rozjasnilo důmyslné umístění velkého zrcadla ve zlatém rámu a kovaný stůl ve tvaru půlkruhu, na němž stála váza s lučním kvítím. „Máte to tady moc hezké. Bydlíte tady už dlouho?"

„Děkuji." Popošla a očekávala, že ji budu následovat po nerovné kamenné dlažbě. „Přistěhovali jsme se sem krátce po tom, co se narodil Toby. Žili jsme v Exeteru, ale Adrian tam skončil s podnikáním, zůstal jen jako konzultant, takže pracuje z domova a stačí, když se v kanceláři objeví jen jednou týdně."

„V hudebním vydavatelství," zúročila jsem informace ze včerejška.

„Přesně tak. Partitury. Lidi o to mají pořád zájem. Díky bohu. Aspoň máme klukům z čeho platit boty a poníky." Odmlčela se a podívala se přes rameno. „Promiň, že to říkám tak na rovinu. Vážím si toho, že máme takové štěstí."

„Určitě jsi taky tvrdě pracovala." Podle toho, co o sobě včera prozradila, provozovala úspěšný e-shop s galanterií. V nabídce měla nejrůznější knoflíky, stuhy a všechny zajímavé kousky pro ty, kteří milovali šití a ruční práce. Během večeře jsem si její web našla na mobilu. Bylo to moc působivé a inspirativní. „Kéž bych uměla plést, šít nebo tak něco."

„Byla jsem na tom stejně," zasmála se. „Přesně kvůli tomu jsem s tím začala. Viděla jsem všechny ty úžasné serepetičky, koupila jsem si je s bohulibým záměrem, že z nich něco vytvořím, a pak jsem se k tomu nikdy nedostala. Nebo jsem se o to pokusila, ale nevypadalo to vůbec tak, jak to mělo vypadat. Nashromáždila jsem spoustu materiálu a pak jsem tomu úplně propadla."

Následovala jsem ji do kuchyně, které byla pravým opakem vstupní části domu. Francouzská okna vedla do zahrady plné květin všech barev a tvarů a do nečekaně moderně vybavené místnosti vnášela záplavu světla. „Páni, to je jako Tardis z *Pána času*."

Věnovala mi milý úsměv. „Tady jsem se opravdu vyřádila. Kuchyň byla jediná místnost, která se mi tady při koupi nelíbila. Příliš malá a stísněná."

„Bývávalo."

„Přesně tak. Miluju to tady. Já vím, že se pořád vychvaluju, ale jsem nadšená, jak jsme to tady proměnili."

O tom nebylo pochyb. Kuchyňskou linku tvořily krémové skříňky s ořechovou deskou a vestavěnými moderními spotřebiči. Uprostřed místnosti stál stůl z ořechového masivu a nad ním visela tři světla s měděnými stínidly. Přilehlý prostor zaplnily dvě pohovky, koberec a kamna na dřevo.

„V téhle místnosti trávíme většinu času."

„Nedivím se."

Táta vstal od stolu, kde něco vytvářel na rozložených novinách. „Dobré ráno, Jess."

„Teď už to můžeš uklidit a prostřít stůl na brunch."

„Ano, drahá," řekl táta, došel ke mně a nesměle mě objal.

„Co to máš?" zajímalo mě.

„Sbírám a opravuju stará rádia. Spousta z nich je stále funkční, i když samozřejmě nezachytí digitální signál. Brzy to budou starožitnosti, ale někteří lidé nedají na stará dobrá rádia Roberts dopustit. Uvnitř se toho moc nezměnilo."

„Akorát kolem sebe dělá nepořádek." Aliciin vřelý úsměv příliš neladil s jejími slovy. „Už můžu servírovat. Proboha, doufám, že nejsi vegetariánka nebo tak něco. Zapomněla jsem se tě na to zeptat. Máme jen hromadu slaniny a párků. Z místní bio farmy."

„Kdybych byla, musela bych se k tomu sama hlásit. Ta slanina voní úžasně. Ale asi by to Benovi a Tobymu nevadilo. Zbylo by víc pro ně."

„A taky pro psy. Kdybys viděla, že krmí psy pod stolem, okřikni je. Darebáky!"

„Radši bych byla jejich hodná starší sestra." Vytáhla jsem z kabelky dva pytlíky čokoládových kuliček Maltesers.

„Úplatky. Vidím, že máš jasný plán, jak si je získat," řekla Alicia a vesele zakroutila hlavou.

„Naprosto," souhlasila jsem.

„Můžeš je zavolat, než začnu podávat brunch, a Adrian," zdůraznila jeho jméno, když se začal zase zaobírat rádiem, „prostře stůl. Jsou v obýváku. A dohlídni na to, aby Ben vypnul televizi."

Kluci leželi na obrovské pohovce obklopení změtí psů a sledovali nějaký akční animovaný film, ve kterém jsem matně rozeznala hrdiny z Marvelu. „Brunch už je skoro hotový," řekla jsem. Oba vyskočili z pohovky a psi za nimi pádili do kuchyně. Zůstala jsem tam sama a prohlížela si obrovský pokoj. Byl draze vybavený. Sametové pohovky byly pokryté přehozy, které je chránily před psími chlupy. Upoutal mě nízký mahagonový stolek u prosklené stěny plné rodinných fotek ve stříbrných rámečcích. V největším z nich byla svatební fotka táty a Alicie. Samozřejmě nechyběl její typický úsměv. Fotka působila neformálně, žádná strojená póza. Držela tátu za ruku a něčemu se smála, zatímco on se na ni díval pohledem plným něhy a laskavosti, který k němu očividně neodmyslitelně patřil. Do očí se mi nahrnuly slzy. Spokojené manželství jsem znala díky Lynn a Richardovi. Neustále spolu vtipkovali, vyzařovala z nich láska. Očividně se měli rádi, ale necukrovali spolu jako dvě zamilované hrdličky. To, jakým způsobem se k sobě chovali táta a Alicia, bylo naprosto dojemné.

Dle očekávání tam byla spousta fotek zachycujících kluky v různém věku – jako miminka, batolata a samozřejmě nechyběly obligátní školní snímky na univerzálním modrofialovém pozadí. Máma měla taky jednu takovou vystavenou…

Najednou jsem ztuhla. Bylo to tady, přímo vedle Bena a Tobyho. Podívala jsem se blíž a ujistila se, že tam mají moji fotku z promoce, další z mých osmnáctých narozenin a jednu současnou.

Polkla jsem a objevila další svoje fotky, jako bych odjakživa byla součástí jejich rodiny.

Připadalo mi to jako opravdu velkorysé gesto. Počítali se mnou, i když jsem s tátou nebyla v kontaktu. Pamatoval na mě, i když jsem na něj zapomněla. I když mě o tom nikdy nikdo neuvědomil, měla jsem tady domov.

Prohlídla jsem si zbytek fotografií a srdce mi poskočilo při pohledu na jednu, která byla zastrčená vzadu. Byla pořízená letos v létě. Na zahradě tety Lynn. Ten snímek mi úplně zastřel pohled. Byla jsem tam já a Sam. Hlavu zvrácenou smíchem. Zvedla jsem rámeček a přejela palcem po Samově tváři. Sam. Moje srdce pohotově reagovalo. Ten den jsme se poznali. Připomnělo mi to pocit, jako když do sebe něco dokonale zapadne. Jako kostky lega. Strčila jsem ruce do kapes a připadala jsem si, jako bych nahmatala cihlu, kterou s sebou pořád vleču. V záplavě emocí jsem si rámeček přitiskla k hrudi.

„Jess?" Otočila jsem se na tátu, který když si všiml, že si prohlížím jejich sbírku fotografií, měl ve tváři ten nejvřelejší úsměv na světě.

„Celou dobu jsme doufali, že si k nám jednou najdeš cestu. Čekali jsme na tebe. Vždycky tady budeš mít domov a budeš u nás vítaná." Slova se z něj sypala, jako by je měl dlouho připravená.

Přikývla jsem, nebyla jsem schopná mluvit.

„Jsi v pořádku?"

Zakroutila jsem hlavou. „Vlastně ne." Podívala jsem se na rámeček ve své ruce a rty se mi chvěly. „Udělala jsem strašnou chybu." A rozplakala jsem se.

„Strašné chyby jsou jenom ty, které se nedají napravit. Určitě je to i tento případ?" zeptal se, objal mě a vedl mě k pohovce. Cestou pohotově popadl krabičku papírových kapesníků a posadil se vedle mě.

Můžu to vrátit? Odpustil by mi Sam?

Podívala jsem se na tátu. Potřebovala bych názor od chlapa.

„Rozešla jsem se se Samem, když jsme se odtud vrátili."

„No…"

„Úplně bezdůvodně." Ukázala jsem tátovi fotku. „Tohle je Sam. Když jsme se poprvé potkali. Byl zadaný. Nevěřím na lásku na první pohled, ale… nějak to mezi námi zajiskřilo. Za měsíc a půl mi zavolal. To už zadaný nebyl. Začali jsme spolu trávit čas." Pokusila jsem se o úsměv. „Vlastně jsme spolu začali hned žít. Vypadalo to dokonale. Vlastně to takové skoro bylo." Položila jsem si rámeček do klína a podívala se tátovi do očí. „Až doteď jsem si připadala jako ta druhá žena. Ta, která zničila život mojí mámě. A nebylo mi to příjemné. Jeho přítelkyni to zlomilo srdce. Připadala jsem si strašně."

Táta přikývl.

313

„Myslela jsem si, že se s tím časem srovná. Ale to se nestalo. Spíš naopak. Nikdy se s tím nesmířila." Podívala jsem se na něj. „To zní povědomě, že?"

Stiskl mi ruku. „To ano."

„Pořád jsem si vyčítala, že jsem způsobila jejich rozchod, že můžu za to, jak ta žena trpí. Dohnalo ji to k… zoufalému chování. Nedokázala se přes to přenést. Samovi tím zkomplikovala život, jeho vztah s matkou, s přáteli… A způsobila mi problémy v práci. Až teď jsem si uvědomila, že… se vlastně stala obětí svého neštěstí. Nemůžu ji soudit. Sam i já si zasloužíme být šťastní. Viděla jsem, čeho jste s Alicií dosáhli. Máte nádherný život, to je to nejdůležitější."

„Viny mě to nikdy nezbaví, ale udělali jsme si hezký život, moc ji miluju. Musíš dosáhnout svého štěstí. Využít příležitost a přiživovat ji. Je to jako zahradničení. Všechno poroste, když bude mít z čeho čerpat živiny."

„Vykašlala jsem se na Sama. Bojím se, že mi to nikdy neodpustí."

Táta se usmál a podal mi kapesník. „Alicia se v těchhle záležitostech vyzná víc. Za sebe ti můžu říct, že i my chlapi jsme prosté duše. Zní to, jako byste se Samem měli něco unikátního. Něco takového nezmizí po pár dnech. Pokud teď trpíš, on nejspíš trpí taky."

„Musím ho vidět a promluvit si s ním. Ale to nejspíš nic nezmění." Vysvětlila jsem mu, co jsem zaslechla u Samových rodičů.

„To je zajímavé. Mám pár známých, kteří se pohybují ve světě kriketu. Dokonce i já jsem ho kdysi hrál. Tak jsem vlastně poznal tvoji mámu. Vždycky měla slabost pro kriket. Mám od nich něco vyslídit?"

„To by bylo úžasné. I když nevím, jak mi to pomůže."

„Chlapi, co hrajou kriket, jsou na sebe neuvěřitelně hrdí. Mají pocit, že dělají správnou věc. Určitě už jsi ho slyšela říkat: Tohle by se v kriketu nestalo. A to, o čem mluvíš, by se rozhodně v kriketu nikdy nestalo. Nech to na mně."

„Tatííí! Máme hlad!" ozvalo se odvedle.

„Už jdeme," zavolal a zvedl mě za loket. „Příště ho můžeš přivést s sebou."

32

Vedra se vrátila, ale šortky a trička jsem vyměnila za květované šaty s kapsami odhalující moje nohy a opálení, které jsem získala povalováním na zahradě u táty a Alicie.

Strávila jsem s nimi pár krásných dnů a do Tringu jsem se vracela mnohem odhodlanější. Dřív jsem si neuvědomovala, jak mě celá ta záležitost s Victorií vyčerpávala. Vrátilo se moje staré dobré optimistické já, i když tomu nejspíš výrazně pomohla Aliciina přirozená schopnost zachraňovat druhé. Staly se z nás dobré kamarádky a úplně jsem se zamilovala do svých rošťáckých bratrů, kteří odhalili můj odpor k červům. Škoda slov.

Můj táta byl zpočátku rezervovanější, ale za těch pár dní jsme si k sobě našli cestu. Oceňovala jsem na něm hlavně jeho rozvážnost a moudrost. Vždycky to musel být fajn chlap. Mrzelo mě, že máma o to všechno přišla.

Nebyla jsem si jistá, jak jí vysvětlím, že jsem byla za tátou a přijala jsem Alicii i kluky jakou součást svého života. Uvědomila jsem si, že ji budu muset ujistit o tom, že navzdory všemu, co se stalo, ji mám pořád ráda. Budu s ní trávit více času, abychom se zase sblížily. Oběd s Douglasem pro ni snad znamenal nový začátek. Moc bych si to přála.

316

Taky jsem si uvědomila, že budu muset něco udělat s Victorií. Díky tátovi a Alicii jsem dospěla k tomu, že nejsem zodpovědná za její nespokojenost. Naopak. Victoria bude muset převzít zodpovědnost sama za sebe a přestat všechno svádět na mě. Dneska jsem se vydala do bitvy. I když jsem oblečením chtěla udělat dojem, bylo to jen kvůli jediné osobě. Bylo mi jedno, co si myslí všichni ostatní.

Pomalu jsem vyšla po schodech do prvního patra kriketového klubu. Byla jsem připravená. Samův tým byl momentálně na hřišti, ale věděla jsem, že dřív nebo později se musejí přijít občerstvit. Mohla jsem na něj počkat, ale nejdřív jsem se chtěla setkat s Victorií.

Netrvalo mi dlouho, než jsem ji objevila. Měla na sobě tmavě modré pouzdrové šaty a lodičky ve stejné barvě. Takhle by mohla rovnou vyrazit na zahradní slavnost do Buckinghamského paláce. Nacházela se v hloučku dalších holek. Některé z nich jsem znala ze setkání v restauraci, jiné z fotografií. Myslím, že mě okamžitě zaregistrovala, ale nedávala to najevo. Vychutnávala si mě. Pak se na mě podívala a teatrálně jako herečka ze čtyřicátých let si přiložila ruku na srdce.

Všechno na ní bylo přehnané a falešné, ale věděla jsem, že je v nesnázích. Ani pro mě tahle konfrontace nebyla příjemná.

„To se mi snad zdá," nesl se ke mně kultivovaný tón jejího hlasu. „To je mi ale nadělení."

Usmála jsem se, i když mi popravdě do smíchu vůbec nebylo. Byla jsem tady, abych jí od srdce řekla krutou realitu. Vypadalo to, že budeme mít publikum, což bylo ještě mnohem horší.

„Ahoj Victorie," řekla jsem a přátelsky kývla ostatním. Nebyla jsem tady, abych dělala problémy. „Mohly bychom si promluvit?"

I když se tvářila sebevědomě, všimla jsem si zaváhání v jejích očích. „Ty si chceš promluvit se mnou?"

Za její předstíranou odvahou byl náznak úzkosti. Došlo mi, že není tak sebejistá, jak by chtěla působit.

„Ano."

„Nechápu o čem."

Podívala jsem se na ostatní holky, které nás dychtivě sledovaly. „Radši někde v soukromí."

Přehodila si dlouhé hnědé vlasy přes rameno a zasmála se. „Nemám žádné tajnosti."

„Ale já ano. Třeba to, kde pracuju. Uvědomuješ si, jakou škodu jsi způsobila?"

„Víš přece, že jsem to video stáhla."

„Dobře," řekla jsem. Holly mi poslala hned první den mého neplaceného volna zprávu, že právníci z vedení charity udělali svoji práci a video zmizelo z internetu. A protože se nikomu nepodařilo budovu identifikovat, povyk utichl. Naštěstí jsem nepřišla o práci.

„Nevím, kdo za tím stál, ale nějaký právník se mnou jednal velmi agresivně, což se mi vůbec nelíbilo." Podezíravě si mě prohlížela. „Však já zjistím, v čem jedeš."

„Není to moje tajemství," řekla jsem vyrovnaně a potlačila vztek nad její naivní a naprosto neopodstatněnou zvědavostí. Chovala se jako včelí královna. Šla si za tím, čeho chtěla dosáhnout. Podívala jsem se na její obdivovatelky. „Pracuju v azylovém domě pro ženy v ohrožení." Odmlčela jsem se, aby mohla vstřebat moje slova. „Pomáháme ženám, které nemají kam jít, poté co utekly kvůli domácímu násilí a zůstaly samy." Mluvila jsem hlasitěji a uvážlivě vyslovovala každé slovo. Střetla jsem se s pohledy každé z nich. „Ženy, které k nám přijdou v pantoflích, pyžamu, většinou s sebou nemají nic jiného než své vyděšené děti." Vrátila jsem se k Victorii a zjistila jsem, že mi vyděšeně naslouchá. „Ženy se zraněním, prázdným pohledem a prázdnýma rukama." Další pauzou jsem jim dala dost času, aby si uvědomily, čím vším si ty ženy musely projít. „Ženy, které byly zneužívány, ponižovány a zastrašovány. Nemají kam jinam jít. Nabízíme jim bezpečné místo, kde můžou začít nový život. Bez mužů, kteří jim ubližovali." Přerušila jsem svoji řeč, abych se uklidnila a potlačila vztek. „Jejich bezpečí závisí na anonymitě." Přistoupila jsem o dva kroky blíž k Victorii. „A ty se vším tím svým drahým oblečením, značkovými kabelkami a luxusním autem jsi ty ženy, které nemají vůbec nic, ohrozila jenom kvůli svojí posedlosti dozvědět se, co dělám, když jsem ti to odmítla říct. Ty ženy jsou kvůli tobě v nebezpečí. Tohle ti nikdy neodpustím."

Nevěřícně na mě zírala. Její kamarádky se začaly nepříjemně ošívat.

„Ale, já jsem –"

„Nevěděla jsi to. To tě ale neomlouvá. Proč pro tebe bylo tak strašně důležité, aby ses to dozvěděla? Zeptej se sama sebe!"

Viděla jsem na ní, jak se pokouší svoje jednání ospravedlnit.

„Jsi blázen! Vůbec nepřemýšlíš o důsledcích svého chování. Pronásleduješ mě. Propíchla jsi mi pneumatiky. Stalkuješ Sama. A to nejhorší ze všeho – zničila jsi mu kariéru v kriketu. Pokud jsi ho vážně tak moc milovala, proč bys to dělala? Připravila jsi ho o něco, co miloval on."

Soustředila jsem se na Paige. „Víš, proč Sama v letošní sezoně nevybrali do týmu?"

Oči se jí rozšířily údivem. Skupinka starších mužů u baru přerušila konverzaci.

„Ne."

„Nepřekvapilo tě to? Mike ti nic neřekl?"

Pohledem hledala pomoc u Victorie. „Prostě smůla," utrousila. Ale poznala jsem, že moje slova na ni udělala dojem.

Victoria pohodila hlavou a střelila po mně falešným úsměvem.

„Vůbec nic o tom nevíš."

„O čem? O tom, že jsi zařídila, aby ho nevybrali?"

„Nesmysl. Kde jsi k tomu proboha přišla?"

„Co třeba Samova máma?"

Sledovala jsem, jak se jí sevřelo hrdlo. A mám ji, pomyslela jsem si.

„Jako bych na to snad měla vliv."

„Slyšela jsem něco jiného. Doneslo se mi, že máš dost velký vliv, protože znáš někoho ve výběrové komisi. Předpokládám, že jde přímo o předsedu."

Sevřela rty a nenápadně zkontrolovala osazenstvo u baru.

„Takže jsi nikomu netvrdila, že Sam už se o kriket nezajímá tak jako dřív? Nemluvila jsi o tom, že má odehráno málo zápasů?" Záměrně jsem zvýšila hlas, aby přehlušil šum v místnosti.

Victoria se znovu podívala k baru. Jeden muž se zvedl a došel k nám. Hned jsem zaznamenala rodinné geny.

„Nějaký problém, zlatíčko?"

„Ne, tati. Tohle je Samova bývalá přítelkyně."

Nevrle se na mě podíval.

„Je zrovna na odchodu."

„To teda nejsem. Přišla jsem si s vámi promluvit, pane Langley-Jonesi. Mám za to, že kriket je hra čestných a poctivých gentlemanů." Probodla jsem ho očima. „Takže mě dost překvapilo, když jsem se dozvěděla, že jste vědomě znemožňoval Samovi výběr do národního týmu."

„Nevím, kde jste tyto informace vzala."

„Na tom nezáleží, protože všichni víme, že je to pravda. Slyšela jsem to od jiného člena komise, pokud na tom trváte." Tátův kamarád byl dost v obraze a zpětně pro mě zkontroloval zápis z jednání. „Mám kopie zápisů z vašich schůzek." Nic takového jsem neměla, blafovala jsem, ale nějak bych se k tomu dostala, kdyby to bylo nutné.

„Pokud ten muž není připravený na hřiště, chybí mu odehrané zápasy a nevykazuje potřebné předpoklady, jeho zamítnutí bylo naprosto oprávněné."

„Ne, pokud jsou informace, na kterých zakládáte toto rozhodnutí, nesprávné. Věřím, že kriketové kluby vedou podrobné záznamy o každém zápasu. Skóre, body, jména hráčů." Díky, tati. Tohle jsem netušila.

Pan Langley-Jones přimhouřil oči pod hustým šedým obočím. „Co tím chcete říct?"

„Kdybyste ty záznamy zkontroloval, zjistil byste, že Samův pálkařský průměr je letos nejvyšší za celou jeho kariéru. A v této sezoně mu chybí odehrát dva zápasy."

„Jsem přesvědčený, že to tak není," zamumlal a podíval se na dceru. „Obávám se, že Sam letos neodehrál mnohem více zápasů."

Zvedla jsem obočí. „Na základě čeho jste k tomu došel?" Byla jsem na sebe hrdá. Z každého mého slova byla zřejmá snaha Sama bránit.

„Na to vám nemusím odpovídat," odvětil s rudnoucími tvářemi.

„Nemusíte. Jde o vaše svědomí. Na vašem místě bych si to všechno zkontrolovala a ověřila si vaše tvrzení. Řeknu vám, co všechno vím. Odmítl jste Sama nominovat do týmu. Za tuto sezonu už jedenáctkrát."

Paige a další Victoriiny kamarádky se nestačily divit. Viděla jsem, jak Paige nevěřícně vyslovila: „Jedenáctkrát!"

„Protože vynechal spoustu zápasů."

„Celkem dva. Jeden kvůli svatbě, kam měl jít s vaší dcerou, a druhý, když se zúčastnil svatby v době, kdy už bylo celkem zřejmé, že už si nezahraje, dokud to nedá znovu dohromady s Victorií. Můžete si projít tabulky."

„Je to pravda, Victorie?" zeptal se pan Langley-Jones.

Victoria byla pod jeho ropuším pohledem rudá až za ušima.

„Ty děvko!" prskla po mně Victoria s očima přimhouřenýma do tenkých čárek. „Všechno bylo fajn, dokud ses tady neobjevila ty!"

„Ale já jsem se tady objevila a nehodlám se za to omlouvat. Já ani Sam jsme nic špatného neudělali."

„Byl můj, ne tvůj." Zavřela pusu a poklepala nehty po sklenici s vínem. „Měla ho nechat na pokoji!"

Zahnala jsem důvěrně známý pocit viny, který se znovu vrátil. „Nikdo není ničí majetek," řekla jsem opatrně.

Otevřela pusu, jako by toho měla hodně co říct, ale nedokázala formulovat správná slova.

„Můžu ti to odpustit, protože jsi měla zlomené srdce. Není příjemné, když tě někdo odmítne. Ale Sam se pokusil o správnou věc."

„Správná věc by byla zůstat se mnou," oponovala.

„Pro něj ne. Chtěla bys, aby se trápil?"

„Byl naprosto šťastný, dokud ses tady neobjevila ty. Všechno jsi zničila!"

Povzdychla jsem si. Musela jsem k ní být brutálně upřímná.

„Victorie," řekla jsem mnohem laskavěji. „Tohle je skutečný život, ne telenovela nebo divadelní melodrama. Sam je dospělý chlap, který má právo na vlastní rozhodnutí. Krutá pravda je, že… už tě nemiluje. Budeš se přes to muset přenést. Promiň."

Teatrálně zalapala po dechu a podívala se na kamarádky, jako by se dožadovala podpory, ale Paige se namísto toho o několik kroků vzdálila. Další ji následovaly.

„Proč chceš Sama? Protože ho miluješ? V tom případě bys asi chtěla, aby byl šťastný, že?"

„Vypadni," odsekla a sledovala prostor, který vznikl mezi ní a jejími kamarádkami.

„Dokud budeš žít v tom omylu, že Sam je tvůj, nikdy nebudeš šťastná. Nejdřív mi tě bylo líto, ale je potřeba jít dál. Nemůžeš nikoho nutit, aby tě miloval. Přesně tohle udělala moje matka, když táta odešel. Roky se v tom utápěla, protože nedokázala jít dál. Varuju tě, pokud se sebou nic neuděláš, stane se z tebe nešťastná a zapšklá ženská."

„To si nemyslím." Nasadila vítězný výraz. „Sally mi řekla, že jste se rozešli."

„A Sam se vrátil k tobě?" zeptala jsem se opatrně, aniž bych do otázky promítla svoji převahu. Věděla jsem totiž, že Sam by se k ní nikdy nevrátil. Nešlo o to, že bych se považovala za někoho lepšího, přesvědčila mě intenzita lásky, kterou jsme spolu prožili. A taky jsem věděla, že tahle otázka jí způsobí nejvíc bolesti.

Na chvilku zvedla hlavu, jako Boudicca odhodlaná k boji, ale pak se jí oči zalily slzami. „Vrátí se."

Zakroutila jsem hlavou, najednou mi jí bylo líto. „To se nestane."

„Jak to můžeš vědět?"

„Znám Sama. Rozejít se s tebou pro něj nebylo jednoduché. Svoje rozhodnutí nezmění. Znáš ho stejně dobře jako já. Je to férový a zásadový chlap."

Ústa se jí třásla, plné rty jí najednou polevily, jak se snažila něco říct, ale nakonec přijala porážku. Najednou vypadala menší, jako by se vcucla sama do sebe. „Co budu dělat?" zašeptala.

Bylo mi jí nesmírně líto, ale už bez soucitu, který jsem k ní dřív cítila. Bude muset jít dál. Je to pro její vlastní dobro. Moc dobře jsem věděla, co by se mohlo stát, kdyby to neudělala.

Zachytila jsem Paigein pohled. Vyměnily jsme si rychlý vzkaz beze slov. Kývla na mě, došla k Victorii, objala ji kolem ramen a celou uplakanou ji vedla ke kamarádkám.

V celém okolí zavládlo ticho. Hlouček kolem Victorie zvedl hlavu a zíral za moje záda jako vykulené surikaty. Uvědomila jsem si, že hřiště pod terasou je najednou prázdné.

„Jess?"

Otočila jsem se za Samovým hlasem.

„Co tady děláš?" zeptal se, když už si to mezi stoly razil za mnou a sundával si rukavice.

Jakmile se moje oči upřely do jeho nespoutané modři, srdce, které mi celou dobu zběsile tlouklo, si konečně oddechlo.

Přesto se moje kolena rozhodla, že mě trochu potrápí. Byl nádherný. A já jsem byla blbá. Milovala jsem ho. Vpíjela jsem pohled do každého důvěrně známého rysu jeho tváře. Zhluboka jsem se nadechla a přemýšlela o tom, jak jsem si vůbec někdy mohla myslet, že bych ho opustila.

„Přišla jsem dát věci do pořádku," řekla jsem s upřeným pohledem do jeho očí.

„No konečně." Sam se zamračil a odhodil přilbu na nedaleký stůl. Přistoupil ke mně a vůbec ho nezajímalo, že jsme středem pozornosti. „Vůbec mi nejde o kriket, Jess." Natáhl se po mé ruce a propletl si prsty s mými. „Zapadlo to do sebe, pamatuješ?" Naklonil se a políbil mě na hřbet ruky. Úplně jsem roztála. Strašně moc jsem ho milovala. „Lego, Jess, lego."

Usmála jsem se na něj přes slzy dojetí a hleděla do jeho nádherně modrých očí.

„Lego, Same, lego."

Políbila jsem ho na koutek úst a zašeptala: „Miluju tě."

„V to jsem zatraceně doufal," řekl, než mě znovu políbil, tentokrát mnohem vášnivěji.

Když jsme přestali, uvědomila jsem si, že se na nás všichni dívají. Holky vypadaly dojatě, leskly se jim oči. Zatímco chlapi působili zaraženě, někteří jen ohromeně zírali.

„A já ti na to můžu říct jedinou věc," rozhlédl se kolem sebe, „že se na to hřiště nevrátím, dokud nebudeš souhlasit s tím, že si mě vezmeš."

Všichni kolem zalapali po dechu. A zdaleka nešlo jenom o dívčí publikum.

Usmála jsem se nad Mikeovým zděšeným výrazem a uvědomila si, že celá místnost zmlkla.

Ať se jdou všichni vycpat, nehodlala jsem jim dopřát další podívanou. Po tom náhlém prozření dokazujícím, že jsme se Samem tak dokonale sladění, se rozhlédl kolem sebe a řekl: „Už mám po krk citového vydírání. Výhrůžek, zastrašování a vandalismu. Přestěhujeme se někam pryč, kde začneme znovu. Miluju Jess a chci strávit zbytek života s ní. A nikdo na tom nic nezmění."

Chytil mě za ruku a odvedl mě z klubu. Táhl mě po schodech a hlavním vstupem ven. Potom mě zručným manévrem, při kterém se mi rozbušilo srdce, přitiskl ke zdi. Opřel si ruce o stěnu a provrtával mě vášnivě modrým pohledem.

„Jess Harperová. Miluju tě a tohle už na mě proboha nikdy nezkoušej. Kde jsi byla celý týden?" Začala jsem ho hladit po zádech, kopírovala jsem jeho páteř, cítila jsem, jak se mu napínají svaly na lopatkách. Prsty jsem přejížděla po známém území jeho těla, celá nervová soustava mi brněla čirým potěšením. Byla jsem zpátky tam, kam jsem patřila. „Každou noc jsem proseděl před tvým bytem a čekal jsem, až se vrátíš domů."

Srdce mi málem puklo, když jsem viděla úzkost v jeho očích.

„Promiň. Jela jsem za tátou," řekla jsem a zhluboka se nadechla. „Uvědomila jsem si, že jsem to celé zpackala."

„Mohl jsem ti to říct," dodal rozčíleně. Pak sklonil hlavu a políbil mě tak něžně, až jsem se obávala, že bych z nepravidelného rytmu srdce mohla omdlít.

Když jsme se oba znovu nadechli, odhrnul mi vlasy z obličeje. „Už tě asi nikdy nespustím z očí."

„Nečekají na tebe na hřišti?"

Palcem mi přejel po čelisti. „To, co jsem řekl tam nahoře, jsem myslel naprosto vážně. Nevrátím se tam, dokud nebudeš souhlasit, že si mě vezmeš. Měli jsme společné plány, vzpomínáš?"

„Ano, ale o svatbě nebyla řeč."

„Chci, aby to bylo oficiální. Aby všichni věděli, že k sobě patříme," odmlčel se a upřeně se mi podíval do očí, „dokud nás smrt nerozdělí."

„Same…" Hrdlo se mi sevřelo tak, že jsem sotva mohla dýchat. Tak strašně moc jsem ho milovala. Nešlo to ani vyjádřit slovy, ale musela jsem mu to zopakovat. „Miluju tě."

Vytáhl z kapsy nám tolik známou červenou kostku lega.

Pobaveně jsem zašátrala v kapse a vytáhla z ní tu modrou. Pak jsem je spojila v jednu tak, jak k sobě vždycky patřily.

Usmál se. „Věděl jsem, že to cvaklo hned, jak jsme se potkali. Okamžitě to mezi námi zajiskřilo. Musela jsi to cítit taky."

„Cítila. A teď už by ses měl vážně vrátit, než mě bude celý tým nenávidět."

„Počkáš na mě?"

„Ale jenom chvilku," podívala jsem se na hodinky, „pak půjdu do realitky změnit naše požadavky. Zůstaneme v Tringu. Tady máme společnou budoucnost."

Poděkování

Běžně musím po dopsání knihy poděkovat spoustě lidí, ale tato kniha je trochu jiná. Vznikla na základě nápadu, který se zničehonic objeví a pak ho nemůžu dostat z hlavy. Jedná se o můj tajný projekt. Trable s láskou jsem napsala ve svém volném čase, přestože jsem v té době měla pracovat na jiných knihách. Slova ke mně prostě přicházela sama a psaní pro mě bylo radostí. Oba hlavní hrdiny, Jess i Sama, jsem si naprosto zamilovala. Doufám, že čtenáři je budou vnímat stejně.

Zřejmě vám přijdu trochu majetnická, ale ta kniha je jenom moje! Musím však poděkovat skvělé editorce Charlotte Ledgerové, která mi nechala volné ruce a pak mě přiměla text dopilovat, aby kniha byla ještě lepší.

I když tento román považuji za své dítě, samozřejmě musím zmínit, že za ním stojí spousta dalších lidí, kteří odvedou svou práci poté, co text odevzdám. Ráda bych poděkovala své skvělé agentce Broo, celému úžasnému týmu v nakladatelství One More Chapter a fantastické Rachel Gilbeyové a jejímu blogerskému týmu. Omlouvám se, že to přeháním se všemi těmi superlativy, ale mám obrovské štěstí, že mám kolem sebe tak profesionální tým. Všichni jste jedničky!

JULES WAKE

Trable

S LÁSKOU

Z anglického originálu *The Spark* vydaného roku 2020
nakladatelstvím HarperCollins *Publishers* v Londýně
přeložila Klára Krasula
Vydalo nakladatelství Motto v Praze roku 2024 ve společnosti
Albatros Media a. s. se sídlem 5. května 22, Praha 4,
číslo publikace 43 361
Ilustrace Nikol Greplová
Grafická úprava obálky Natálie Pecková
Odpovědný redaktor Adam Chromý
Technický redaktor Jakub Záruba
Sazba Grafické a DTP studio Albatros Media
Vytiskl FINIDR, s.r.o., Český Těšín
1. vydání

www.motto.cz
e-shop: www.albatrosmedia.cz

motto